L'île du lézard vert

Du même auteur

Théâtre

Les Nonnes, Eux, Le Borgne, L'Autre Don Juan, Madras, La nuit où, « Manteau d'Arlequin », Gallimard.

Un balcon sur les Andes, Ma'Dea, N.R.F, Gallimard.

Le jour où Mary Shelley rencontra Charlotte Brontë, L'Avant-Scène.

Romans

La Mauresque, Gallimard.

Zone interdite, Gallimard.

EDUARDO MANET

L'île du lézard vert

Roman

FLAMMARION

© Flammarion, 1992
ISBN : 2-08-066593-6
Imprimé en France

Un jour, j'ai vu sur la mer une île toute paresseuse, immobile sur les vagues, comme un long lézard vert.

Première partie

L'été 1948...

L'anniversaire

Tout tourne, le ciel et la terre basculent, le plancher, le plafond, l'armoire... les objets dansent. Valse d'enfer! Mon lit navigue à la dérive. Je danse au milieu de ma chambre, une bouteille vide à la main. Moi, Petrouchka, j'ai bu toutes ses larmes. Et je tourne, les bras en croix, je tourne dans la chambre à l'envers. La bouteille tombe et se brise.

Clown tragique, pauvre Nijinski.

J'essaie de soulever la tête pour arrêter ce bruit obsédant. Rien à faire. Roc de granit, montagne, dinosaure. Ma tête pèse des tonnes.

Petrouchka.

Le diamant du gramophone sur un malheureux disque aux sillons rayés, implacable et monotone. Trac-trac... choc de la coque du navire contre les vagues.

Lacrima Christi... « Nous buvons le sang de Notre Seigneur, ses larmes, mon enfant! » a coutume de dire ma mère avec son emphase habituelle. Les larmes du Christ, mises en bouteilles par des petits moines de je ne sais quelle obscure région d'Italie.

Le Christ est en moi, ce soir. J'ai quinze ans et la fête est finie. Quinze ans et envie de dynamiter le monde.

Derrière la porte, ma mère, habitée par l'esprit de Sarah Bernhardt, crie à tous les vents sa douleur de femme délaissée, et maudit son destin. Quelque part dans la maison mon père, stoïque, résigné, attend que l'orage passe. Puis, à son tour, il s'emportera. Il haussera le ton. Sa voix, d'ordinaire si chatoyante, si bien modulée, sa voix policée d'avocat du barreau, habitué à défendre malfrats et paumés, sa voix s'élèvera à son

11

tour. Mais cette fois-ci c'est pour prendre sa propre défense car voilà que lui aussi se met à blasphémer contre le jour maudit de sa naissance. Je tente de m'asseoir sur mon lit, me hisse sur les avant-bras, dans un ultime effort. Était-ce hier, ce soir, demain? Le temps se dissout, se dilate, tout se confond, je n'ai plus de repères. On n'a pas quinze ans tous les jours. J'ai décollé, tourné dans les sphères avec Stravinski, mais oui, c'est bien ça, la voix de ma mère m'a fait atterrir brutalement. « Comment Dieu a-t-il pu me maintenir en vie jusqu'à ce jour? » Elle aussi danse sur elle-même, ses beaux bras ronds et fermes relevés comme une anse. Les volets clos, la porte fermée à double tour, je danse. « Le fils de l'amour », ne cesse-t-elle de répéter, impudique et attendrie à la simple évocation de cette nuit-là, quinze ans auparavant. En l'honneur de son petit roi, elle n'a pas lésiné sur les mélanges. Lacrima Christi, une sangria corsée, épicée comme elle seule en a le secret, d'abondantes coupes de champagne. Dans ses veines coulent autant de soleils éblouissants, et sa voix prend la force d'un chant profond que rien ne peut arrêter. Cante jondo qui déchire la nuit de sa flamme ardente.

Mon cœur brisé...
Mon cœur brisé saigne entre mes doigts...

Ma mère n'a pas peur des images poétiques. Dans les montagnes rougeoyantes de la sierra Morena, on n'a que faire du bon goût. On vide son corps de la douleur qui l'empoisonne.

Mon cœur saigne
mon âme brûle
ma vie n'est que chagrin
ce désarroi qui coule dans mes veines
je ne peux l'arracher...

Quinze ans. Son fils de l'amour a la gueule de bois. C'est bon, je tiens sur mes pattes et j'avance à tâtons jusqu'à la salle de bains. Il faut se raser. Un homme de quinze ans, ça se rase quotidiennement. Quatre poils au menton et un duvet au-dessus des lèvres purpurines. Et alors? C'est le geste qui compte. La constance. Bientôt j'aurai un poil dur et noir qui jettera des ombres sur ma peau. La glace au-dessus du lavabo me renvoie l'image d'un martien. Des cheveux d'encre ébouriffés encadrent un visage bouffi aux yeux rouges avec un rictus amer sur les lèvres. Je suis méconnaissable. « Plus jamais je ne boirai, je le jure! » Le jurer, mais à qui? Pour faire un tel serment il me faudrait au moins un interlocuteur, un témoin, sinon à quoi bon? Prenons Dieu, par exemple, le plus haut placé, toujours là, toujours disponible. Il y a longtemps que je n'ai plus conversé avec Dieu, comme je le faisais si souvent dans mon enfance. « Toi qui vois en moi, à travers moi, constate dans quel pitoyable état je suis. Aide-moi, fais quelque chose, interviens, je t'en prie. » Je lui parle comme au frère que j'aurais tant aimé avoir, comme au père que je n'ai pas eu. Mon père, cet absent, ce courant d'air. Je lui parle comme j'aurais aussi aimé pouvoir le faire avec ma mère. Lui confier mes peurs secrètes, mes joies, mes angoisses. Car quand je dialogue avec elle, ça n'est pas moi qu'elle écoute, puisqu'elle ne voit et n'entend, à travers moi, que le reflet de celui qui a œuvré à ma naissance. L'homme-passion. Le Docteur-miracle. Un fils de l'amour n'a pas droit à la parole, car l'amour est fait de bonheur, de retenue et de silence. « Plus jamais, je le jure, je ne boirai d'alcool. » Avec son regard fixe, ce drôle de martien fait peur. Il esquisse un sourire. Ses yeux rougis sont embués de larmes. Le Christ est en lui. Normal, il a bu ses larmes.

« Niño, nous allons faire la plus belle fête d'anniversaire de l'histoire de l'humanité, avait-elle dit. Ce soir, Niño, nous allons jeter la maison par la fenêtre! » Et elle avait tout prévu pour que ce jour soit splendide, mémorable. Elle avait tout prévu depuis trois mois. « Il faut marquer les grands événements du sceau rouge de la fête, avait-elle continué. Rouge comme la joie, rouge comme la vie. »

Il y a quelque chose du torero chez ma mère, tant

elle met d'exaltation et de plaisir à défendre la bouleversante beauté de cette couleur. « Toutes les grandes figures de femmes, de Carmen à Phèdre, de la Tosca à Madame Butterfly, toutes ces belles et terribles amoureuses ne devraient apparaître sur scène que drapées de feu. »

Ainsi marque-t-elle d'un sceau rouge chaque date qu'elle estime digne de figurer au registre de l'immortalité. Et celles-ci ne manquent pas. L'anniversaire du jour où nous avons quitté Santiago de Cuba pour venir nous installer à La Havane. Le jour de la chute du tyran et dictateur Gerardo Machado en 1933, qu'elle continue à célébrer toute seule car le reste de la population, qui a d'autres chats à fouetter, l'a oublié depuis belle lurette. Et, bien sûr, l'anniversaire de mes premiers pas hésitants sur cette terre, jambes arquées, paquet de couches à la traîne, comme en témoignent les photos de l'époque. Les premiers pas de son enfant, ce miracle de la nature, ont été pour ma mère une source d'émerveillement inépuisable. « Marcher? Tu te rends compte? Imagine un peu le jour où notre ancêtre le primate s'est dressé sur ses pattes arrière et s'est tenu debout! »

Aussi pour commémorer cet événement avions-nous droit chaque année ce jour-là à un somptueux repas arrosé de cidre, « boisson digestive entre toutes car elle contient des sels minéraux et les vitamines nécessaires au bon épanouissement de l'être humain ». Madame Sérénité, comme j'appelle ironiquement ma mère, aime le cidre, le champagne et la bière, par ordre de préférence, et pour satisfaire ses vices, quels qu'ils soient, elle n'est pas à court d'arguments. « C'est écrit, noir sur blanc, qu'une tablette de chocolat équivaut à un poisson ou à un steak! »

Quinze ans, ça n'était pas seulement un anniversaire de plus, c'était une date exceptionnelle. Selon la Kabbale personnelle de ma mère, quinze est la moitié de trente qui à son tour est la moitié de soixante. La vie d'un homme se décompose en tranches et chaque étape marque un stade dans sa vie, un temps d'arrêt. Il franchit plusieurs caps. A quinze ans on quitte son enfance, à trente on entre dans l'âge adulte, à soixante c'est la maturité.

– Et après? dis-je, sarcastique. Après, on crève, bel espoir!

– Tu ne comprends rien. Tu as trois fois ton âge à vivre. La troisième tranche n'est pas une fin en soi mais un recommencement. Il n'y a qu'à voir le Docteur!

En effet, le Docteur, mon père, avait gaillardement entamé sa soixantième année en se conduisant, disait candidement ma mère, comme s'il venait d'avoir quinze ans.

– Pour ta fête, Niño, nous aurons des invités de marque.

– Qui, maman? Voilà longtemps que tu ne reçois plus personne.

Elle lève au ciel ses bras couverts de farine. Ma méchanceté la navre. Nous avons déjà discuté longuement de cette question. C'est soit-disant pour mieux se consacrer à mon père que ma mère vit depuis quelques années en recluse. Elle qui aimait tant recevoir, qui avait tant d'amies. Les gens qui l'aimaient le plus ont fini par ne plus l'inviter car elle se décommandait toujours à la dernière minute, balbutiant des excuses au téléphone : « Le Docteur est à la maison, il reste ce soir... Le Docteur a eu un retard qui m'oblige... Le Docteur... » Toujours le Docteur. Son temps découpé, sa vie paralysée par les allées et venues imprévisibles du Docteur. Et, en échange, la solitude.

Pendant une bonne partie de mon enfance, j'ai cru que mon père était médecin. Comme on l'appelait « le Docteur » et qu'il n'était jamais là, je l'imaginais dévoué, courant d'un foyer à l'autre au chevet des malades, délaissant sa femme et son fils unique pour mieux se consacrer aux malheurs de ses semblables. Un jour j'ai compris qu'on appelait « docteur » tous ceux qui, à Cuba, avaient un diplôme universitaire et que mon père était en fait politicien, avocat et journaliste. Pour répondre aux exigences de ces trois métiers, il jonglait avec le temps. Mais aussi pour faire face aux exigences de ses nombreux foyers, car je devais apprendre par la suite que nous n'étions pas seuls en lice, ma mère et moi. A l'époque, elle ne savait pas tout, mais « soupçonnait le pire ». Et elle évoquait avec nostalgie ce temps béni où elle ne vivait pas encore dans la hantise des absences de mon père. « Tu te souviens ? Quand tu étais petit à Santiago, j'avais ouvert une pension de famille pour étudiantes. Elles me tenaient compagnie quand le Docteur n'était pas là. Je les aidais à réviser leurs examens et j'en apprenais, des choses ! »

Je m'en souviens. Avec les filles nous étions au courant de tout : du dernier film à voir, des romans à lire, des chanteurs à la mode. Pour ma mère elles faisaient le lien avec ce monde extérieur qui lui paraissait si menaçant et où elle se débrouillait mal, trop préoccupée qu'elle était de savoir ce que pouvait bien faire le Docteur quand il était loin d'elle. Les filles nous tenaient aussi informés de la situation politique. Ce qui explique qu'à sept ans, j'étais un véritable singe savant. Quand ma mère m'emmenait en visite, il ne m'était pas difficile de briller dans la conversation. Je ne faisais que répéter ce que j'avais entendu à la maison, en particulier les propos de Myrna Abascal : bourrée d'imagination et d'un sens de l'humour à toute épreuve, la jeune femme était douée d'un réel instinct politique.

J'ignore pourquoi cinq ans plus tard ma mère décida un jour de ne plus prendre de pensionnaires, ni de répondre aux invitations de ses meilleurs amis. Elle répondait à mes questions de manière détournée, ce qui ne faisait que rendre plus opaque le mystère de cette décision que je trouvais injuste. « Les Lopez. Les Martidez-Ségura ?... Bien sûr, ce sont toujours mes meilleurs amis... Simplement, ils m'agacent un peu à la fin, avec leur bonheur, leur couple parfait... Mon sixième sens me dit qu'il doit y avoir quelques cadavres dans les placards. En plus, ils me poussent à raconter mes peines. Par sympathie, bien sûr, parce qu'ils m'aiment. Mais je n'y crois pas à leur histoire. Ça sonne faux. Pour moi, tu le sais, Niño, c'est donnant-donnant.

16

Ils me racontent leurs merdes et moi les miennes, sinon rien! »

Quant à ses pensionnaires, je finis par dénouer les raisons complexes du choix de ma mère : « Tu comprends, Niño, il faut que je me prenne en main. Je n'ai besoin de personne chez moi. Si j'avais écouté ton père, nous aurions vécu dans l'opulence. On ne peut pas lui reprocher de ne pas savoir entretenir sa femme. Si j'ai hébergé ces filles, c'était plutôt pour combler ma solitude. Elles faisaient entrer à la maison un peu d'air frais, je ne voyais pas passer le temps. C'est ça la vraie raison, mon cœur, le temps passait et j'étais toujours là, paisible, confiante, à rêver à des choses qui ne se réaliseraient jamais, à attendre. » Puis elle me confia avec son impudeur habituelle que, bien qu'elle n'ait plus de pensionnaires, elle n'avait changé en rien. Elle continuait à se bercer d'un rêve impossible : avoir son homme à la maison, tous les jours que Dieu fait. Elle attendait, sa vie n'était qu'une interminable attente. Et maintenant elle était seule, il n'y avait plus d'étudiantes ni de bonne à domicile. Juste une vieille mulâtresse squelettique à la tête de vieux singe qui venait l'aider quelques heures par semaine.

Pas étonnant donc qu'à la veille de mes quinze ans, ma mère m'annonce en grande pompe que nous aurions des invités. Je la suis des fourneaux à la table, du garde-manger à la cuisine car elle prépare toute seule un repas pantagruélique pour le lendemain. Je veux savoir qui sont nos invités, elle ne me répond pas, mais je la harcèle tant et si bien qu'elle crache le morceau : « Senta, Luis Wong et ses enfants. Et ton père. » Mes soupçons n'étaient pas sans fondements. C'est donc ça, Senta vient dîner avec sa famille.

Quand mes parents ont débarqué à Santiago de Cuba, Senta fut leur première domestique. La jeune Haïtienne qui était alors entrée au service de ma mère devint avec le temps sa meilleure compagne, sa confidente et ma nourrice. Après des années à la maison, Senta finit par épouser un commerçant cantonais établi à La Havane. Aujourd'hui elle a deux jumeaux de cinq ans, Luisito et Paquito, une fillette de trois ans qui répond au délicieux nom de Clavel, Œillet, et un nourrisson de dix mois. Ils viennent souvent à la maison et je suis toujours fourré chez eux. La famille vit dans un grand appartement au-dessus du magasin de Luis Wong, calle Zanja, en plein Chinatown, au cœur du quartier rouge, à deux pas du Shanghai, un théâtre populaire et pornographique qui est considéré comme le temple de l'humour et de l'insolence.

Senta et Luis font partie de la maison : je suis un peu leur fils adoptif, ils sont ma seule famille en dehors de ma mère. Qu'ils soient invités à ma fête d'anniversaire ne me surprend pas et ne peut que me réjouir. Ce qui me met en colère, c'est de constater que l'invité exceptionnel, l'hôte de marque, n'est autre que mon père. Le Docteur a eu des journées surchargées ces derniers temps, il nous a peu gratifiés de sa présence. Rentrant à l'aube, il repart sur le coup de neuf heures et demie, rasé de près, habillé comme un prince et la conscience en paix. « Encore une journée d'enfer, Soledad », se plaint-il à ma mère. Ce personnage tient de Don Quichotte. D'où sort-il une telle énergie pour affronter les orages et mener une vie si trépidante ? La vaillance physique et mentale de son homme fait le désespoir de ma mère et la remplit tout à la fois d'orgueil. Mais moi je suis furieux, car je viens de réaliser que ce repas somptueux qu'elle s'est donné tant de mal à préparer n'est qu'un fallacieux prétexte, un piège pour le faire rester, l'avoir enfin un soir à la maison, lui faire comprendre ce qu'il perd à être toujours par monts et par vaux... cette nourriture exquise qui lui rappellerait Madrid, les tapas, la paella qu'elle a préparés comme il les aime...

– Tu es sûre que papa vient ?

Elle ne répond jamais à mes attaques, qu'elle juge perfides. Elle court à l'évier, frotte ses casseroles, éponge son front à l'ourlet de son tablier, regarde l'heure à la grande horloge. Une manière de mettre en ordre ses idées, une ruse pour calmer les battements de son cœur. Puis elle déclare avec fermeté :

– Il me l'a juré, tu m'entends? Juré!

Elle me fixe droit dans les yeux, ses immenses yeux noisette. Elle rend coup pour coup, Madame Sérénité, car elle a appris à lire la pitié dans mon regard et elle n'en veut pas.

Je dois me résigner à voir cet affreux martien dans le miroir. Ses yeux ont un peu dégonflé. Une lame de rasoir Gillette à la main, il se prépare à attaquer son menton couvert de mousse à raser. Si ce que dit la publicité pour les lames de rasoir Gillette est vrai, la barbe – qui connaît des poussées de sève vers dix-sept heures – vous durcit le visage et, si vous sortez dîner à vingt heures, elle vous donne un côté négligé et peu séduisant. Voilà pourquoi je les utilise. Grâce à la marque Gillette, j'aurai ce visage dur et désespéré de Ray Milland dans *Le Poison* de Billy Wilder. Comme lui je finirai par voir des éléphants roses et peut-être que, si je me saoule encore une fois comme la veille, je verrai aussi des cafards. Kafka a sûrement écrit *La Métamorphose* après une cuite. Il n'y a qu'à voir son regard fiévreux sur les photos. On dit qu'il était timide et tuberculeux. Mais qui sait si on ne découvrira pas un jour qu'il se saoulait dans les bars de Prague avant d'écrire ses chefs-d'œuvre?

Mes mains ne tremblent plus et pourtant j'éprouve quelque difficulté à placer la fine lame à double tranchant effilé sur l'appareil archaïque qui me tient lieu de rasoir. Mon père m'en a fait cadeau pour mes treize ans. C'est moi qui lui avais demandé car il ne s'en servait plus et le gardait précieusement dans ses affaires. « Je vais t'en acheter un plus moderne. Celui-là a plus de vingt ans. Je le garde en souvenir », m'avait-il répondu.

Il avait un regard clair. La couleur de ses yeux changeait avec le temps ou l'éclairage, comme celle du chat, et reflétait son paysage intérieur. Son regard était parfois distant, méprisant. Il avait alors les durs éclats de l'acier. Mais, aux moments heureux, il prenait une teinte vert-de-gris, douce et transparente.

Ce jour-là j'avais insisté pour qu'il me donne son

vieux rasoir. J'aimais ce joli objet qu'il fallait manipuler avec précaution. Introduire la fine lame entre les deux tranches de métal, la faire pivoter dans le sens des aiguilles d'une montre correspondait au rituel du rasage qui me plaisait. Le matin au réveil, il fallait faire très attention, sinon c'était l'accident assuré et les balafres qui n'en finissent pas de saigner en filets vermillon et les affreux cotons qui restent collés sur la joue. L'aspect délicat de la manipulation m'a toujours fasciné et je répétais des gestes précis que j'avais vu mon père faire.

Quinze ans, plus un jour. Et pourtant rien ne change. La terre tourne sur son axe du pôle Nord au pôle Sud. L'île de Cuba, assoupie sous le soleil des Caraïbes, ne risque pas d'avoir changé de forme. Et moi, pauvre type au visage blême couvert de mousse à raser, je me vois dans la glace. Drôle de lendemain de fête. Au moindre mouvement la bile me remonte, l'estomac se retourne. Ce sacré Lacrima Christi.

— Luis Wong nous a fait cadeau de douze bouteille de Lacrima Christi, Niño, tu te rends compte? Douze bouteilles de larmes de Notre Seigneur!

— D'où il le sort, ce vin d'Italie?

— Contrebande, Niño. Les Cantonais sont les plus malins, les plus fourbes et les plus audacieux de tous les Chinois.

— Ne me dis pas, petite maman, que nous allons boire ce vin obtenu de manière illégale?

— Et alors? Dans cette île misérable et lubrique, tout le monde triche. Cuba n'a connu dans son histoire que trois hommes honnêtes : José Marti qui a chassé les Espagnols, Eddy Chibas et ton père. On a tué Marti. Eddy s'est suicidé devant son micro et ton père, regarde ton père : digne, honnête mais pauvre.

— Tu m'as toujours dit que papa avait perdu son argent au jeu et dans de mauvaises affaires.

— Il a perdu parce que les autre trichaient. On l'a volé, voilà la vérité!

Ma mère avait une surprenante facilité à mélanger la réalité et la fiction au gré de sa fantaisie. Elle n'hésitait pas à réécrire l'histoire comme ça lui chantait. Jeune, elle avait dû quitter son pays pour suivre mon père, aussi avait-elle pris le parti de haïr en bloc cette Espagne qui l'avait rejetée. Pour les siens, parents, frères, oncles, ma mère était morte le jour où elle s'était enfuie de la maison avec un homme marié. Descendante d'une famille juive dont les ancêtres s'étaient convertis au catholicisme au moment de l'Inquisition, elle avait tout mélangé dans son esprit : les anciennes terreurs des Juifs persécutés, la soumission de sa famille à l'ordre de la très catholique Espagne et le pays qui l'avait accueillie où tout le monde était plus ou moins métis de quelque chose, émigré de quelque part. Marti, qui avait chassé les Espagnols de Cuba, était donc un héros pour ma mère.

Sa passion pour Eddy Chibas remontait à l'époque où nous avions encore des pensionnaires à la maison. Chibas avait été le disciple et le dauphin du docteur Ramon Grau San Martin, l'ennemi mortel de Fulgencio Batista. Quand Batista, repu et fatigué du pouvoir, après avoir saigné à blanc l'île (il avait acquis une immense fortune sur le dos du Trésor public), décida d'organiser des élections afin de quitter l'île en toute légalité et jouir de son argent en toute impunité, le docteur Grau fut élu président. Quelques mois de son gouvernement suffirent à dégoûter ceux qui l'avaient soutenu. Grau, qui avait été jadis un opposant courageux, brillant, incisif, mit les affaires du pays entre les mains d'une clique peu recommandable. Sa redoutable belle-sœur Paulina – et maîtresse, disaient les mauvaises langues – ainsi qu'une tribu de neveux, nièces, cousins et cousines, commencèrent à se servir allégrement dans les caisses de l'État. Le peuple, lui, n'eut droit qu'à quelques miettes, un hôpital par-ci, une autoroute par-là... Madame Paulina, première dame de la République en vertu du fait que le président n'était pas marié, s'octroya tous les pouvoirs. Veuve frondeuse et joyeuse, elle se mit en tête de doter La Havane d'une de « ces fontaines merveilleuses qui illuminent les grandes

21

villes d'Europe ». « Que seraient Paris, Rome et Madrid sans leurs fontaines ? disait-elle. La Havane aura la sienne. »

Ce qui fut dit fut fait. Faute de goût de l'architecte ou trou dans le budget (on soupçonnait la dame de ne pas hésiter à faire des coupes sombres dans les budgets pour alimenter son compte en Suisse), nul ne saura jamais ce qui s'est passé, mais on a vu s'ériger une énorme et disgracieuse fontaine, inaugurée en présence de la bienfaitrice. Les journaux et les actualités cinématographiques immortalisèrent l'instant : la dame qui était grosse, lourde et sans taille coupa d'un geste viril le ruban, faisant jaillir du même coup l'eau de la fontaine qui fut aussitôt rebaptisée par tous « le bidet de Paulina ».

A la même époque, Eduardo dit « Eddy » Chibas rompit avec Grau et ses anciens amis. S'entourant d'étudiants, de jeunes ouvriers et de professeurs d'université, il créa le Parti orthodoxe ou parti de la Propreté.

Mis à part Myrna Abascal, marxiste dévouée et convaincue, toutes les filles qui logeaient chez nous adoraient Eddy. Il avait une grosse tête de gnome à moitié chauve et portait des lunettes rondes dotées de verres d'au moins un centimètre d'épaisseur. Ma mère disait qu'il avait « un pico de oro ». Ce « pic d'or » était, d'après elle, la marque des hommes supérieurs comme José Marti et mon père. Mon père, pour une raison que je n'ai jamais éclaircie, détestait Chibas. « J'admire ses principes politiques, disait-il, mais je mets en doute ses capacités à gouverner. Un nain ne peut pas être un bon président. » Quand on lui fit remarquer que Napoléon Bonaparte n'était pas très grand, mon père répondit avec une mauvaise foi décapante : « Non, mais il est corse ! »

Chibas avait réussi le tour de force de placer Cuba sous l'influence de ses programmes radiophoniques. Quand il parlait, le pays entier s'arrêtait pour suivre ses interventions comme le plus savoureux des feuilletons. Il n'avait pas un talent d'orateur particulier : sa voix haut perchée était ponctuée d'intonations hystériques et il déclamait comme un prêcheur. Mais il possédait la force de la sincérité. C'est qu'Eddy hurlait haut et fort à la radio ce que tout le monde pensait tout bas. « On vole le peuple, on se moque de lui », disait-il en substance. Quand il parlait à la radio, j'étais obligé d'émigrer chez des voisins pour ne pas perdre un épisode de *Charlie Chan* ou du *Saint*, mes feuilletons préférés.

Pendant quelques semaines, le pays fut en effervescence : Chibas avait accusé de vol un ministre de Grau, et prétendait avoir des preuves dans son portedocuments. Quand les journalistes lui demandèrent en quoi elles consistaient, Grau, vieux politicien cynique, se borna à sourire : « Ce qu'il y a dans le portedocuments de Chibas, c'est simple... de la merde! » L'anecdote se répandit dans les milieux politiques à la vitesse de la lumière. Mon père rit aux larmes et ma mère et ses jeunes locataires en tremblèrent de rage.

Le jour où Eddy Chibas prit rendez-vous à la radio pour faire la preuve de ses accusations, j'allai me réfugier chez Senta. Pour célébrer ce moment historique, ma mère et ses filles avaient organisé une fête. Mon père étant en voyage, le champ était libre à tous les délires. A ma grande satisfaction, les Wong tournaient le dos à la politique cubaine. Nous avions passé la journée à la plage, une journée délicieuse où j'avais fait le fou avec Œillet pour la faire rire. De retour à la maison, j'y trouvais une atmosphère de veillée funèbre. Les filles étaient en pleurs et elles avaient dû transporter ma mère dans la salle de bains pour la réanimer.

– Bon sang, que se passe-t-il?
– Eddy s'est tué devant son micro.

Eddy avait commencé par présenter ses excuses au peuple cubain. Certain de ce qu'il avançait, il n'avait cependant pu apporter les preuves en question. Son honneur était en jeu. Sa seule façon de prouver sa bonne foi, déclara-t-il, était de se tirer une balle dans la bouche.

Puis on entendit une détonation sinistre.

Ma mère porta le deuil de Chibas pendant un an. Quand mon père lui faisait une remarque désobligeante à ce propos, elle levait les yeux au ciel, faisait les yeux blancs, comme les martyrs. « Eddy laisse le pays orphelin. Comment ne peux-tu pas comprendre que je porte le deuil ? »

Je compris que le deuil de Chibas avait pris fin quand ma mère, un matin, talons aiguilles, robe à imprimé compote de fruits exotiques et turban à la Kay Francis (son actrice préférée) sur la tête, m'invita pompeusement au cinéma.

— Au Riviera, ils passent *La Seconde Madame Carroll*, avec Humphrey Bogart et Barbara Stanwick.

Pour nos deux acteurs fétiches, ma mère et moi étions prêts à traverser l'île à pied sous un cyclone. Elle m'emmena dîner dans un restaurant très chic tenu par un Italien. Une occasion de déboucher une bouteille de Lacrima Christi.

— Ce vin, soutenait-elle, n'est pas un vin comme les autres. Il contient très peu d'alcool. Fabriqué par de saints moines, il est bon pour les reins et le cœur.

Après deux verres je commençais à voir la table en double. Ma mère riait pour un rien.

— Que fêtons-nous, petite maman ? Quel anniversaire ?

— Le fait d'être là toi et moi, n'est-ce pas déjà une fête ? répondit-elle à ma grande stupéfaction. Figure-toi que je me suis levée tôt ce matin et je me suis mise à ranger la maison. J'ai trié des caisses de livres que les étudiantes avaient laissées, des vieux journaux que ton père entasse, d'autres bricoles... Je suis tombée sur un bouquin de géographie de Myrna que j'ai ouvert au chapitre « La création du monde ». Il paraît qu'à l'origine, il y a eu un grand bang ! Puis le soleil et les planètes sont apparus. Ce que ce livre ne dit pas, c'est que ce grand bang, c'est la main de Dieu. Pas étonnant car les livres de Myrna sont tous tendancieux. N'empêche qu'avec ou sans bang, c'est Dieu qui a créé le monde.

— Et alors ? Qu'est-ce qui t'étonne là-dedans ?

— Le côté imprévu de la chose. Sans doute, si Dieu ne

s'était pas fâché, nous ne serions pas là, Nino, ni toi ni moi ! Trinquons !

Quand je vois ma mère déboucher l'une après l'autre les douze bouteilles de Luis Wong, je repense à cette sortie au restaurant.

En remplissant nos verres, elle a les gestes émus, gracieux et pleins de noblesse d'une prêtresse présentant des offrandes aux dieux. Peut-être craint-elle que son précieux Lacrima Christi ne soit bu trop vite. Elle a aussi prévu une grande soupière de sangria et une cruche de limonade pour les petits. Depuis une semaine elle prépare sa fameuse sangria malagueña, une vieille recette de sa grand-mère. « Laisser macérer des fruits – pommes, oranges, mangues – dans du vin, plusieurs sortes de vin. Du vin cru et du vin cuit, ce qui donne, mélangé aux fruits, à la cannelle, au sucre de canne et au citron un arôme délicat et désaltérant. »

La famille Wong est arrivée tôt dans l'après-midi. Habitués à leur vaste appartement, les jumeaux ne tiennent pas en place et courent dans tous les sens. Puis assoiffés, ils refusent de boire la limonade qui leur est destinée. Convaincue que sa sangria ne ferait pas de mal à une mouche, ma mère se laisse attendrir et autorise les enfants à plonger leur verre dans la soupière. Au lieu d'assoupir les jumeaux, la sangria redouble leur force. Ils piaillent, s'agitent, renversent tout sur leur passage. Supposant que mes quinze ans tout frais me donnent des nouveaux droits – c'est du moins ce que je pense – j'en profite pour m'éclipser avec leur petite sœur car les monstres m'insupportent. A trois ans, Œillet ressemble à un bouddha : toute ronde, un sourire inaltérable sur une face de lune. Elle est aussi calme et silencieuse que ses frères sont bruyants et survoltés. Ses yeux fendus, son regard intelligent me fascinent. On dirait qu'Œillet comprend tout. J'ai pris l'habitude, quand j'ai du vague à l'âme, d'aller lui rendre visite. L'enfant me détend. Je lui parle et elle m'écoute d'un air pénétré, la tête légèrement penchée sur le côté. On dirait qu'elle boit mes paroles, j'ai l'impression de devenir intelligent. Quelquefois des idées bizarres traversent la tête de ma mère : elle parle d'agrandir la famille et de me donner une petite sœur. Et chaque fois je lui réponds : « Pas la peine, j'ai déjà Œillet. » Une vraie sœur, j'en suis sûr, ne m'accorderait pas la même attention fascinée qu'Œillet. Elle n'aurait pas ce regard oblique, magique, au croisement de l'Asie et de l'Afrique qui lui donne un tel ascendant sur moi.

Je lui achète quelques gâteaux, nous faisons deux tours de manège sur la place qui fait le coin puis, la main dans la main, nous nous dirigeons vers le Malecon.

– Aujourd'hui j'ai quinze ans, Clavel, et j'attends un signe. Sais-tu ce que c'est un signe?

– Non.

– Un avertissement que Dieu, le ciel ou le diable t'envoie. Tu vois, nous sommes là tous les deux, les pieds dans le vide, au-dessus des rochers et de la mer. Suppose que la mer se retire, commence à s'éloigner... Nous verrions alors ce que l'eau recouvre, d'autres rochers peut-être, du sable, des poissons, tout un paysage... Les requins privés d'eau s'échoueraient en suffoquant. Tout ce qui est au fond de la mer et que nous ne voyons pas apparaîtrait. Des épaves de bateaux naufragés, des squelettes, des malles pleines de trésors... Mais le plus intéressant, Clavel, le plus passionnant dans cette histoire c'est que nous pourrions marcher, et qu'au bout de cette longue marche, nous atteindrions la Floride. Qui sait? Nous pourrions marcher aussi jusqu'en Haïti où ta maman est née. Finis les avions et les bateaux, la mer qui nous isole des autres. Nous ne ferions qu'une terre immense... Où voudrais-tu aller d'abord, Clavel, de quel côté?

– Je veux faire pipi!

Œillet a le don de vous ramener à la réalité. L'autre jour par exemple, je lui lis des poèmes que je viens de composer. Un hymne à la nuit et à l'aube. J'y exprime les joies secrètes et simples d'un être qui découvre l'amour dans le regard de l'autre, la sensation que procurent les effluves qui montent de la terre après la pluie. En lui lisant tout haut ces textes, j'ai voulu lui transmettre ces sentiments, car je suis persuadé que, bien qu'elle n'en comprenne pas le sens profond, Œillet, si sensible et intuitive, réagira avec le même enthousiasme que j'ai mis dans ma lecture.

— Qu'est-ce qui t'arrive? Pourquoi es-tu si triste? dis-je en voyant son visage décomposé, au bord des larmes.

— Toi, me répond-elle avec un regard de pitié.

J'en ai le souffle coupé. C'est vrai, je dois avoir une sale gueule. Dans l'ivresse de la création j'ai oublié de déjeuner. Ce que je prends pour de la joie pure n'est qu'un état de légère exaspération provoqué sans doute par l'effort de la création, doublé de la nervosité de savoir comment ces poèmes pourront être reçus par les autres. Et cet état physique de manque, de faim, la petite Clavel l'a perçu dans ma voix.

Quand nous rentrons à la maison, l'atmosphère a bien changé. Abrutis par la sangria, les jumeaux se sont assoupis. Les adultes, par contre, sont en pleine effervescence. Sur la table quelques cadavres de bouteilles de Lacrima Christi et la soupière à moitié vide. Ma mère, au comble de l'excitation, insiste pour que j'ouvre les cadeaux qu'elle a disposés au milieu du salon. Les Wong ont été très généreux. En plus d'une dizaine de boîtes de sucreries chinoises dont je raffole et de disques *Orchestre et chanteurs de Shanghai et Pékin* que j'avais commandés à Luis, je reçois un tas de vêtements, certains utiles et d'autres excentriques : kimono en soie, costume de mandarin, cravates dernier cri colorées et voyantes, à la mode de Miami. Un livre, aussi précieux par la qualité de son contenu que la valeur de l'édition, attire mon attention : *Les Pensées de Confucius*. A chaque paquet que je déballe, on crie, on s'exclame, tous, sauf ma mère, silencieuse, dont le regard s'est assombri. Sa présence lourde impose le silence.

— Je hais ce pays! lâche-t-elle.

— Quoi? Qu'est-ce que vous haïssez, Soledad?

Senta qui ne boit généralement pas tient mal l'alcool. Béate, elle, rit aux anges, tenant Œillet sur ses genoux.

– Je hais tout. Le soleil cubain. La chaleur humide, répugnante qui fait suinter la peau et sentir mauvais. Les ouragans qui ne préviennent pas. Le corps obscène des femelles cubaines, tout en tétons, en culs...

– Vous êtes injuste, Señora Solelad. Cette île serait un véritable paradis si elle n'était pas au centre.

– Au centre de quoi, Luis Wong?

Je crains le pire. Quand ma mère appelle les gens par leurs nom et prénom c'est le signe chez elle d'une colère incontrôlable. Le sourire de Senta se fige. Elle sait aussi quand les angoisses de ma mère remontent à la surface et les dégâts que cela peut provoquer. Gare à celui qui lui tient tête ou la contredit. Mais Luis Wong, tout charme et sérénité, n'est pas homme à laisser une idée dans le flou. Il a toujours à cœur d'exprimer bien ses opinions.

– Au centre du golfe des Caraïbes, Señora Soledad. Voilà pourquoi Christophe Colomb a découvert notre île la première. Par sa position géographique Cuba est un pont, une terre de passage. C'est précisément ce qui est arrivé. Les Espagnols sont passés par Cuba pour continuer leur œuvre de colonisation au Pérou, au Mexique. Tous les marchands du monde font escale ici avant d'aller en Amérique du Nord ou du Sud. Moi-même voyez-vous, Señora, je n'avais pas l'intention de m'établir à Cuba, mais à São Paulo. Parce qu'elle est au centre, Cuba est une passerelle pour les uns, une maison de passe pour les autres.

– C'est bien ce que je dis, Luis, cette île est un pays de merde!

Coupant court à la discussion, ma mère se lève et traverse la salle de séjour d'un air digne. Pour la énième fois, elle va voir dans le jardin si la voiture du Docteur s'est arrêtée devant la maison.

– Mangeons, dit-elle en rentrant, je vais laisser un plat au chaud pour le Docteur.

Elle a respiré à pleins poumons l'air frais de la nuit et récupéré ses esprits. Juste à cet instant le téléphone sonne. A l'autre bout du fil un des larbins de mon père, celui qu'il appelle son deuxième secrétaire, prévient que le Docteur aura un peu de retard. Madame Sérénité part alors d'un rire théâtral et, faisant vibrer sa voix de contralto, elle le prie de lui dire de ne surtout pas se presser.

– Nous savons, n'est-ce pas, comme le destin de ce pays pèse sur les épaules de mon mari, ajoute-t-elle.

« Overacting », comme disent les Anglais pour les acteurs qui en font trop. Elle a mal joué, le ton n'est pas juste et les larmes se mêlent au rire. Elle n'a utilisé le mot « mari » que pour faire remarquer à l'autre que, concubine ou pas, « son homme lui appartient ».

Je m'empresse de mettre un disque. Les cordes et les cymbales de l'orchestre chinois, les voix aiguës et sirupeuses des chanteuses seront, j'en suis sûr, une belle entrée en matière à ce repas d'anniversaire qui s'annonce explosif.

Porc rôti caramélisé et croustillant, pabellon, une viande de bœuf en filaments tendre et délicieusement parfumée au cumin, poulet frit, haricots noirs, riz et salades de toutes sortes, crevettes, riz et petits pois grillés au four dans une feuille de banane, ma mère a mis le paquet. Une autre bouteille de Lacrima vient à bout de la tension. Senta et ma mère entreprennent alors de raconter à Luis Wong l'extraordinaire événement de ma naissance.

– Tu imagines, Luis, Soledad était déjà entrée en travail. Nous étions tous autour du grand lit à baldaquin, amis, voisines, sage-femme. D'où venait ce lit déjà, Soledad?

– De Tolède, Senta. Je l'avais fait venir spécialement de Tolède. Un lit royal pour la naissance de mon petit!

– Alors, que s'est-il passé?

– Au moment précis où le Niño venait au monde, Luis, à ce moment même, la terre s'est mise à trembler.

– Pas vrai! s'exclame Luis, bonhomme, qui a déjà entendu plusieurs fois l'histoire de ma naissance.

– Un tremblement de terre qui est resté dans les annales de Santiago de Cuba. Et il a fallu transporter le lit dehors!

Luis Wong est hilare, sa face de lune tremble comme un pudding de riz. Je me concentre sur ma deuxième cuisse de poulet pour dissimuler mon trouble et mon chagrin. Quant on est né pendant un tremblement de terre, on serait en droit d'attendre le jour de son anniversaire un signe du destin. Et cette fête va se terminer dans l'atmosphère morose, bien qu'apparemment joyeuse et alcoolisée, d'un repas de plus en famille. Le regard de Luis Wong se pose avec insistance sur moi. A-t-il le don de clairvoyance de sa petite dernière, a-t-il lu dans mon cœur? Non, son regard est bienveillant, euphorique :

– J'observe cette table et je ne peux m'empêcher de me dire : bénie soit l'humanité, béni soit le mélange des races. Prenons pour exemple votre délicieux congrí, Señora Soledad. Ce n'est pas pour rien qu'on le tient pour la nourriture symbolique de Cuba : riz blanc et haricots noirs, mélange d'épices et de viandes diverses... Comme nous tous autour de cette table. Mes enfants sont le produit de quatre races, la noire et la blanche, la mongole et la cantonaise. Le Niño dont nous fêtons l'anniversaire est le fruit d'un Castillan de pure souche et d'une Gitane au sang maure. Un congrí. L'avenir du monde est là. Que les gens se mélangent encore et encore et nous n'aurons que faire des nationalismes. Pensez aux morts de la Seconde Guerre mondiale. Tout cela parce qu'un cinglé a imaginé qu'une race pure pourrait dominer les autres. Au congrí! Au mélange! A votre sangria, Señora!

Ma mère vide sa coupe d'un trait et serre le verre entre ses doigts. Elle regarde à travers comme pour lire dans le cristal transparent.

– Passons au dessert. Il ne viendra pas. Dieu sait à quelle heure il va rentrer.

Encore une fois, par son absence mon père s'est arrangé pour être le plus présent. Une succession d'images se superposent, défilent dans ma tête. D'autres dîners, semblables, d'autres attentes, d'autres espoirs de le voir arriver, d'autres supplications secrètes pour qu'affleure un sourire, être heureuse, calme, détendue, puis d'autres vaines attentes suivies des mêmes déboires. Assister impuissant à la souffrance de ma mère m'a inoculé une sorte de virus. Pour moi l'attente se transforme fatalement en drame. Par contrecoup, je suis incapable de faire attendre qui que ce soit, même un chien, ne serait-ce qu'une minute. Cette exactitude maladive dans un pays où le temps est élastique m'apporte généralement plus de désagréments que d'admiration.

Pour faire oublier à ma mère que le temps s'écoule inexorablement, que la fête sera bientôt finie et que son invité d'honneur n'est toujours pas là, je vais chercher dans la cuisine l'énorme gâteau que Senta et Luis Wong ont apporté, une spécialité du meilleur pâtissier de la ville. A la commande, celui-ci confectionne de véritables sculptures en sucre, navire, cathédrale, tableau avec des personnages... Senta s'était souvenue que tout petit j'avais une passion pour les châteaux du Moyen Age. J'allume aux quatre donjons quatre bougies et les quinze autres en rangs serrés, militairement disposées.

Tandis que je m'apprête à souffler le beau gâteau tout illuminé que chacun a admiré, Luis Wong, lui, a eu le temps de compter les bougies.

– Mais il y en a dix-neuf, tu t'es trompé! dit-il.

En vérité je ne les ai pas comptées. J'ai mis les bougies que ma mère a préparées sur la table. Bonne occasion pour elle de raconter à Luis un autre exploit de mon père, encore lui.

– Figure-toi qu'à la naissance de notre fils, il a oublié de l'inscrire au registre de l'état civil. Moi, je ne connaissais pas l'existence de ce genre de formalités. Comment aurais-je su, naïve que j'étais, qu'il fallait inscrire son bébé quelque part?

– En Haïti aussi ce genre de chose arrive. Je n'ai pas d'extrait de naissance, Soledad. Ça ne m'a pas empêché de vivre.

– En plus, poursuit ma mère, comme mon fils a suivi ses études primaires à la maison avec nos étudiantes, je n'ai pas eu besoin de m'occuper des formalités d'inscription. C'est donc seulement au moment de son entrée au lycée que le problème s'est posé.

Senta est secouée de rire :

– Il fallait avoir treize ans minimum, et le petit n'en avait en réalité que douze. Le Docteur a voulu réparer sa faute. En tant qu'avocat, il connaissait tous les juges et notaires de la ville. Le maire de La Havane était un de ses meilleurs amis et il se croyait sincèrement au-dessus des lois. Simple formalité, se disait-il. Mais il a commis encore une erreur... Lui, s'occuper d'une tâche subalterne... pensez-vous ! Il a chargé son chauffeur de régler l'affaire, un désastre, évidemment ! Le pauvre type, à moitié analphabète et pas tellement concerné, a évidemment tout compris de travers. Le jour, le mois, l'année, le lieu de naissance, on ne s'y retrouvait plus... Il s'agissait juste de lui donner un an de plus et l'animal s'est tellement bien emmêlé les pinceaux qu'il a mis quatre ans de plus à mon fils, a inscrit son lieu de naissance à La Havane au lieu de Santiago ! Quand le Docteur m'a montré les papiers, j'ai cru devenir folle !

En effet, Senta m'a raconté qu'elle était restée muette, dans un état semi-catatonique. Transformée en statue de sel, telles les filles de Loth. « Une punition de Dieu ! » s'était-elle écriée quand elle avait retrouvé l'usage de la parole. Dieu la punissait de n'avoir pas cru en lui, d'avoir tout misé aveuglement – ses rêves, son amour, sa vie – sur un seul homme, un homme maudit qu'elle avait eu le malheur d'élever au rang de Dieu !

Mon père, raconta Senta, semblait abasourdi par la violence de sa réaction. Pour lui c'était un problème mineur. Quatre ans de plus, ça n'était pas si grave... Quant au signe astrologique, autre source de révolte de ma mère, comment pouvait-on croire en plein vingtième siècle à de pareilles sornettes ? En quoi le fait d'être né sous le signe du Lion, de la Vierge ou du Poisson pouvait-il influencer la vie de quelqu'un ? Et puis La Havane n'était-elle pas la capitale ? « Où est le mal ? s'était mis à hurler mon père à son tour. Où est le mal ? »

Quand, le jour de mes douze ans, ma mère avait de nouveau fait une scène à mon père à ce sujet, pour une fois j'avais pris sa défense, soutenant que toute cette affaire n'était pas bien grave. Je préférais être né à La Havane plutôt que chez les ploucs de Santiago. Quant au jour et au mois de ma naissance, peu m'importait. Comme mon père, je trouvais cette histoire de signe astrologique sans grande importance. La question de l'année, par contre, ne m'était pas indifférente. Il me tardait d'être un homme pour de bon, comme les héros des films que j'admirais, les Bogart, les Gable, les Cooper, ces cow-boys flamboyants comme Randolph Scott et Joel McCrea, sans oublier les presque nains, James Cagney, Alan Ladd, petits bonhommes qui étaient pour moi l'image de l'énergie et de l'audace virile. Grâce à cette inscription malencontreuse j'avais officiellement seize ans au lieu de douze et cela ne me déplaisait pas. Et comme cet anniversaire correspondait au carnaval qui battait son plein dans les rues de La Havane, j'en avais profité pour me déguiser. J'avais enfilé un costume-cravate très strict, un vieux Fédora de mon père rembourré de coton, des lunettes noires et une fausse moustache. De l'avis de tous l'effet était saisissant. J'avais vraiment l'air d'un petit homme. La raideur un peu militaire de mon corps, l'assurance de mes gestes, la désinvolture avec laquelle je manipulais un long cigare leur en avaient imposé. Senta, aux anges, avait insisté pour m'accompagner. A son tour elle s'était déguisée en « mulata chancletera ». Maquillée comme une danseuse de cabaret, ombre violette sur les paupières, rouge « sang de taureau » sur ses lèvres charnues, elle était serrée dans une robe en tissu élastique qui moulait son corps, seins, hanches, fesses, abondance généreuse de chair et de graisse. Pour ajouter à la provocation, elle avait des chancletas aux pieds. Les chancletas sont des sandales de bois qui claquent par terre dans un bruit sec. Sur le macadam, elles faisaient écho au tam-tam des comparasas, ces groupes de danseurs et danseuses costumés de la manière la plus extravagante – en marquis et marquises Louis XVI, en cheikhs, en odalisques – qui défilaient au milieu des cris, des feux d'artifices et des lampions le long du Malecon.

Dans la rue nous fîmes sensation. Les gens, même les plus saouls, ne pouvaient s'empêcher de remarquer ce couple insolite : un petit bonhomme strict, vêtu comme un employé des Pompes funèbres, au bras d'une somptueuse mulâtresse qui semblait sortie tout droit du Shanghai, le fameux music-hall pornographique. Autour de nous les commentaires allaient bon train : « Ce beau morceau de femme, regarde un peu le gringalet qu'elle se traîne... Quand tu seras fatiguée de ta demi-portion, pense à moi, beauté! Avec une croupe comme la tienne on en mettrait trois comme lui!... » et autres choses de ce genre.

Blessé dans mon orgueil viril, j'avais prétendu tenir tête à un Noir taillé en armoire qui avait mis la main aux fesses de Senta. Il était ivre et m'aurait écrasé comme un pou. Senta m'a tiré par le bras et nous nous sommes enfuis en courant. Dans la débâcle ses chancletas sont restées sur le trottoir et j'ai perdu ma moustache.

J'eus vraiment à souffrir de ce décalage d'âge quand j'entrai au lycée. Ravi de pouvoir faire la cour à des filles plus âgées, j'arborais mes quatre ans de plus comme un étendard. A douze ans une fillette est encore une enfant mais, à seize, elle a déjà passé le cap de la puberté. Les filles de ma classe maquillaient leurs yeux et portaient des rouges à lèvres agressifs. Sous les tropiques, les filles mûrissent deux fois plus vite qu'ailleurs et leur précocité resplendissante et plantureuse annonçait pour moi les fêtes dont je rêvais depuis tout petit, nourri par les déesses de l'écran qu'étaient Mae West, Betty Grable, Maria Felix. Hélas! elles avaient aussi déjà développé cette célèbre et très mystérieuse intuition féminine. Je dus donc essuyer toutes sortes de remarques désobligeantes (« t'es naïf pour un garçon de seize ans » et autres observations de ce genre) qui coupèrent court à mon enthousiasme. Enfin ce hiatus sur mon âge m'apporta une autre source de déception du côté des professeurs. J'étais fier d'avoir réussi mes examens d'entrée au lycée avec un an d'avance, mais pour l'administration j'étais trois ans en retard. Ce n'était pas très gratifiant mais je n'osais pas avouer que mon père avait triché sur mon âge pour me faire entrer au lycée et que son chauffeur s'en était malencontreusement mêlé.

Je contemple les dix-neuf bougies sur une assiette. Ces quatre ans gagnés sur la vie m'ont donné de l'assurance. Je me suis habitué à me comporter comme un garçon qui entre dans sa dix-neuvième année, et l'absence de service militaire à Cuba m'a évité les douloureux traquenards que d'autres auraient eu à affronter.

Avec ma mère, Luis Wong et Senta, je lève ma coupe de champagne pour un nouveau toast. Nous avons déjà trinqué « A la Chine millénaire... pour une Cuba décentrée vers le Pacifique... à mes quinze-dix-neuf ans... »

Luisito et Paquito dorment sur le sofa qu'on a ouvert pour leur faire un lit. Le cadet de la famille gazouille dans son berceau et Clavel, mon adorable Œillet, est en train de vider systématiquement les fonds de verre sans que personne ne dise mot. Pour l'ambiance, Senta a remplacé les rengaines chinoises par des mambos langoureux et succès de l'été :

... *el mambo del cornetin...*

... *el que bailaba el perro...*

... *Rin tin tin...*

Ce n'est pas le fameux chien d'Hollywood qui danse le mambo au son de la clarinette mais Œillet, ivre morte, qui tourne sur elle-même comme une toupie.

Nous n'en finissons pas de nous extasier sur cette enfant qui a « hérité de la grâce chinoise et du rythme africain ». Et pour l'entraîner, nous tapons dans nos mains. Stimulée, Œillet redouble de vitesse, elle trébuche, se cogne la tête contre un meuble et tombe. Inerte, elle gît sur le sol comme une poupée désarticulée. Tout va très vite. Luis Wong, qui en perd son calme confucéen, se précipite sur la fillette évanouie et se met à hurler en chinois. Senta, qui parle un peu de cantonais, traduit : « Un toubib, coño, il y a bien un médecin dans ce putain de quartier ! »

Pour les Wong, les bons médecins sont forcément chinois et habitent Chinatown. Ma mère fait venir un jeune médecin noir qui est notre voisin – « un futur prix Nobel », dit-elle pour les impressionner – et que Senta et Louis Wong accueillent avec la plus grande méfiance. Le jeune homme fait respirer à Œillet de l'ammoniaque. La petite revient à elle. Puis il la fait vomir, et avec un regard lourd de reproche à ses parents : « Votre fillette est complètement saoule ! »

Une fois de plus la fête se termine dans la confusion, la tension, l'amertume. Luis a perdu la face devant un médecin, cubain et noir de surcroît. Senta s'en veut de n'avoir pas surveillé sa fille, et le Docteur, malgré l'heure tardive, n'a pas donné signe de vie.

Quand les Wong battent en retraite avec leur progéniture, ma mère et moi nous retrouvons face à face avec la maison sens dessus dessous. Désemparés, les bras ballants, nous restons plantés au milieu du salon à contempler le désordre. Pour lutter contre le cafard qui m'envahit, je propose à ma mère de ranger.

— Laisse tomber, Carmina et moi ferons ça demain.

Carmina, c'est la nouvelle bonne que ma mère a finalement choisie après une longue recherche au cours de laquelle elle a fait auditionner toutes les filles du quartier comme pour un premier rôle dans un musical de Broadway.

— Celle-là balance les hanches en marchant... Celle-ci a une bouche obscène... Pas la mulâtresse, ça sent trop la femelle...

— Mais enfin, maman, c'est Nuit de Paris, le même parfum que toi !

— Justement. A-t-on idée de voir une domestique parfumée comme une dame ? Une pute, je te dis !

Il s'agissait, bien sûr, de trouver un spécimen de la race féminine capable de décourager mon père de toute velléité de séduction.

— C'est déjà arrivé, tu sais, c'est déjà arrivé. A Santiago j'avais embauché une pauvre orpheline de qua-

36

torze ans. Je la choyais, la traitais comme ma propre fille, jusqu'au jour où je me suis aperçue qu'elle était enceinte de quatre mois. Impossible de la faire avorter. Et devine qui était le maître d'œuvre?

– Papa.

– Je ne lui ai pas adressé la parole pendant un mois. Quelle patience il a eue pour arriver à me dérider!

– Et la fille?

– Je suppose qu'il lui a trouvé un pied-à-terre quelque part et qu'il lui verse une pension. Quand les conneries de ton père finiront par lui coûter trop cher, je lui ai proposé d'acheter un couvent pour y loger toutes ses femmes et leurs enfants. Ce serait plus économique. Il pourrait fonder un nouvel ordre pour le repeuplement de la planète!

Avec Carmina qui ressemblait à un singe famélique, il n'y avait aucun risque. Cela ne suffisait pourtant pas à apaiser la jalousie de ma mère qui refusait de s'absenter si par hasard le Docteur devait se retrouver seul avec la domestique.

– Sait-on jamais! La seule qui ne m'a jamais trahie, c'est Senta. Quand elle est arrivée chez nous, ton père ne cessait de lui tourner autour. Senta qui est une sainte a tout de suite compris que je souffrais. Elle a remis ton père à sa place.

Nous commençons à ranger mais le cœur n'y est pas. Nous voilà tous les deux assis au milieu du capharnaüm, pensifs, abandonnés chacun à nos sombres pensées.

– Luis Wong a raison, dit ma mère qui me fait sortir de ma torpeur neurasthénique.

– A quel sujet?

– A propos du congri. Dans le mélange des races, quand il est réussi, on trouve le meilleur de chacune. Regarde Clavel, Luis, Senta, toi, moi... Noir, Chinois, séfarade, Andalou... que de douceur dans ces mélanges... Et regarde le Docteur... un pur Castillan... la Castille pure et dure dont il se vante si souvent. Terre aride, cœurs de pierre, visages fermés. La Castille est cruelle, comme ton père.

Sa phrase, étrangement, tombe comme le dernier coup de théâtre avant le lever du rideau. Le bruit d'une portière qu'on claque signale que mon père vient d'arriver. Au claquement sec de la porte d'entrée, je sens gronder déjà un de ces terribles orages. Je prétexte alors une envie urgente d'aller aux toilettes et me faufile dans le couloir qui mène à ma chambre. Au passage j'attrape une bouteille de Lacrima Christi. La nuit s'annonce bruyante et mouvementée, un remontant me sera indispensable. Je n'ai pas besoin de faire preuve d'imagination pour savoir ce qui va se passer.

Immobile, quand il entre dans le salon, elle ne fait pas un geste, pas un battement de cils, pas un froncement de sourcils. Il essaie de se justifier, s'explique, veut se faire pardonner. Les larmes trop longtemps contenues inondent son visage qui se déforme. Il déteste par-dessus tout la voir pleurer. Puis, avec une voix de tragédienne elle entame un long lamento. Des injures ? Surtout pas. Jamais de gros mots non plus. Un lamento soutenu, un cante jondo à faire fondre les rochers. Un flot de paroles ininterrompues, ponctué par des plaintes de femme crucifiée, dans la pure tradition gitane. Elle clame au monde sa douleur, vide son sac. Chant de passion, cœur brisé qui réclame la mort comme un baume. Mourir, gémit-elle, tout oublier.

Il n'a pas le choix. Soit il quitte la maison à grand tapage, promettant de ne plus revenir, vociférant, jurant tous ses dieux que cette fois-ci c'est la dernière... Il va tout quitter, tout abandonner... se fondre dans la grande masse anonyme des peuples transhumants... partir en Inde, en Afrique... Soit à son tour il choisit le silence, s'effondre sur une chaise, le dos courbé sous le remords, anéanti, abattu, foudroyé... attendant qu'elle lui pardonne.

Enfermé à double tour dans ma chambre, je vide frénétiquement la bouteille et mets *Petrouchka* à plein volume. Je fais confiance à Stravinski pour recouvrir la litanie tzigane arabo-juive de ma mère. Le Russe s'y connaît en effets grandiloquents, en apothéoses rythmiques. Dans une librairie de seconde zone qui bradait des livres artistiques, j'avais acheté un vieil album avec une collection de photos et des programmes des Ballets russes pour leur première saison à Londres et à Paris. Une photo de Nijinski dans *Petrouchka* me fascina. Un corps d'une puissance étrange, dans une pose de poupée désarticulée, parfaitement relâché. La tête inclinée paraissait vouloir s'échapper de son cadre, s'envoler. Depuis ce jour j'ai commencé à collectionner les photos du danseur russe et tous les documents le concernant. J'ai écouté les musiques sur lesquelles il avait dansé. Les versions orchestrales de Chopin ou les ballets de Tchaïkovski qui faisaient parti du répertoire des Ballets russes ne m'intéressaient pas beaucoup. En revanche, *Prélude à l'après-midi d'un faune* devint mon réveille-matin. Je ne pouvais pas boire mon café avant d'avoir entendu ce morceau de Debussy. Stravinski fut une véritable découverte. Comparé à lui, toute autre musique me semblait vieillotte. *Petrouchka* m'ouvrit des horizons. Je m'inscrivis dans un cours de danse et le pantin de Stravinski commença à m'obséder. Malheureusement à Cuba, danseur est synonyme d'homosexuel. Je m'imaginais mal en train de demander à mon père de me payer un cours de danse, et je n'étais pas tellement sûr non plus que ma mère comprendrait. Je l'avais entendue s'apitoyer un jour sur le sort d'une de ses amies qui avait un fils danseur comme si c'était la chose la plus honteuse du monde. « La pauvre, elle avait mis tant d'espoir dans ce garçon et imagine-toi qu'il a abandonné ses études pour suivre une bande de pédés. » Incapable d'affronter seul ces puissants préjugés, j'allais m'entraîner chez les Wong qui avaient de la place. Pour Clavel, j'avais mis au point une chorégraphie de « la poupée sans fils » et elle contrôlait mes progrès en faisant preuve d'une grande exigence :

– Tu n'as pas sauté assez haut. Tu es tombé trois fois...

– Les ficelles se sont cassées, Niña !

Quoi de plus enivrant que de danser et sauter seul dans sa chambre, la nuit de ses quinze ans, alors qu'une tragédie gréco-andalouse se déroule dans le salon et que la bouteille de Lacrima Christi pleure ses dernières gouttes.

Un passage des Mémoires de Mme Nijinski me revient à l'esprit : « La nuit, Vatslav se levait pour répéter son célèbre saut. Il se jetait contre les murs... » Le début de sa folie, peut-être.

Je me réveille en travers du lit, la tête pleine d'aiguilles, aveuglé par des éclairs fulgurants. Dans la salle à manger la grande horloge sonne deux heures, trois heures... Tel Conrad Veidt dans *Le Cabinet du Docteur Caligrari*, je me traîne jusqu'à la cuisine où je vide deux litres d'eau, l'un sur ma tête, l'autre dans mon gosier. Comme un somnambule, je me dirige vers ma chambre. Un chant d'amour s'élève dans le silence. Mes parents font la paix. Les murs ne suffisent pas à couvrir les cris et les soupirs de la femme comblée.

Je me sens seul, abandonné de tous. Impossible de m'endormir. Juste bon à ruminer la liste des ingratitudes de mon père, de ses absences, de son manque de parole :

A trois ans, il m'a promis une voiture électrique dont je n'ai jamais vu la couleur.

A sept ans, il nous a fait attendre ma mère et moi devant un cinéma sous une pluie battante, en vain. J'ai attrapé une bronchite.

A dix ans, moi que les maladies contagieuses avaient épargné, j'ai contracté la rougeole. Mon père voyageait de l'autre côté de l'île. Ma mère vint m'annoncer en grande pompe que mon père écourtait son séjour pour venir me voir. « En route, me dit-elle, il t'a acheté une corbeille de ces raisins d'Espagne que tu adores. » Je l'ai attendu, bouillonnant d'espoir. Il n'est pas venu et la fièvre est montée dangereusement. Je me suis tourné contre le mur et, pendant trois jours, j'ai refusé de parler et de me nourrir. J'avais envie de mourir.

A treize ans...

Dieu est sourd, aveugle, je suis seul.

J'ai quinze ans et la rage au ventre.

Deux ans que je me rase chaque matin sans le moindre accident. Effrayé par mon teint verdâtre sans doute, mes doigts se mettent à trembler, ils glissent sur la mousse et je rattrape *in extremis* la lame qui tranche net un bout de mon pouce gauche. L'eau qui coule dans le lavabo devient peu à peu rose, puis rouge. Je ne sens rien mais j'imagine l'impression que peuvent produire deux poignets que l'on taillade.

En ce moment le grand succès à Cuba, c'est la *Guantanamera*. Un producteur de radio qui a le sens des affaires a demandé à l'auteur de cette mélodie de s'inspirer d'un fait divers. Un écrivain met en dialogue le fait divers et, au moment le plus croustillant, le type chante sa *Guantanamera*, adaptée pour la circonstance. Une jeune femme que son amant a quittée décide de mettre fin à ses jours. Elle se maquille, revêt ses plus beaux atours, une robe de chez El Encanto, la boutique préférée des femmes cubaines. Ainsi parée pour faire face à la mort, elle entre dans la baignoire remplie d'eau tiède, avale un flacon de somnifères et se taillade les deux poignets.

Guantanamera, güajira Guantanamera, chante Joseito Fernandez, nous décrivant avec force détails les veines qui se vident dans son grand cercueil rouge.

L'idée me tente. Enfiler mes plus beaux habits, ces souliers italiens à deux tons que mon père m'a offerts, et le costume blanc qui passera lentement du rose au rouge... Moi, le mal-aimé, reposant dans la baignoire, pâle comme Ophélie et vidé de son sang. Avec en prime la célébrité d'un jour et le couplet de Joseito Fernandez.

– Vierge Sanctissime! Seigneur Dieu! Qu'as-tu fait, Niño?

Rien, rien, je n'ai rien fait. Je suis debout devant la glace, la main en l'air, un bout de doigt coupé comme une tranche de jambon, rien d'extravagant. Le sang gicle, c'est tout, je ne sais comment l'arrêter.

– Tu te vides de ton sang, amor, tu t'en vas!

Elle en rajoute, elle s'affole, elle ne veut rien

entendre car elle a trouvé enfin l'occasion d'exprimer son angoisse. Elle s'agite, sort du coton, des bandes de gaze, renverse sur mon doigt des bouteilles d'iode et de Mercurochrome, me fait une magnifique poupée. Elle parle d'appeler le médecin noir, de m'emmener à l'hôpital. Je lui demande :

– Où est papa ?

Elle ne répond pas, jette fébrilement les bouteilles et les cotons dans la poubelle, nettoie le lavabo.

Il est déjà parti. Très tôt ce matin. Il est déjà reparti vers d'autres ports, d'autres maisons, d'autres femmes, où peut-être des drames similaires l'attendent...

Dans le salon, Carmina est en train de faire le ménage. Elle chante à tue-tête son boléro préféré, *Tu dis que tu m'aimes, mon amour...*

A présent ma mère a compris que ma vie n'est pas en danger. Elle rejoint Carmina et fredonne avec elle *Aye corazón... corazón...* Une vieille chanson d'Imperio Argentina.

J'ouvre la porte-fenêtre qui donne sur le balcon. De l'autre côté de l'avenue San Lazaro il y a la mer, immobile et plate comme une huile. Que valent quinze ans face à l'éternité ?

J'arrache le pansement de ma main. Le sang se remet à goutter, dessinant une jolie figure sur les dalles du balcon.

La promenade

J'ai commis l'imprudence de dire à ma mère que le lendemain matin je dois aller chercher mes résultats du baccalauréat. Elle me réveille à l'aube, dans tous ses états. L'idée que je rentre à l'université l'a empêchée de dormir, dit-elle.

– Et si je redouble?
– Impossible.
– Qu'est-ce que tu en sais?
– Mon cœur me dit que tu vas l'avoir.

C'est sa phrase fétiche. Son cœur lui dicte toujours un tas de choses, et elle suit aveuglément ce que son cœur lui dit avec des résultats parfois catastrophiques.

Mon cœur me dit qu'il va pleuvoir. Laissons cet horrible parapluie à la maison. L'orage gronde et nous sommes trempés jusqu'aux os, obligés de nous réfugier trois quarts d'heure sous un porche et d'attendre que le déluge passe.

Mon cœur me dit que cet été ton père va nous emmener en vacances.

Je n'ai pas connu d'été plus sombre, plus épouvantable. Évidemment mon père, pour d'obscures raisons, dut rester en ville. Il n'était pas question pour ma mère de partir seule avec moi. Elle passa ce fameux été à inonder mon père de lettres anonymes. Elle parlait d'«une femme douce et malheureuse, incapable de se plaindre mais dont vous feriez mieux, monsieur le Docteur, de vous méfier, car si les vieux démons se réveillent... ». Quand elle n'écrivait pas, elle restait collée au téléphone, appelant les rédactions des journaux, les ministères, les bars, les restaurants, et même chez quelques-unes de ses amies, pour savoir si par hasard elles l'avaient vu, s'il n'était pas passé par là.

Son cœur, donc, lui dit que j'aurai mon bac. Le mien est chargé de mauvais augures. Je suis sûr d'avoir raté mon examen. Je ne suis pas mécontent des informations que son cœur lui transmet – une manière de déjouer le sort car je suis superstitieux. Pour une fois, les certitudes de ma mère, ses dons de voyance, cette fameuse intuition féminine m'arrangent. Je mets des siècles à me doucher, à m'habiller. Contrairement à mon habitude je prends un copieux petit déjeuner et, pour retarder l'instant fatal, je décide de me rendre à pied au lycée, répétant, tout au long du chemin, un mantra protecteur.

Je déteste les examens, les concours, les jeux de hasard. Je méprise ces singeries qui ne veulent rien dire. Étudier, oui, passer des examens, non! J'ai de l'entraînement d'ailleurs : chaque année la même situation se répète. Je suis les cours avec nonchalance et ne commence à réviser les épreuves de fin d'année qu'à la dernière minute.

Cette fois-ci l'enjeu est beaucoup plus important. Il s'agit d'entrer à l'université, une perspective autrement plus excitante que les cours mornes du lycée.

Midi, l'heure fatale où le soleil tombe à la verticale comme le fil du radiesthésiste. Mon lycée se trouve au cœur du Vedado et pour faire durer le plaisir j'entreprends de longer l'avenue du Malecon avant de bifurquer dans la rue G. En quelques minutes ma belle guayabera blanche amidonnée me colle à la peau. Dans un mouvement d'énervement j'arrache le nœud papillon qui m'étrangle, le jette à la mer. Je suis très en colère car tout mon argent de poche est passé en revues, livres, tickets de cinéma. J'ai eu honte, ce matin, de redemander de l'argent de poche à ma mère. Tant pis, je ne vais pas pouvoir faire mon grand numéro, m'arrêter en taxi devant le lycée. La chaleur est suffocante, impossible de continuer à pied. Je me rabats sur l'omnibus, ce qui est pour moi pire qu'un affront, une punition.

Un traité de mille pages ne suffirait pas à décrire l'ambiance des omnibus cubains dans cette fin des années quarante. Les gens de la rue les ont baptisés : la guagua. Personne n'a jamais su quelle était l'origine exacte de ce nom. J'en ai entendu quelques versions fantaisistes, toutes peu vraisemblables. Ce serait un nom d'origine indienne goa-goa... Les soubresauts du véhicule, rappelant le fameux coup de rein des femmes cubaines quand elles marchent, auraient fait dire aux hommes « ouha, ouha... regarde-moi ça, mon frère! ».

J'ai ma propre version : il y a de l'aboiement dans ce oua-oua. Pour moi les passagers dans les bus de La Havane sont des chiens entre les mains de deux maîtres-chiens, tout-puissants et cruels : le chauffeur et son acolyte, le contrôleur, chargé de vendre et poinçonner les tickets.

J'ai lu dans le quotidien de mon père une enquête d'un journaliste, un certain Nelson Mendès, effectuée sur la ligne d'omnibus la plus fréquentée de notre capitale : la Ruta 28. Publiés plusieurs jours de suite comme un feuilleton à épisodes, ces articles ont fait sensation. Mendès y dénonce la corruption des fonctionnaires, les jeux d'influences et les magouilles qui permettent d'accéder au poste très convoité de chauffeur d'autobus. Pots-de-vin à un frère, à un cousin, à un chef de ligne ou intervention d'un politicien « à qui on ne peut rien refuser ». Pas de quoi retourner les âmes sensibles, ces habitudes sont bien ancrées dans le pays et dans toute l'Amérique latine. Ce qui pose vraiment problème, révèle l'enquête, c'est le manque d'expérience et de formation des chauffeurs. Car on s'improvise chauffeur, mais la plupart d'entre eux n'ont même pas leur permis de conduire. La parole de l'employeur fait acte de foi. Notre homme se débrouille comme il peut, il apprend sur le tas. Pas étonnant que les coups de frein brusques et leur conduite surréaliste jettent fréquemment les usagers par terre, quand ce ne sont pas des accidents plus graves. Les guagueros se distinguent aussi par leur violence. Sous prétexte de se protéger des prétendus dangers de leur métier, ils sont armés de poings américains, matraques, couteaux à cran d'arrêt, revolvers à l'occasion. Le journal publie des statistiques. Les actes de violence commis par les guagueros sont impressionnants : crânes fendus, mâchoires défoncées, bras cassés... Pourtant les avocats du syndicat et de l'entreprise font tout pour faciliter la vie de ces honorables représentants de la classe ouvrière. Car même lorsqu'il est prouvé, témoins à l'appui, que le chauffeur, ou le contrôleur, a abusé de son pouvoir devant des individus sans défense et n'ayant commis aucun délit et qu'il est incarcéré, il ne reste en prison que très peu de temps. A sa sortie de taule, il est ovationné par ses camarades comme un héros.

L'enquête de Nelson Mendès a été suivie quelques mois plus tard d'un « événement littéraire » qui est resté dans les annales. Une revue spécialisée dans les chroniques mondaines, les potins du show biz et autres conseils de beauté aux ménagères, avait lancé un prix (l'équivalent de 500 dollars, ce qui, à l'époque, représentait une petite fortune) afin de stimuler les jeunes talents littéraires. Il s'agissait d'écrire une nouvelle de cinq pages sur un aspect pittoresque de la vie quotidienne à La Havane. La revue était mal vue de l'intelligentsia, pourtant la récompense matérielle en fit rêver plus d'un. Beaucoup de jeunes écrivains hésitèrent. Ils envoyèrent néanmoins leurs textes et la rédaction se vanta d'avoir reçu plus de mille nouvelles. Je fus moi-même très tenté mais j'échappai *in extremis* au mirage, grâce à saint Antoine. Ce qui m'évita l'humiliation d'avoir été mis en compétition avec l'idiote qui remporta le prix et me plaça dans le camp de ceux qui en rirent de bon cœur.

L'heureuse lauréate était une citoyenne américaine résidant à Cuba depuis un an. Elle avait cinquante-deux ans, des grosses lunettes en écaille et enseignait les bonnes manières dans une école privée de jeunes filles. Elle avait écrit d'autres textes en espagnol, mais sa nouvelle primée, *Ramon, le guaguero*, était, à en croire le jury, son chef-d'œuvre.

Elle y racontait l'histoire de Ramon, chauffeur d'autobus de la Ruta 28, qui avait remarqué sur sa ligne le comportement singulier d'un couple d'amoureux. La jeune fille, baptisée Rose pour sa fraîcheur et sa douceur, montait au même arrêt tous les jours, à la même heure. Le jeune homme qu'elle avait appelé Roméo... montait dans le véhicule trois arrêts plus bas. Rosa s'arrangeait pour lui garder une place à côté d'elle, ce qui relevait de l'exploit, du miracle, étant donné la foule qui emplissait le bus. Notre couple voyageait côte à côte, le temps d'un aller-retour. Chacun descendait où il était monté. Intrigué, Ramon le guaguero se mit à observer le couple et finit par connaître leur triste histoire. Rosa était une fille de famille pauvre mais honnête et extrêmement stricte sur le chapitre des mœurs. Roméo était un étudiant sans ressources destiné cependant à un bel avenir. Trop pauvres pour se payer un café ou aller au cinéma, ils se voyaient dans l'autobus qui ne coûtait que quelques sous.

Un jour Ramon le guaguero décida avec son ami le contrôleur de leur faire une surprise. Ainsi, par un beau matin ensoleillé, Ramon, délaissant son trajet habituel, fonça tout droit vers la plage de Cojimar, une de nos plus belles plages de la côte nord, avec Varadero. Pour faire taire les protestations des voyageurs, Ramon leur dévoila l'objet de cette promenade improvisée et, bouleversés, tous acclamèrent les amoureux. Avec bonne humeur, chacun s'offrit une journée de rêve sur la plage. On se cotisa pour faire un cadeau à Rose et à Roméo. Ramon fit plus : il poussa l'audace et les bons sentiments jusqu'à accompagner Rose et Roméo chez leurs parents respectifs pour les convaincre que rien désormais ne pourrait séparer les amoureux.

Le milieu intellectuel s'était répandu en sarcasmes et moqueries. On alla jusqu'à soupçonner un coup monté de l'entreprise d'autobus pour torpiller l'enquête de

Nelson Mendès qui, lui, voyait rouge. Mon père organisa à la maison une réunion confidentielle de la rédaction de son journal pour discuter de l'attitude à adopter : serait-il opportun de laisser le jeune Mendès publier une réponse indignée à ce qu'il considérait comme un outrage ? Mon père qui avait parrainé Nelson à ses débuts, suggérait, lui, de garder le silence. Il craignait la réaction des guagueros, tandis que le directeur, un vieil Espagnol anti-franquiste, rescapé de la guerre civile espagnole, donnait son feu vert. « Nous avons une réputation de loyauté. Nelson a perdu la face. Laissons-le se défendre et donnons-lui la parole. »

Pendant quelques heures la tension fut à son comble, à la suite de quoi ma mère, persuadée que les gangsters de la Ruta 28 s'attaqueraient à nous, demanda à mon père la permission de préparer un « despojo » afin d'éloigner les mauvais esprits. On pourrait faire venir pour l'occasion une amie de Senta initiée au vaudou.

– Ils connaissent les liens de ce Mendès avec ton père. Je me demande parfois...

Elle laissa sa phrase en suspens, poussa un soupir profond et ses yeux se noyèrent de larmes.

– Quoi, maman ?

– Je me demande si ce Nelson Mendès n'est pas un bâtard de ton père.

Quoi qu'il en soit, son idée de « despojo », se heurta à l'hostilité farouche de mon père. Haussant subitement le ton, il déclara :

– Si tu fais de la sorcellerie chez nous, je m'en vais !

Son fameux timbre de voix qui provoquait la pâmoison des femmes au tribunal pendant ses plaidoiries, son timbre de bronze coulé cloua le bec à ma mère. Encore une fois cette menace la laissait impuissante et muette. On permit à Nelson de s'exprimer et sa défense fut accablante. Il publia une photo qu'il avait prise au cours d'une enquête. On y voyait, assis au premier rang, le maire de La Havane en compagnie du P-DG de la Ruta 28, de l'administrateur général de la compagnie et d'un sénateur de la République. Derrière eux, debout en demi-cercle, les chauffeurs et préposés à la vente et au contrôle des titres de transport, le bras droit posé sur l'épaule du voisin, comme une équipe de foot. De la main gauche ils tenaient une cigarette énorme, chacun fixant l'objectif, hilares. Mendès expliquait dans son commentaire comment, pour pouvoir mener à bien son enquête, il avait fait en sorte de se rendre sympathique à tous, laissant entendre qu'il allait écrire des articles enthousiastes sur le transport en commun préféré des Havanais. Les chauffeurs l'avaient pris pour un chroniqueur payé par l'entreprise et l'avaient donc mis dans le secret de leur « blague ». Tandis que ces messieurs du premier rang arboraient un long cigare bien roulé, le produit national par excellence, eux fumaient des cigarettes de marijuana, grosses comme des tuyaux de poêle.

A la maison nous vivions dans la terreur des représailles. Ma mère restait convaincue que les guagueros s'en prendraient à notre famille et, cette fois-ci, son cœur avait dit vrai. Un mois plus tard, alors que le scandale de la Ruta 28 paraissait enterré (l'entreprise n'avait pas estimé nécessaire de faire un procès), le pauvre Nelson fut roué de coups. Il eut trois côtes brisées et on le força à boire de l'huile de ricin, « punition » que la police parallèle de Batista avait mise à la mode au temps du Général.

L'air est lourd et l'avenue du Malecon n'en finit pas. Tout en marchant, je repense à la relation d'amour-haine que j'entretiens avec la mer. Cette étendue d'eau, palpitante comme un cœur a, comme lui, ses moments de calme, d'irritabilité, ses colères redoutables. Elle me passionne et me fait peur. Pour le meilleur ou pour le pire, je ne sais pourquoi, je finis toujours à un moment de la journée par me retrouver face à elle. Qu'est-ce qui m'attire ainsi, perché sur le mur du Malecon, à regarder les vagues se briser contre les rochers, exploser en dentelle d'écume, puis rassembler leurs forces pour recommencer sans fin?

Une histoire survenue à Acapulco, la célèbre plage du Mexique, me revient à l'esprit.

Je suis chez des amis, au dernier étage d'un

immeuble qui donne sur la plage. Le matin, j'aime regarder les premiers baigneurs arriver, les bateaux de pêche sortir pour ramasser leurs filets.

C'est un jour d'été, bleu, lumineux. Il est encore tôt mais la plage petit à petit s'emplit de monde. Des touristes venus de tous les coins, des familles mexicaines. Toutes les couleurs, tous les âges. On court, on nage, on s'amuse, quand tout à coup... la mer se retire... La mer se retire avec le reflux de la marée, mais cette fois-ci elle ne revient pas. Elle s'en va, continue de s'éloigner, de plus en plus loin. Les gens vont vers l'horizon, s'avancent sur les étendues de sable à perte de vue. Les gosses en tête, suivis de papa, maman, la mamie... d'autres groupes se joignent à l'aventure... Tiens, ici une étoile de mer, des méduses, des coquillages... Regarde comme le sable est lisse et fin! Je me mets à hurler : « Vous êtes fous, revenez, la mer va vous engloutir... » C'est dérisoire, personne ne peut m'entendre, mais certains viennent de se rendre compte... Des hommes commencent à hurler à leur tour, à gesticuler. Ils exhortent les gens à faire marche arrière, empoignent quelques inconscients, quelques naïfs qui résistent. Certains courent et arrachent les enfants des bras de leurs parents, il est trop tard pour s'expliquer, juste sauver ce qui peut l'être... Je vois la catastrophe prendre forme sous mes yeux, impuissant.

A l'horizon le ciel s'est obscurci, la mer se ramasse en une grosse colonne d'eau, qui se rétracte, se retourne comme une énorme langue, la tête de naja bleu et vert s'abat en claquant sur le sable. Alors, c'est la débandade, la panique, on court, on tombe, on roule, les enfants hurlent et supplient... et les flots furieux engloutissent tout sur leur passage. Plus de trente morts en un quart de seconde. La mer vengeresse. La mer n'est pas douce.

Je reprends ma route sous le soleil. Le macadam surchauffé colle à mes semelles. J'enrage et maudis la pudibonderie et l'obsession machiste de mes compatriotes. Dans les films américains qui nous arrivent à Cuba, on voit qu'à Miami ou en Californie les hommes portent des sandales sans complexe. Les touristes de passage à Cuba aussi. Ils ne savent pas qu'on se moque d'eux : ici on les appelle les « ensandalados », ce qui est synonyme de pédérastie. Tout homme digne de ce nom se doit de porter des chaussures fermées, même s'il fait 45° C à l'ombre.

Je pense à d'autres films que j'ai vus et qui me tiennent lieu de référence. A Paris au mois de mars, les arbres se couvrent de bourgeons, c'est le signe du printemps. A Berlin en hiver, quand les rues se recouvrent d'un épais tapis blanc et que les sapins fêtent Noël, nous sommes en hiver. Tyrone Power chez les Mormons contemple d'immenses champs couronnés de blé mûr, c'est l'été. Nous vivons dans une île intemporelle. Il fait chaud, lourd, humide et les orages se succèdent. Il fait chaud et il ne tombe pas une goutte de pluie. Il faut consulter le calendrier pour savoir si l'on est au mois d'août ou à la mi-février.

Non seulement mes chaussures fermées me tourmentent, mais je suis écœuré par le nombre de guarapos que j'ai absorbés – des jus de canne qu'on sert avec de la glace pilée – et la quantité de cafés servis brûlants et très serrés accompagnés d'un verre d'eau glacée où nagent des glaçons. Coups de fouet indispensables pour supporter les baisses de tension provoquées par la température, véritables décharges électriques dans l'estomac et les viscères, les gencives et les dents. En nage, le pantalon et la guayabera collés, la plante des pieds marquée au fer rouge, me voilà enfin arrivé devant les portes du lycée.

C'est un bâtiment fonctionnel quelconque mais il est doté d'un très joli parc. Des arbres aux essences précieuses, à l'ombre protectrice, des bancs accueillants, des tapis de pelouse fraîche et bien entretenue. Nous pouvons nous allonger sur l'herbe, faire la cour aux filles, dans les limites de la décence, bien sûr. Il n'est pas rare de voir des couples allongés, de surprendre des caresses furtives. Le parc est plus fréquenté que les salles de classe. A l'heure où la cloche sonne, notre directrice, une femme énergique et atrabilaire, fait sa ronde. Elle parcourt les allées à grands pas de gendarme et ramasse les couples pris en flagrant délit qui écopent alors des colles, des blâmes et des punitions.

J'ai donné rendez-vous à un ami pour que nous allions ensemble chercher nos résultats. C'est mon meilleur ami. Il m'attend, pourtant je suis pile à l'heure. « Good timing ! » me dit-il.

Si je suis ponctuel parce que trop angoissé par l'attente, sa ponctualité à lui est plutôt une histoire de gènes. Il est né en Allemagne, et les Allemands sont connus pour leur acharnement au travail et leur esprit discipliné. C'était pourtant le fait qu'il soit allemand qui m'avait tenu à distance de lui pendant nos premières années d'études. Une amitié d'autant plus solide qu'elle fut tardive.

Quand la guerre civile espagnole avait éclaté, j'étais tout jeune. Républicain farouche, mon père s'était voué à la cause anti-franquiste. Il était pris par ses activités politiques et ce fut une des rares périodes heureuses de la vie de ma mère. Mon père et ses amis se réunissaient régulièrement à la maison pour suivre la situation politique en Espagne. Ils restaient des nuits entières à écouter la radio branchée sur les ondes courtes, ou écrivaient des articles, préparaient d'hypothétiques plans d'attaque pour des opérations clandestines futures. Ma mère servait le café, les sandwichs, des boissons fraîches. Assise dans un coin, discrète, elle écoutait, fascinée, les discussions de ce groupe d'hommes qui, de la maison, préparaient la victoire. Blotti dans ses bras ronds et chauds et contre sa poitrine qui sentait bon, j'écoutais en somnolant des phrases qui me semblaient magiques.

Le siège de l'Alcazar.

No pasaràn !

La bataille de Teruel.

Guernica anéantie sous les bombes nazies.

« Sales Boches, ils payeront pour leurs crimes ! » s'insurgeait mon père, le point levé, la voix tremblante.

Il ne parlait jamais des Allemands mais des Boches. Une habitude qu'il avait contractée à Paris où il avait fait des études. « Afrancesado » disaient de lui ses amis non sans ironie. Mon père ne pardonnait pas aux Boches d'avoir attaqué la France en 1870 et en 1939.

La nouvelle de l'occupation de Paris l'avait beaucoup affecté. Il était resté prostré sur une chaise un jour et une nuit durant, suspendu à la radio, se laissant nourir et choyer par ma mère aux anges qui, elle, bénissait les Boches. Grâce à eux, son homme, son amour, retrouvait la faiblesse blessée d'un enfant et se laissait aimer un peu.

A l'époque mon père m'avait fait lire *Le Feu* d'Henri Barbusse pour que je prenne conscience de la cruauté congénitale de la race allemande et de l'héroïsme des braves poilus français.

Voilà pourquoi j'avais haï le Boche de ma classe. Il était beau. Ses cheveux de paille sur une peau brunie par le soleil en faisaient à Cuba un objet de curiosité. Il me dépassait d'une tête avec un corps tout en finesse et en musculature. Ses yeux d'azur faisaient craquer les filles qui tombaient comme des mouches. Sa famille était très riche et il portait, raffinement suprême à l'époque, des costumes taillés sur mesure. Un jour, il était arrivé à l'école en Rolls. Et, comme si tous ces atouts ne lui suffisaient pas, il était toujours premier de la classe, raflant les prix et les meilleures notes. De ce fait, bien sûr, il avait été élu délégué de classe à la quasi-unanimité. Je recevais comme un affront personnel sa popularité auprès des filles. S'il paraissait n'avoir de préférence pour aucune en particulier, il les fréquentait toutes et avait incontestablement la vedette.

C'est en qualité de délégué de classe qu'il m'adressa la première fois la parole. Il s'agissait de signer une pétition pour obtenir une grande salle désaffectée où nous pourrions nous réunir librement pour lire, écouter de la musique, discuter de ce qui se passait dans le monde et organiser des fêtes.

Nous avions rendez-vous dans le parc. Quand elle me vit arriver, la fille la plus provocante de la classe, celle que nous appelions « la sauvageonne » à cause de son corps callipyge et ses seins généreux, s'éloigna discrètement. Cette rousse voluptueuse à la peau abricot (l'Afrique avait dû passer par là – ce qui la rendait encore plus attrayante à mes yeux) avait abandonné sa fière allure de fille convoitée par tous pour minauder devant lui et s'était éclipsée d'un air timide.

– Alors, tu signes? avait-il insisté.

Sa voix un peu traînante était agréable. Bien qu'il eût un léger accent allemand, il s'était parfaitement adapté au parler cubain, une articulation molle et suave, et on l'aurait volontiers pris pour un descendant d'une vieille famille de l'île.

– Est-ce que tu as prévu de demander un sofa?

– Non, mais c'est faisable, toutes les idées sont bienvenues.

– Pas de meilleure détente pour un type que de baiser! dis-je avec arrogance.

J'avais utilisé le mot « singar » que je considérais comme un des plus vulgaires de l'argot cubain, en vue de le choquer, lui si bien élevé.

– Et pour la musique, qu'est-ce que tu as prévu? Miguelito Valdès, Benny Goodman, Bing Crosby? ajoutai-je.

– Pour les disques, ce n'est pas moi qui décide. Il y aura de la musique classique, bien sûr, mais rien n'empêche d'écouter des rumbas.

L'enfoiré avait saisi mon jeu, il était sûr de lui et rien ne pouvait entamer ce calme qu'il arborait comme un signe de maturité et d'intelligence. Je choisis alors un autre terrain d'attaque.

– Je n'aime pas qu'on me parle derrière des lunettes noires. J'aime bien voir le regard de l'autre, tu comprends?

Il hésita une seconde. Quelque chose en lui se crispa, mais il n'en laissa rien voir, avec juste un léger rictus des lèvres, une ombre sur le front. Puis il ôta ses lunettes et son regard me frappa de plein fouet. Par sa froideur, il me rappelait celui de mon père.

– Je suis astigmate, mes pupilles supportent mal le soleil de midi.

– Rien à faire, on est à Cuba, mon vieux, dis-je, histoire de lui faire sentir que même s'il s'était parfaitement adapté à Cuba, il restait un étranger.

J'ai finalement signé la pétition. Pendant deux ans, à partir de ce jour, nous nous sommes observés de loin, comme des chats prêts à bondir, toutes griffes dehors.

A un ami qui me parlait de lui, je répondais en l'effaçant d'un geste de la main, sans aucun commentaire.

Un jour pourtant je l'ai traité de « sale Boche ». Mes paroles ont fait tilt. Dans la classe on s'est passé le mot. J'ai compris alors que je n'étais pas le seul à jalouser le grand blond aux yeux transparents. Les mâles de la classe le détestaient mais sournoisement, car notre délégué savait rendre des services à tous, sans discrimination.

C'est seulement pendant ma dernière année de lycée que la situation s'est renversée.

Je monte les escaliers qui mènent au hall quand le grand blond m'intercepte et, deux marches au-dessus de moi, me barre le passage. Il ne porte pas de lunettes, ses yeux brillent plus qu'à l'ordinaire.

– Arrête de me traiter de Boche, je suis juif. Tu sais ce que ça veut dire, Juif?

Il n'attend pas ma réponse et déboule l'escalier en me bousculant au passage. Sans violence, d'un simple geste il me repousse.

Juif. Ce mot me renvoie directement à ma mère. Le jour où ma mère avait pris la décision de chasser ses jeunes étudiantes, je m'étais insurgé :

– Je n'ai pas de grands-pères ni de grand-mères, ni de frères et sœurs comme les autres. Pourquoi les renvoies-tu? Je vais m'ennuyer, maman, et toi aussi.

– Tu as Senta, à elle toute seule elle est mieux que trente-six grand-mères et tantes réunies.

– Et ces cousins, cette famille nombreuse dont tu m'as parlé, où sont-ils? Au fond de la sierra Morena? Je voudrais les connaître. Et toi pour commencer, es-tu maure, gitane ou simplement menteuse?

Trop tard. J'aurais voulu m'arracher la langue mais les mots étaient tombés. A son silence obstiné, à la manière dont elle détourna pudiquement les yeux, je compris que je venais de lui faire de la peine. Mon comportement insolent, égoïste, légèrement hystérique était indigne de l'homme que je prétendais être. Comment me faire pardonner ? Je ne quittai plus la maison pendant des jours, redoublant de gentillesse et d'attentions. Aussi quand ma mère, un soir à la tombée du jour, me proposa une promenade, acceptai-je avec soulagement. Un coucher de soleil pour signer notre réconciliation.

Une grosse lune ronde et pâle se dessine dans le ciel encore clair tandis que de l'autre côté on devine un lointain scintillement d'étoiles. Nous sommes assis côte à côte, silencieux, les pieds dans le vide. En contrebas, le tourbillon des vagues. Pour la première fois ma mère évoque un passé dont j'ignore tout.

Nous habitions une ville du sud de l'Espagne, au bord de la mer. Mes cinq frères et sœurs, oncles, tantes, cousins, cousines, et grands-parents habitaient ensemble. La famille comptait des bijoutiers et des tailleurs de renom, un graveur chez qui la haute société du coin faisait imprimer papiers à lettres, invitations et faire-part de mariage. Un autre possédait un magasin d'antiquités. A eux tous, ils représentaient ce que la ville offrait de plus raffiné. Ils étaient élégants, courtois et fervents catholiques. Dans cette ville conservatrice et bourgeoise, c'était un atout considérable. Et puis il y avait ma grand-mère. Un personnage à part, singulier. Grand-mère était une étrange vieille personne. On aurait dit que la famille en avait honte. Ils la tenaient à l'écart. Elle avait une passion pour moi. Je m'étais mis dans la tête que c'était une sorcière. On m'avait raconté que dans cette ville, des siècles auparavant, on brûlait les femmes qu'on accusait de sorcellerie. On en avait, paraît-il, tué énormément. Quand je lui demandais si elle était sorcière, grand-mère riait : « Un peu, mon cœur, un peu ! »

Il faut admettre qu'elle avait un comportement bizarre. Elle ne mangeait jamais à table avec nous. Les côtelettes de porc dont nous raffolions lui étaient interdites. Elle se cuisinait des plats dont les aliments devaient cuire selon des règles précises. Les domestiques ne l'aimaient pas car elle leur faisait acheter sa nourriture dans des épiceries et des boucheries lointaines. Le samedi elle ne faisait rien, refusait de cuire un aliment et de prendre part à la vie de la maison. Elle marmonnait des prières incompréhensibles.

Quand je lui demandais quelle langue elle parlait, grand-mère me répondait :

– C'est du ladino, mon cœur, un vieil espagnol qu'on parlait autrefois.

Pour moi, c'était une langue magique. Le dimanche, quand nous nous rendions à la messe et aux vêpres, elle ne nous accompagnait pas. Dans chaque chambre, un crucifix et des images de saints trônaient au-dessus de nos lits. Pas dans la sienne. Cette façon de vivre à part m'intriguait. « Un jour, me disais-je, quand je serai plus vieille, grand-mère me parlera de ses secrets. »

Le temps a passé. Un matin grand-mère s'est enfermée avec moi dans sa chambre. Elle déclara cérémonieusement qu'elle voulait me transmettre des connaissances. Pour la première fois de ma vie, j'entendis parler des Hébreux. Ils avaient fui la Terre sainte après la destruction du temple de Jérusalem et s'étaient établis un peu partout dans le monde. Au Moyen-Orient, en Grèce, au Portugal. Parmi eux, beaucoup sont venus en Espagne.

– Ce sont nos ancêtres, dit-elle. Ils ont vécu ici heureux et prospères jusqu'au jour où les rois catholiques les ont expulsés. On se mit à les montrer du doigt, à les pourchasser. Ils étaient devenus l'incarnation du Mal, il fallait les brûler. L'Église leur proposa un marché : soit ils se convertissaient à la religion catholique et pouvaient rester, soit ils devaient partir. Ceux qui acceptèrent furent appelés des « marranes ».

– Comme les porcs ?

– Oui, comme les porcs.

– Notre famille a épousé la nouvelle religion par la force des choses. Et, avec le temps, ils sont devenus des catholiques sincères.

Je compris alors que grand-mère, rebelle entre toutes

et que l'on disait folle, continuait à vivre en secret la religion des Hébreux.

– Il faut rester fidèle à notre passé, à nos croyances. Il faut que tu connaisses nos rites, nos traditions, il faut que quelqu'un dans la famille continue de transmettre le message. Je t'apprendrai le ladino, je te ferai lire les Écritures.

Peu de temps après, grand-mère s'est éteinte comme une flamme vacillante. Elle est morte au bout de ses forces. Je me souviens encore de son sourire paisible : elle emportait son énigme dans la tombe. Après sa mort, j'oubliai bien vite la troublante question de nos origines. J'étais tombée amoureuse d'un jeune homme andalou à la peau douce et lisse, aux cheveux noirs comme du jais. Il était très riche. Aussi, quand Juan Domingo – c'était son nom – me demanda en mariage, mes parents furent fous de joie. Sa famille délégua auprès de la nôtre un messager, car à l'époque, cette « peticion de mano » était la première étape concrète vers les noces. Cet homme, apparu pour les besoins de la circonstance, était un cousin de passage qui venait de Cuba. On ne parla plus à la maison que de ce fameux ambassadeur, cet homme exotique venu d'ailleurs. D'une élégance rare, sa conversation enchantait les plus blasés. On le disait avocat et journaliste, promu chez lui à un grand avenir.

Le jour des présentations arriva. J'étais assise dans ma chambre devant la coiffeuse. Esther-Maria, ma tante préférée, mettait une dernière touche à ma coiffure. Elle avait dégagé mon visage et tressé mes cheveux en épaisse torsade. Cette coiffure me donnait un air plus adulte, altier, presque gitan. Hors d'haleine, ma cousine fit irruption dans la chambre et se précipita à la fenêtre. « Le Docteur, le voilà ! » Après m'être admirée une dernière fois dans la glace, je la rejoignis.

Notre maison s'abritait derrière un jardin fleuri et ombragé dont la tribu était fière, un mélange touffu et odoriférant de volubilis, bougainvilliers en fleur, eucalyptus, arômes et buissons de roses. Je vis cet homme s'avancer, impressionnant de désinvolture et d'élé-

gance. Maniant une canne à pommeau d'or, il prit le temps d'admirer nos fleurs, respirant ici une rose, là s'arrêtant pour contempler un buisson d'azalées. Ma tante et ma cousine gloussaient et soupiraient : « Regarde ses gants de peau, le pli de son pantalon ! »

Pour le recevoir, tout répondait à un rituel orchestré et préparé depuis des jours. Mes parents, mes oncles et le Docteur devaient boire une première coupe de champagne. J'attendais qu'on me convie, cachée derrière les rideaux. J'observais le messager par l'embrasure de la porte. Sans m'en rendre compte, j'étais déjà sous le charme. Il avait un grand front, des cheveux châtains plaqués en arrière, un beau regard clair. Il parlait un espagnol doux et chantant. Je ne pouvais détacher mes yeux de lui. Quand j'entrai, un grand remue-ménage intérieur ébranla mes sens, fit bouillonner mon sang, chauffer mes joues et mes oreilles. A cet instant précis, j'eus le sentiment d'une terrible fatalité.

Ensuite, comment t'expliquer, mon fils, je n'ai plus vécu que dans l'attente de ses visites. Il venait seul, ou en compagnie de Juan Domingo, mon fiancé. Nous étions toujours entourés, mais ça n'avait pas d'importance. Ses yeux me parlaient et les miens répondaient. Un soir, apprenant que je jouais de la mandoline, il se mit à la guitare et insista pour m'accompagner. Quand il interpréta une sonate de Padre Soler, ma mère fondit en larmes.

Sachant que le Docteur était marié à La Havane, je fus étonnée d'apprendre qu'il comptait prolonger son séjour pour assister à mes noces. Juan Domingo m'était devenu indifférent mais mon instinct de femme me disait que je devais le ménager. Si je lui montrais trop de froideur, il romprait nos fiançailles et le Docteur disparaîtrait. Jouant les jeunes filles pudiques et réservées, je refusais à Juan Domingo toute marque de tendresse : plus j'étais distante, plus son ardeur redoublait. Au fur et à mesure qu'avançait la date de notre mariage, j'étais envahie d'une étrange mélancolie. Quand j'appris que le Docteur avait déjà réservé sa place sur le bateau qui devait le ramener à Cuba, la nouvelle me terrassa. Avais-je rêvé ? Ce que j'avais lu dans ses yeux n'était peut-être que l'admiration d'un homme mûr pour une jeune fille, qu'un élan d'affection sans lendemain ?

Un matin, je me promenais seule dans le jardin, en proie à mes tourments. Une domestique rougissante dont le Docteur avait acheté la complicité, vint m'apporter une lettre : dans des mots exaltés et fous, le Docteur m'avouait sa passion. Il me suppliait de le suivre, de partir avec lui.

Le lendemain à l'aube, en cachette et suivant ses directives, je quittai la maison familiale. Quelques heures plus tard, le navire La Esperanza *s'éloignait des côtes d'Espagne. Dans les bras de mon amour, je fuyais les miens comme une voleuse. Pour ceux de ma tribu, j'étais morte à jamais.*

Ainsi donc « Lohengrin » était juif.

A partir de cet aveu incongru sur les marches de l'escalier du lycée, je me mis en tête de conquérir son amitié.

Quelques semaines plus tard je l'abordai :

– Je te baptise Lohengrin, le héros germanique par excellence. Qu'en dis-tu ? Pour un Juif, c'est une bonne revanche, non ?

Je jouais à pile ou face. Soit le type n'avait pas d'humour et il se fâcherait. Et alors je n'insiterais plus, soit...

Il me sourit.

Ce fut le début d'une longue amitié.

Nous nous découvrîmes une passion commune pour la littérature. Moi parce que je rêvais d'écrire un jour, lui parce qu'il était convaincu que le sens profond d'une culture s'exprimait à travers les fictions des écrivains qui, seuls, étaient capables de transmettre l'âme d'un peuple. Je lui fis découvrir des écrivains espagnols qu'il avait sous-estimés comme Benito Perez Galdos, Pio Barojas. Il me fit lire des traductions de Rainer Maria Rilke.

Plus je fréquentais Lohengrin, moins j'avais l'impression de le connaître. Nos conversations restaient toujours très littéraires. On nous voyait toujours ensemble et je me joignis à lui pour défendre activement les droits des étudiants. Mais celui que je considérais comme un frère aîné se dérobait, se protégeait derrière mille portes. Et plus je franchissais de portes, plus il devenait énigmatique. Un jour, à brûle-pourpoint, je lui demandai :

– Mais à la fin qui es-tu, Lohengrin ?

Lohengrin

– Je ne sais pas qui je suis, mais je sais qui j'aurais voulu être. L'Étudiant de Prague par exemple, ou un de ces personnages du cinéma expressionniste allemand qui s'inspirait des légendes juives, du Dibbouk, du Golem... Celui qui se dédouble et se voit de l'extérieur, s'observe, se juge, est capable de s'améliorer, ou qui, un jour, se fait sauter la cervelle sans que personne ne sache pourquoi. Désespoir? Chagrin d'amour? Non, tout simplement parce que c'est un jour pair et que les jours pairs portent malheur.

– Très romantique.

– Tu te trompes. Ça n'a rien à voir avec le romantisme. Ces films dont je te parle, du *Cabinet du Docteur Caligari* à *M. le Maudit*, certains ont affirmé qu'ils préfiguraient la montée du nazisme. Un baroque tordu, travaillé d'ombres et de lumière où la perversité, la haine de l'autre, la rage existentielle sont exaltées. L'expressionnisme du nord de l'Europe n'a rien à voir avec celui des Latins, celui d'un Picasso par exemple. T'es-tu demandé pourquoi? Parce que dans toutes ces œuvres l'âme et les obsessions juives sont présentes, même quand leurs auteurs sont de purs Aryens comme Fritz Lang, que Goebbels admirait tant. Elles sont baignées de cette angoisse née dans les ghettos du cœur de l'Europe orientale. As-tu été voir *Metropolis* à la cinémathèque? Tout y est. L'être humain robotisé, un peuple souterrain qui ressemble à s'y méprendre à un camp de concentration, une jeune fille pure transformée en poupée mécanique pervertie. Et l'attente du Messie. Même le dénouement reste ambigu. C'est pour moi tout à fait révélateur d'une époque. Lang était préoccupé par les images et je décèle dans ces images une sensibilité juive bâillonnée qui lutte pour s'exprimer. Thea von Harbow, l'auteur du scénario, a fini, contrairement à Lang, par adhérer au nazisme. C'est très instructif. A l'intérieur d'un même film des courants différents s'expriment et luttent. Partout dans la littérature et l'expression artistique on retrouve le même phénomène. Te souviens-tu de ce tableau de Munch, *Le Cri* ? Voilà ce que je voudrais être, un cri muet qui s'impose peu à peu à qui veut l'entendre.

Souvent Lohengrin se moquait de moi. Je ne connaissais, disait-il, que les endroits à la mode et conformistes fréquentés par la jeunesse dorée de La Havane.

– Regarde un peu autour de toi, votre ville est vaste, pleine de richesses insoupçonnées. Ces endroits que tu fréquentes sont les mêmes partout dans le monde.

Il me fit découvrir des petits restaurants de quartier, à Cerro, Luyano, où les habitués du coin parlaient fort et s'interpellaient de table à table, des cafés louches où se déroulaient parfois des scènes étranges : on voyait un type débarquer, s'asseoir à côté d'un autre, sans un mot, lui passer discrètement quelque chose et, du même pas, se lever et disparaître. Dans ces endroits oisifs, chômeurs, semi-débiles et alcooliques pouvaient passer des journées entières devant le même verre sans qu'on les chasse. On leur fichait la paix. Le patron avait assez à faire avec ses problèmes.

Au « El Chano », son bistrot d'élection, nous bénéficiions d'un traitement spécial. Lohengrin y amenait des amis qui consommaient des sandwichs, alors que la majorité des clients se contentaient d'une ou deux « tacitas » de café, la boisson la moins chère, aussi le patron était-il aux petits soins avec nous.

J'ai parlé de ma famille à Lohengrin, je lui ai raconté comment, depuis son Andalousie natale, ma mère, une femme capricieuse et fantasque, avait quitté les siens pour suivre mon père à Cuba. Comment elle prétendait descendre d'une tribu de Gitans de la sierra Morena. Je lui ai fait de mon père le portrait d'un homme réservé et absent. Pourquoi ne lui ai-je pas dit la vérité sur mes origines juives ? Je l'ignore. Sans doute parce que je me sens secrètement coupable, que j'ai du mal à assumer cette famille marrane, face à l'atrocité des camps d'extermination.

Plus d'une fois Lohengrin a manifesté le désir de rencontrer ma mère. Il a passé des vacances en Andalousie et garde de cette région un souvenir fasciné. Je lui ai raconté comment je trouve que Soledad, ma mère, alias Madame Sérénité, possède comme lui cette façon un peu schizophrénique de parler d'elle, d'évoquer les choses qui lui tiennent à cœur par des moyens détournés, comment il faut, pour la suivre, accepter de se perdre dans les méandres de sa pensée.

Devant notre complicité naissante, Lohengrin se livre. Et s'il consent à parler de lui, il parle de lui comme d'un autre.

Écoute cette histoire... Il était une fois une famille juive allemande, parfaitement intégrée à la vieille Europe chantée par les musiciens, les philosophes et les poètes. Spécialisés au départ dans la publication de manuels d'école et d'ouvrages scientifiques, mes oncles avaient élargi leur maison d'édition au domaine des guides touristiques et des livres d'art. Travailleurs et entreprenants, en l'espace de quelques générations ils avaient prospéré tant et si bien qu'ils se sont attiré la jalousie des autochtones. Durant ce temps, ils avaient payé de leur sang le droit d'être des citoyens allemands. Un de mes oncles est mort au champ d'honneur à Verdun, deux autres ont été gravement blessés. Mon père, qui est revenu de la guerre couvert de médailles, a souffert d'une blessure au pied qui l'a obligé à porter une canne pour le restant de ses jours. Dans les années trente, ce brillant et prometteur chef de famille est tombé amoureux d'une jeune fille, juive bien sûr, une musicienne accomplie dont tous vantaient le charme et l'intelligence. Un an plus tard elle mit au monde un adorable rejeton, un poussin aux yeux d'azur... Quand ma nourrice se promenait avec moi au parc Tietengart, on m'a raconté que tout le monde s'arrêtait devant le ravissant bébé que j'étais et que l'on prenait pour un pur spécimen de la race aryenne. Puis le chancelier Hitler a commencé à faire parler de lui... Un matin, j'avais tout juste trois ans, ma nourrice, une brave fille de Bavière, blonde et rose comme du houblon, a demandé son congé et disparu sans donner d'explications. Signe avant-coureur. Les domestiques quittaient le navire avant l'incendie. On ne pouvait pas leur en vouloir, la haine et la peur commençaient à suinter des murs de la ville et il n'était pas prudent de travailler pour des patrons juifs. Mon père a proposé alors à ses frères et sœurs de vendre tous leurs biens et d'émigrer. Ils ont refusé. Je me souviens encore de certaines de leurs réflexions. « Il faut laisser passer l'orage... Les Allemands, ce peuple cultivé, policé, ne laisseront jamais s'installer la barbarie et l'ignorance, c'est impossible... Et puis, je suis allemand, moi... », grommelait l'oncle plus âgé, grand médaillé de la Première Guerre.

Mon père était-il visionnaire, lucide, plus audacieux ? Toujours est-il qu'il a pris son fils et sa femme sous le bras, décidé à fuir l'Allemagne. Il avait placé de l'argent à l'étranger. Des amis banquiers l'assistèrent dans ses transactions. Tout se passait à la maison, autour d'un dîner ou d'une tasse de thé. Je me souviens qu'à l'époque mon père aidait des écrivains, des intellectuels et des artistes à préparer leur départ et cela donnait lieu à des discussions anxieuses et passionnées. Parmi eux se trouvait l'écrivain Walter Benjamin que j'aimais beaucoup. Fragile, une maigre moustache, un regard incisif caché derrière des lunettes rondes à monture d'acier, cet homme à la voix douce racontait des histoires fascinantes. Le fait que son nom était composé de deux prénoms m'a frappé. Je pensais qu'il l'avait choisi exprès en signe de convivialité. De toutes ces grandes personnes qui déambulaient dans la maison avec des airs mystérieux, discutant de livres, de films, de théâtre et d'exil, Benjamin était le seul à me parler. Il était lui-même comme un enfant, perdu et effrayé dans cette ville que les bruits de bottes et la fureur rendaient chaque jour plus irrespirable. Un jour, je ne l'ai plus revu. Avant de partir il m'avait offert une

marionnette de clown avec un visage triste qui lui res-
semblait et un fascicule aux pages écornées et jaunies.
Ce livre lui avait été offert par son père et l'avait
accompagné tout au long de sa vie, me dit-il. Les
Années d'apprentissage de Wilhelm Meister, *de*
Goethe. *Ce n'était pas une lecture facile pour un enfant.*
Je n'y comprenais rien, mais j'étais émerveillé par la
beauté du langage, le rythme des phrases. Il m'expliqua
que ce livre représentait pour lui ce qu'il y avait de
meilleur dans cette Allemagne qu'il aimait tant, mais
qui le décevait et se reniait elle-même. « Je quitte Ber-
lin, avait-il ajouté, très ému, et j'espère que toi aussi tu
vas partir bientôt. Prends ce livre. Où que tu sois, si un
jour ton cœur désespère de cet amour non partagé, lis
et relis Goethe. Il t'aidera à survivre à ce mauvais pas-
sage, à attendre. »
   J'ai toujours ce livre dans ma chambre. Quelquefois
je le lis en pensant à Walter Benjamin. Il est mort sans
savoir. Les Allemands ne se sont pas seulement reniés,
comme il disait, ils ont exterminé le peuple juif. Du
moins, ils ont essayé.

L'émotion étrangle la voix de Lohengrin, l'empê-
chant de poursuivre. Il regarde la salle du bistrot
comme s'il ne voyait rien. La nuit commence à tomber
et la clientèle s'est renouvelée. Les gens du quartier, les
femmes et enfants, groupes d'hommes jouant aux
dominos, vieillards somnolents, un cigare au coin des
lèvres, ont fait place à une faune toute différente. Des
individus aux visages marqués, aux regards furtifs,
boivent des alcools forts, disparaissant par la petite
porte du fond. Par deux fois déjà nous avons eu droit à
un car de police qui s'est garé juste sous notre nez,
toutes portes ouvertes, apparemment pour aérer le
véhicule et sans se soucier de savoir s'il gênait la circulation. Ce sont les célèbres « perseguidoras », les voitures du corps d'élite chargé de la répression. Ces
« poursuivantes » – comme on les appelle – ont la spécialité de rouler dans les rues à toute allure aux heures
de pointe, provoquant la panique des piétons et la
colère des automobilistes qui, à leur passage, n'ont plus

qu'à se jeter sur les trottoirs pour laisser la place aux bolides. Leur grand jeu consiste à faire une descente dans un quartier populaire, toutes sirènes dehors. Poing américain et bâton à la main, ils se précipitent sur tout ce qui bouge, s'attaquent à ceux dont la tête ne leur revient pas, sous prétexte de faire la chasse aux subversifs ou aux trafiquants. Mais chacun sait que les plus notoires d'entre eux coulent des jours paisibles et que ces descentes ne sont que de sordides vengeances contre un patron de bistrot qui a refusé de payer sa taxe à la police. Une forme de racket organisé et admis. Une ou deux descentes par semaine et quelques crânes fracassés font réfléchir à deux fois le malheureux tavernier.

Cette fois-ci les flics, parfaitement détendus et à leur aise, s'assoient à une table, se font servir des bières et blaguent avec les clients. Chano, le mulâtre borgne qui tient ce troquet, est un indicateur. Il se plie à leur loi, paie, moucharde, a des yeux et des oreilles partout.

Lohengrin connaît le manège des policiers et de Chano et n'est pas dupe. Protégé par la police, Chano en profite pour étendre ses affaires pas très catholiques. Les policiers le couvrent, touchent un pactole au passage et tout le monde est content. Chacun le sait ici. « El Chano » est un des endroits les plus sûrs de La Havane. Jamais de bagarres ni de mauvaises surprises, du beau monde.

Je relance Lohengrin qui semble s'être égaré dans d'autres considérations.

– Et après?

– Après? C'est très simple. Grâce au courage et à l'intuition de mes parents, nous avons échappé au pire. Quand nous étions encore à Berlin, je les entendais énumérer des noms qui me faisaient rêver : Paris, Londres, Madrid, Mexico... Ils cherchaient un point de chute, étudiaient le parcours à suivre. J'avais cinq ans à l'époque et cette atmosphère de complot m'angoissait terriblement. Quand j'ai compris que mon grand-père allait rester à Berlin – car il refusait de partir –, je suis devenu neurasthénique. Il avait une longue barbe blanche et j'ai hérité de ses yeux clairs. Cet homme était d'une gaieté communicative. Il aimait chanter, me couvrait de cadeaux aux moments les plus inattendus. Il soutenait qu'il était absurde de n'offrir des cadeaux qu'aux fêtes et aux anniversaires, que pour ces choses-là il fallait écouter son cœur, que la surprise était le plus beau des cadeaux. Sur ce plan j'étais bien d'accord avec lui. Il me traitait comme un prince et je peux te dire que dans cette ville de Berlin, le théâtre de mon enfance, je n'ai jamais été aussi heureux.

A présent je comprends mieux ce que Lohengrin a enduré, le déchirement d'un enfant arraché à ceux qu'il aime, les promesses de retrouvailles auxquelles personne n'ose croire.

« A bientôt... ce ne sera pas long... Grand-père va nous rejoindre au Mexique... »

L'exode s'est installé dans l'exil et Lohengrin n'a jamais revu son grand-père aimé. Au Mexique il a connu ses premières crises d'asthme. L'altitude, ont dit les médecins. Ses parents, eux, savaient que c'était le chagrin. Son père qui avait quelques intérêts à Cuba décida que le soleil et l'air de la mer feraient du bien à l'enfant. Ils prirent la route de Cuba. La santé du petit garçon s'améliora et tous s'accordèrent à penser que le climat bénéfique de l'île et la chaleur de ses habitants y étaient pour quelque chose.

– Je grandissais, dit-il, je grandissais et j'oubliais. Voilà le miracle.

En 1945, avec tous les Cubains, comme moi, comme ma mère, nous vîmes les images terrifiantes des Juifs encore vivants libérés des camps par les forces alliées. Des squelettes ambulants, des amoncellements de cadavres. Nous avons pris conscience brutalement de l'ampleur de l'horreur, des chambres à gaz, des camps où avaient été systématiquement exterminés des milliers de gens, une organisation d'une logique diabolique.

La mère de Lohengrin est tombée malade et ne s'en est jamais remise. Le père ne se pardonnait pas d'avoir amené son fils à une séance de cinéma où l'on avait projeté les témoignages de l'holocauste et craignait une rechute de ses crises d'asthme. Mais il n'en fut rien. Lohengrin avait regardé sans sourciller. Il s'était mis à lire frénétiquement tous les documents accessibles sur la « solution finale » qu'avaient imaginée les nazis pour rayer les Juifs de la carte de l'Europe. Il prenait des notes, réfléchissait. « Il faut se tourner vers l'avenir, disait-il, ne regarder le passé que pour prendre des repères, des forces en vue des luttes futures. » Le dialogue avec ses parents était devenu difficile. Eux étaient restés figés dans leur douleur, paralysés par ces souffrances qu'ils n'avaient pas directement vécues. La mémoire les torturait. Comme les survivants d'un naufrage, ils se sentaient honteux, coupables.

J'ai raconté à Lohengrin comment ma mère, mon père et leurs amis ne cessent de ressasser leur nostalgie de Madrid, de l'Andalousie, de Paris et la sensation que j'ai d'être un exilé sur ma propre terre.

– Au moins ils ont des souvenirs pleins de vie, tandis que ceux de mes parents se sont figés dans la douleur et le remords. Mon père travaille nuit et jour pour oublier. Ma mère ne sort de ses dépressions que pour se griser de fêtes. Elle ne cesse de recevoir, d'organiser des réceptions mondaines pour s'étourdir du bruit des conversations et de futilités. Quand je vois sa photo dans le journal, mon cœur se serre. Son sourire est comme une grimace, son regard affolé plein de confusion, d'anxiété car elle s'en veut de danser sur « les cendres encore chaudes de six millions de martyrs », comme elle dit. Elle est masochiste.

Lohengrin marque une pause puis me regarde avec gravité. On dirait qu'il a quelque chose de très important à me confier et que c'est l'heure, le moment, l'endroit exact pour franchir un tel pas. Repoussant les tasses et les soucoupes qui encombrent notre table, il sort de sa sacoche un gros cahier de notes, l'ouvre à une page blanche. D'un trait ferme et décidé il trace deux lignes parallèles qui sortent d'un tronc commun, griffonne des noms et des chiffres.

– Voilà comment je vois les choses, dit-il. Ces deux

lignes parallèles résument parfaitement l'histoire du judaïsme. Partie d'une même source, chacune s'est développée ensuite dans sa direction. Sur cette ligne je place les Juifs fidèles à la tradition. Ils se considèrent comme le peuple élu. Ici je mets les Juifs qui ont renié leur foi, les Juifs libres penseurs ou convertis qui refusent ce destin de peuple élu. Voyons l'Espagne, par exemple.

Je prends l'air étonné :

– L'Espagne ?

M'a-t-il sondé, a-t-il deviné que cette mère maure et gitane n'est qu'une invention ? Ou trouve-t-il un moyen détourné de me faire comprendre que nous sommes tous pris, les siens, les miens, dans un engrenage complexe qui nous entraîne au-delà de nos histoires personnelles ?

– On ne sait pas ou plutôt on feint d'oublier que l'Espagne a été pour les Juifs pendant des siècles une fantastique terre d'accueil. Tu as entendu parler de la destruction du temple de Jérusalem ?

– Par ma mère, vaguement, elle ne raconte les choses qu'à moitié.

C'est l'occasion de tout lui avouer. Je n'en dis pas plus pour ne pas interrompre sa pensée, curieux de savoir ce qu'il a sur le cœur, remettant à demain les aveux fraternels.

– Vers l'an 74, sous le règne de Vespasien, les Juifs fuient Jérusalem pour s'éparpiller dans le monde. Ils arrivent en Espagne par vagues successives. C'est le règne des Sarrasins, mais les Juifs en ont vu d'autres. Ils ont survécu en Égypte, à Babylone et ailleurs. Au Nord, au Centre, l'Espagne est une terre riche et prospère. Ainsi, au cours des siècles on trouvera des noms de Juifs dans l'histoire espagnole, des médecins, des financiers, des astrologues. Comme ils n'ont, la plupart du temps, pas d'autre recours que d'exercer l'office de prêteurs sur gages – une activité qui leur portera malheur –, leur pouvoir grandissant leur attire la jalousie de l'Église catholique. La « peste noire » arrive au moment opportun, pour servir d'exutoire à la haine. On les rend coupables de tous les maux, d'avoir tué le Christ, mis sous tutelle le peuple d'Espagne avec leurs odieux gages. A Séville, à

Barcelone, on massacre des Juifs. Quoi qu'ils fassent il faut qu'ils payent. Des familles entières reprennent le chemin de l'exode. Et peu à peu la notion de « converso » fait son chemin.

Lohengrin lève les yeux vers moi et sourit. Il a écrit en lettres majuscules sur son cahier :

CONVERSO

— « Converso », celui qui s'est converti. Car l'Église catholique ne leur laisse pas le choix. Pour faire disparaître toute trace de judaïsme, on leur propose d'épouser notre mère l'Église catholique, apostolique et romaine. Beaucoup de Juifs acceptent. Avec un sens atavique de la survie, ils se refont une identité. Et, en peu de temps, on les retrouve de nouveau aux places les plus convoitées et influentes : évêques, archevêques, confesseurs de la famille royale. Ils payent la confiance qu'on leur accorde en redoublant de fidélité. Ce qui explique comment, lorsqu'il fut question d'expulser les Juifs d'Espagne, on trouva des Juifs parmi leurs persécuteurs les plus zélés. Des « conversos » fanatiques furent les plus acharnés conseillers d'Isabelle de Castille et de Ferdinand d'Aragon. La liste est longue : Selemon Ha-Levi, ex-rabbin devenu archevêque sous le nom de Don Pablo de Santa Maria... Fray Alfonso de Espina, confesseur du roi... Mosen Pedro de la Caballeria, auteur d'un féroce pamphlet antisémite qui a pour titre *Le Zèle du Christ contre les Juifs et les Sarrasins*. 1492 marque leur apothéose. Nombre de ces « conversos » réclamèrent l'Inquisition à cor et à cri. Et le pauvre Juif était bon pour la conversion, la fuite ou le bûcher.

Maintenant Lohengrin dessine une nouvelle ligne entre les deux autres et il lève son cahier pour me le montrer.

— Voilà où je me situe. En dehors de cette alternative : ni Juif traditionnel, ni « converso ». Je crois avoir trouvé la meilleure façon de rester juif tout en épousant l'identité d'un autre peuple : participer à une lutte commune. Mais il se fait tard, nous en reparlerons.

Un après-midi d'été
au yacht-club de La Havane

Les résultats du baccalauréat furent sans surprise. Avec les notes moyennes auxquelles je m'attendais, j'avais été reçu de justesse. Avoir passé le cap de l'examen relevait déjà de l'exploit et j'en étais assez fier. Lohengrin, lui, avait battu tous les records. Un bouquet de notes exemplaires couronnait son acharnement, son intelligence, ses efforts. Je le connaissais suffisamment maintenant pour savoir que ses succès scolaires le laissaient froid. Dans sa course à l'excellence, dans ses fonctions de délégué qui lui mangeaient un temps précieux qu'il aurait pu mettre au service d'une meilleure cause, je savais qu'il cherchait autre chose. Sans compter les trésors de diplomatie qu'il déployait pour mobiliser les élèves, se faire entendre des professeurs surchargés de travail. Car au lycée et à l'université, bon nombre de professeurs étaient aussi engagés dans l'action politique.

C'était le cas de l'énergumène qui nous enseignait la physique-chimie en dernière année. Grand, efflanqué, myope comme une taupe, le bonhomme était voûté et presque chauve. Il s'efforçait de recouvrir d'une mèche grasse un crâne nu en forme de ballon de football. Grand fumeur et égocentrique, il mettait en danger la vie de ses élèves autant que la sienne en allumant d'infectes cigarettes dans le laboratoire de travaux pratiques rempli de matières inflammables. La nicotine lui avait noirci et jauni les doigts et les dents. Il crachait une salive épaisse et noirâtre, postillonnant à l'occasion au visage de celui qui avait le malheur de se trouver dans son champ. Il se disait catholique de droite.

Au premier regard nous nous sommes détestés. Une belle haine, profonde, viscérale. Essayant par tous les moyens de me prendre en faute, il me collait systématiquement des mauvaises notes pour me faire redoubler. C'est à ce moment-là que Lohengrin était intervenu en ma faveur. Non seulement il m'aidait dans mes devoirs, mais il servait de médiateur auprès du professeur quand celui-ci poussait un peu loin le bouchon. Un jour, au cours d'une soi-disant expérience thermique, « Physique-Chimie », comme je l'appelais, avait brûlé une table à l'acide.

– Eh bien! vous aurez zéro, mon ami, s'était gaussé le monstre comme si j'étais responsable.

Je n'ai jamais su ce que Lohengrin lui a glissé à l'oreille, mais le professeur m'a instantanément fichu la paix. L'avait-il impressionné en évoquant les activités de mon père, le pouvoir de son journal, en lui racontant que j'étais le filleul du pape avec la puissance du Vatican derrière? Le fait est qu'il m'enlevait un fardeau et je n'avais pas cherché à en savoir plus, mettant en pratique les conseils de mon camarade : « Évite autant que tu peux de lui adresser la parole, et souris. De toutes manières c'est notre dernière année au lycée, on ne le reverra plus. » Lohengrin le méprisait en tant qu'enseignant et en tant qu'homme mais il ne le haïssait pas autant que moi. Pourtant, dès qu'il se trouvait en face de « Physique-Chimie », il arborait un sourire étincelant et se comportait comme si Einstein en personne lui était apparu.

Manque de chance, ce jour-là, devant les panneaux d'affichage du bac, nous nous trouvons nez à nez avec « Physique-Chimie ». Il me dit à peine bonjour et se tourne vers Lohengrin :

– Bravo, mon cher, vous resterez dans les annales de cet établissement comme l'élève le plus brillant de ces vingt dernières années. Une légende. Vous servirez d'exemple aux jeunes générations. Mais à quoi bon se fatiguer? Nous manquons dans cette île des aptitudes indispensables au succès et que vous possédez si fort : le sens de la discipline, de l'effort. Si j'avais un conseil à donner à ces têtes de linotte qui traînent des années au lycée sans les mettre à profit, je leur dirais : « Faites comme lui, prenez-en de la graine, soyez un peu allemands ! »

Ce disant il écrasa les doigts de Lohengrin dans sa main, puis s'éloigna à grandes enjambées sans m'adresser un regard. De loin il vociféra comme un pantin, levant les bras en l'air :

– Devenez allemands !

Lohengrin sortit un fin mouchoir, s'essuya le visage et le jeta dans une poubelle. Il ne s'était pas départi de son sourire affable et avait essuyé les postillons de l'autre avec un sang-froid imperturbable. Il me dit :

– Il sait très bien que je suis juif, mais il feint de l'avoir oublié. C'est sa manière de me manifester son amitié. L'année dernière il est allé à Berlin. Ce type est inculte, stupide et réactionnaire mais ce n'est pas un nazi. Pour lui Hitler est une erreur de parcours qu'il faut oublier. Il m'a avoué que, devant les ruines de cette ville bien-aimée, il avait pleuré. « Berlin renaîtra de ses cendres, avait-il dit. Je connais les Allemands, je leur fais confiance, à l'Est comme à l'Ouest. »

J'avais parlé de mon ami à ma mère, je lui avais raconté comment il m'avait soutenu dans mes études. Sa réaction fut immédiate :

– Invite ce jeune homme à dîner. Il faut que ton père le rencontre.

L'idée ne me déplaisait pas mais en même temps elle m'agaçait. Comme d'habitude, faire tenir parole au Docteur serait un exploit. Je me voyais déjà en train d'attendre entre Lohengrin et ma mère. A cela s'ajoutait une crainte plus subjective : Lohengrin n'avait jamais mis les pieds à la maison. J'avais parlé de lui à ma mère, de son enfance à Berlin, de leur départ en catastrophe, les bijoux de famille cousus dans l'ourlet d'un manteau, de la disparition des leurs dans les camps, un sujet sur lequel d'ailleurs je ne m'étais pas étendu. Et ma mère, qui avait été très impressionnée, se demandait comment recevoir « ce petit Juif qui avait tant souffert ».

A force de s'inventer des identités, ma mère avait fini par en oublier ses véritables origines. A ma gêne s'ajoutait un autre facteur. A La Havane, la colonie juive se divisait en deux catégories. La première, très minoritaire, était constituée de Juifs riches qui vivaient confinés dans un ghetto de luxe. Juifs ou pas, ils faisaient partie de la caste des gens fortunés et l'on y retrouvait aussi bien des Espagnols que des Américains et des Européens. Comme dans toute l'Amérique latine, au-dessus d'un certain seuil de fortune, la discrimination raciale n'existe pas. « Les riches n'ont pas de couleur ni d'odeurs », se plaisait à dire ma mère en se plongeant avec délectation dans les reportages-photos d'*El Diario de la Marina*, journal qui vous tenait au courant des mariages, baptêmes et fêtes d'anniversaire des membres de la bonne société cubaine.

– Regarde-moi celui-là, s'esclaffait-elle. Je parie qu'il a du sang congolais dans les veines. Et celui-là, il a rajouté une particule entre son Martinez et son Arroyo pour nous faire croire qu'il descend de l'aristocratie castillane. Pur Lucumi, mon enfant. Je ne serais pas étonnée d'apprendre que sa grand-mère était esclave dans la propriété de ton grand-père!

C'était une première, une pièce à ajouter au puzzle de l'arbre généalogique de mon père. A l'entendre, son père, tout de noir vêtu, parcourait en chevauchant les terres arides et plates de leurs propriétés de Castille. Sa branche remontait à une très vieille famille de souche espagnole fort distinguée qui était passée par la France. Et je devais la croire sur parole, sans qu'elle me donne de preuves, sans la moindre attestation écrite ou la moindre photographie. J'en avais déduit que mes parents avaient inventé leur histoire de toutes pièces. Apprendre inopinément que mon grand-père possédait des centaines d'esclaves faisait une drôle d'impression. Depuis, je regardais mon père d'un œil inquisiteur, j'étudiais à quoi pouvait bien ressembler le « fils d'un sale esclavagiste ».

La chasse au sang noir et indien dans la haute bourgeoisie cubaine était un des passe-temps favoris de ma mère. Elle ne se privait pas non plus de commentaires sur le faciès « youpin » de certaines dames qui étalaient leurs visages en gros plan sur les plages du *Diario*.

En dehors de la rubrique mondaine du magazine, ma mère divisait la société cubaine en deux : les Maures et les Polaks. « Moros y Polacos » : sans mépris ni racisme, c'était une manière de simplifier l'extraordinaire réalité de ce grand melting-pot que constituait la population de l'île. Ainsi Castillans, Andalous, Galiciens, Basques se classaient-ils dans la rubrique « Gallegos »; Libanais, Syriens, Égyptiens entraient dans la catégorie des « Moros ». Quant aux « Polacos », ils comprenaient quelques Polonais de souche et une quantité d'ethnies d'Europe centrale, Juifs y compris, qui avaient débarqué à Cuba entre les deux guerres.

Pour ma mère, Lohengrin était une espèce inconnue, à part. Juif, riche et intellectuel de surcroît, il avait eu le flair de reconnaître dans son « fils de l'amour » quelqu'un de digne d'intérêt.

— Comment dois-je le recevoir?

— Comme tu reçois tout le monde.

— Dans quelle robe me vois-tu?

— Une robe simple, maman, ce n'est pas le prince de Galles.

— Tu es sûr qu'il comprend l'espagnol?

— Il parle cubain mieux que toi et moi et connaît même l'argot des bas-fonds.

A ma grande surprise, Lohengrin aussi manifesta une certaine inquiétude à l'idée de rencontrer ma mère. Je lui avais tellement parlé de ses extravagances — j'en avais rajouté sur son côté folklorique pour m'amuser — qu'il s'en était fait une image quasi mythique.

— Incroyable. Ton père est arrivé dans la famille de ta mère monté sur un cheval blanc?

— Oui, je te le jure. Comme celui de Tom Mix. C'était l'Andalousie profonde, tu comprends, on vivait encore comme au Moyen Age.

— Que c'est beau! Escortés par des bandes de soudards pour protéger leur fuite?

– Armés jusqu'aux dents, les oncles et les frères de ma mère avaient juré de venger leur honneur dans le sang.

– Nom de Dieu!

– Ma mère, morte de peur, n'a été rassurée que lorsque le bateau a quitté le port.

– Qu'est-ce que je vais bien pouvoir lui raconter, à ta mère?

– Ne t'inquiète pas, si mon père est là, la conversation sera très cultivée.

Mon père ne nous gratifia pas seulement de sa présence, il mit dans la conversation un charme et une grâce que je ne lui connaissais pas. Lui aussi avait été touché par l'histoire de la famille de Lohengrin. Je savais qu'il avait les nazis en horreur, mais je le croyais trop cosmopolite et raffiné pour l'exprimer aussi crûment :

– En ce qui concerne les Allemands, je les accuse en bloc. Le nazisme ne pouvait naître qu'en Allemagne. Ce n'est pas le Führer ni un système qui est en cause mais tout un peuple, une nation entière. Quand j'étais jeune étudiant, j'ai fait un jour une excursion au bord du Rhin, en Forêt-Noire. La nature est grandiose, magnifique, mais chaque matin l'émerveillement du paysage était gâché par ces « trinken sie Kaffe schwartz oder mit milch? » qui m'agressait. La langue traduit bien le caractère du peuple qui le parle.

Bien que Lohengrin n'eût d'oreilles que pour mon père qui accaparait à lui tout seul la conversation, ses yeux ne pouvaient s'empêcher de se poser tout le temps sur ma mère. J'avais raconté à ma mère le portrait que j'avais fait d'elle à Lohengrin, comment j'avais exagéré le côté gitan de sa personne et elle s'était arrangée pour que je ne perde pas la face.

Il faisait très lourd. Ma mère avait choisi de mettre une robe d'intérieur à la sévillane. Dans un tissu léger ajusté sur les hanches, cette robe vaporeuse mettait en relief sa généreuse poitrine. Quand elle marchait, quand elle levait le bras, les volants de tissu de sa jupe et de sa manche se soulevaient et retombaient comme un doux plumage d'oiseau du paradis. Pour la coiffure, elle s'était inspirée d'Imperio Argentina : ses longs cheveux aile de corbeau, tirés en arrière, s'enroulaient dans une savante torsade retenue par des peignes de nacre.

Pour l'occasion, ma mère avait embauché deux serviteurs chinois, des connaissances de Luis Wong. Elle avait en outre préparé un menu très cubain : porc rôti, congri, entrées et desserts. Un sourire accroché aux lèvres en permanence, les deux Chinois allaient et venaient de la cuisine à la salle à manger dans un silence total. Ma mère était étrangement peu loquace. Soucieuse du moindre détail, elle remplissait le verre de Lohengrin, faisant discrètement signe au maître d'hôtel de servir une seconde part de gâteau à notre invité. Elle trouvait aussi le moyen de disparaître de temps en temps à la cuisine pour surveiller le bon déroulement des opérations. A chaque fois le tissu de sa robe s'envolait, laissant dans l'air un parfum capiteux.

– Tu sens bon, petite maman.

– Je sens la maja, mon fils : fleur d'oranger, jasmin, cannelle. Ce mélange d'arômes, bien dosé, vous rend inoubliable, susurra-t-elle en imitant les mimiques des stars de cinéma ou des annonces de publicité.

Le parfum, sa robe et son charme naturel firent l'effet souhaité : en voyant le regard d'admiration que lui portait Lohengrin, je pris conscience que ma mère était une belle femme, encore jeune et désirable.

Quand, au moment du café, elle consentit à chanter quelques chansons espagnoles, accompagnée à la guitare par mon père, ce fut l'apothéose. Un miracle. En l'honneur de Lohengrin. J'avais oublié que mon père était si bon guitariste et que ma mère savait chanter les vieilles chansons séfarades de sa grand-mère avec une voix chaude et musicale qui vous prenait au ventre.

En la casa hay una reja
y en la reja una ventana
y en la ventana una niña
Ay, ay, ay, corazón
No te mires en el rio...

Lohengrin, si froid, si réservé, le jeune Juif cosmopolite, comme il aimait à se définir lui-même, perdit ses défenses. Le cognac Martel (que mon père avait ouvert pour l'occasion) aidant, il se mit à frapper dans ses mains, reprenant le refrain *ay, ay, ay, corazón...*

Quelques semaines plus tard, pour me remercier de la soirée chez mes parents qu'il semblait avoir beaucoup appréciée, Lohengrin m'invita au yacht-club, un des endroits les plus sélects de La Havane. Rien que d'y respirer l'air, avais-je entendu dire, coûtait déjà de l'argent.

Son père étant membre d'honneur de ce club, Lohengrin était traité comme il se doit. Les serveurs se courbaient à son passage, on ouvrait les portes devant lui.

– Tu viens souvent ici? lui ai-je demandé.

– De temps en temps. Avec mes parents. Ils aiment dépenser royalement leur argent et je les aide dans cette noble tâche.

Royal en effet fut le déjeuner continental qu'il m'offrit. Je le laissai choisir sur la liste de plusieurs pages les plats qu'il connaissait et dont je n'avais jamais entendu parler, accompagnés de vins exceptionnels. Quand l'addition lui fut présentée, Lohengrin signa sans la moindre émotion un chèque d'une somme astronomique.

– Ça t'a coûté une fortune?

– Deux mois de salaire d'un ouvrier. Ça te choque?

– S'il avait fallu que je paye, je me serais pendu au lustre.

– Imagine seulement que, deux fois par jour et chaque jour de l'année, des centaines de clients dépensent ici de quoi nourrir la moitié de la ville pendant un an; ça donne le vertige, non?

– C'est ce qu'on appelle l'injustice sociale.

– J'appelle ça la connerie humaine, même s'il s'agit de mes parents.

– Pourquoi m'as-tu invité ici? Nous aurions tout aussi bien pu manger dans un petit bistrot sur la plage de Marianao. Ç'aurait été certainement plus drôle. Regarde tous ces gens, ils ont l'air de pingouins qui ont avalé un parapluie.

– La mauvaise conscience. J'adore cette sensation. Quand je dîne ici avec mon père, je commande ce qu'il y a de plus cher. Au moment du digestif je branche la conversation sur les peuples affamés d'Afrique, les quartiers pauvres de La Havane ou le sort des prisonniers des camps de concentration. Mon père ne vient plus déjeuner ici avec moi.

Tout en devisant, nous sommes descendus sur la terrasse au bord de l'eau. Vautré sur une chaise longue sous un grand parasol, Lohengrin commanda un second café-cognac et m'offrit une cigarette à bout doré.

– Tu sais bien que je ne fume pas.

– Moi non plus, mais après avoir mangé et bu comme nous l'avons fait, aspirer la fumée douceâtre de ces cigarettes égyptiennes est un plaisir qui n'a pas de prix. Les mauvaises langues disent qu'elles contiennent un peu de haschisch. Je n'en sais rien. Essaie, tu verras...

Un vent léger s'est levé de la mer. L'alcool, le café, la cigarette égyptienne... bercés par le bruit des vagues... Que peut-on souhaiter de mieux? Des micros dissimulés dans les arbres diffusent une musique douce. Ni congas, ni rumbas, encore moins ce mambo qui commence à faire fureur ici. Des vieux airs polis et suaves de Cole Porter ou d'Irving Berlin, quelques chansons de Bing Crosby, Bob Hope, Dorothy Lamour.

Notre conversation s'écoule comme un fleuve, prend par instants un tour surréaliste, parcouru des bribes de dialogues entrecroisés où chacun suit le cours de sa pensée.

– J'aime le soleil, cette mer, les fruits mûrs aux odeurs épicées, la peau brune de nos femmes. Les filles du Nord, les Juives transplantées ici peuvent rôtir au soleil, leurs peaux laiteuses n'auront jamais la saveur aigre-douce de vos mulâtresses...

– Tu parles comme un touriste, Lohengrin. Moi, j'en ai marre de cette île.

– Si le paradis existe, il doit ressembler à Cuba. Et si tu n'en es pas convaincu, il faut consulter un psychiatre!

– C'est fait. J'ai parlé de ce problème à un ami de mon père, un type qui fait des études à Londres. Sais-tu ce qu'il m'a dit? Que c'était très courant, que je souffrais du complexe de l'insulaire, si l'on peut parler de complexe... Il y a des milliers de cas en Angleterre, paraît-il. Les natifs d'une île, grande ou petite, sauvage ou civilisée, souffrent de claustrophobie, ils se sentent enfermés. L'île est une prison. Ceci expliquerait leur recherche obsessionnelle d'autres horizons, le rêve expansionniste de la Grande-Bretagne, la puissance de la Royal Navy, le vagabondage des Grecs des îles...

– J'ai un continent sur les épaules. Un continent, ça pèse lourd : villes, forêts, fleuves, montagnes, tu peux me croire, les continentaux ne connaissent pas la légèreté. J'ai rencontré les gens de l'Autriche profonde, de l'Espagne, de la France profonde. Le moins qu'on puisse dire, c'est qu'ils ne sont pas drôles. Ils sont paralysés par leurs racines. Quand ils lèvent les yeux au ciel, ce n'est pas pour rêver mais pour savoir si la pluie va tomber et arroser leur terre. Un continent, ça fait naître des murs partout. Le continental ne voit pas au-delà de ce qui est dans son champ de vision. Des murs, rien que des murs, pour délimiter leur territoire, protéger leur terre car le voisin, c'est l'ennemi. L'étranger, le diable qui vient bouffer leurs fruits, violer leurs filles. Des emmurés, je te dis.

– Je comprends l'attitude de ces hommes. Mets-toi à leur place, c'est compréhensible... Mais eux au moins peuvent arracher un jour leurs racines et se mettre en route. Rien qu'en Europe. Du Portugal à la Suède, de Naples à Helsinki, ils peuvent marcher, sentir la terre sous leurs pieds. Et nous, qu'avons-nous? Du sable mouillé. Encore quelques pas et c'est la mer. Jésus, ce grand magicien et hypnotiseur, savait marcher sur l'eau. Et Moïse commanda à la mer de s'ouvrir pour faire passer son peuple en déroute. Les civilisations les plus fortes, les plus novatrices sont nées dans des îles. Vois la Crète par exemple...

– Secouée d'ouragans, avec ses bateaux de passage, ses étrangers venus du monde entier, notre île est un havre. Tous les exploits sont possibles. Dix ans de guerre contre le puissant Espagnol. Puis l'impasse et à nouveau la guerre contre l'Espagnol jusqu'à la proclamation de la république. Une république pourrie, soit, mais république quand même. Nous connaîtrons d'autres cyclones, d'autres guerres, d'autres révolutions. Ici tout est possible, les choses tournent, comme le vent. Si tu quittes cette île un jour, frère, tu vas le regretter car nous risquons d'assister au plus grand des carnavals.

Mater Dolorosa

Pour remercier notre délégué de classe, nous avons décidé d'organiser une fête. Au départ, cette réunion devait avoir lieu chez l'un d'entre nous mais, de fil en aiguille, les ambitions ont grossi et ceux qui ont réussi leur bac ont décidé de mettre le paquet. On parle maintenant de convier plusieurs classes, des secondes aux terminales, les familles des élèves, leurs flirts, et pourquoi pas quelques chroniqueurs mondains.

– Robe longue pour les girls et nœud papillon noir pour les boys, a suggéré Alma-Rosa Basto.

Petite, grassouillette et potelée, des yeux énormes dans un visage tout rond, Alma-Rosa ressemble à Betty Boop. Boule d'énergie et de sensualité électrique, elle serait capable d'éveiller l'instinct de procréation des loups les plus décatis et faméliques des steppes les plus reculées. Côté intellectuel, ce n'est pas une lumière. Elle représente le prototype parfait de fleur hybride née d'un croisement de chromosomes entre La Havane et Miami (sa mère est gringa, son père, un mulâtre de Matanzas). Mais un caractère enjoué et un tempérament câlin compensent son manque de grâce et son intelligence moyenne.

Elle et moi sommes plus ou moins fiancés. Disons que nous entretenons un flirt assez poussé, sans pour autant rien conclure de définitif. Quand nous allons au cinéma, le film se déroule dans la salle, disent nos camarades en se moquant.

Membres de je ne sais quelle secte protestante, les parents d'Alma-Rosa sont très réactionnaires et rétrogrades à propos du sexe et de ses conséquences maléfiques. Alma, à sa manière, sait faire la part des choses.

Elle entreprend et permet que je m'exerce sur elle à toutes sortes de jeux de langues et de doigts, et sait s'arrêter à temps pour sauvegarder sa sacro-sainte virginité.

– J'irai devant l'autel avec mon hymen entier, dit-elle souvent quand elle perd son sens de l'humour tropical.

Pis que ça. Durant l'année scolaire Alma-Rosa a insisté pour que je fasse une demande en mariage en bonne et due forme à ses parents. Ce choc brutal de la réalité m'a laissé sans sommeil pendant plus d'une semaine. Car j'ai imaginé le scénario.

Sa gringa de mère descend d'une famille d'Anglais débarqués au début du siècle sur les côtes de la Nouvelle-Angleterre, le morceau de terre américaine le plus rigide, puritain et hypocrite qui soit. De teint pâle malgré le soleil cubain, les yeux délavés à force d'être clairs, longue et mince, des lèvres fines et les dents jaunies, Agatha B. fait penser à une de ces filles de Transylvanie qui serait passée dans les bras du comte Dracula. Quand il a rencontré sa mère, le père d'Alma était un magnifique mulâtre, en pleine possession de ses moyens. Regard de feu, dents lumineuses comme un soleil, corps musclé et puissant. Aujourd'hui il n'est plus que l'ombre de lui-même. Son corps, hier massif et vigoureux (Alma m'a montré des photos de son père au temps de sa splendeur), n'est plus qu'une carcasse courbée sous le poids de la souffrance. Son regard morne est tourné vers la mort.

– Mes parents ne vivent que pour Dieu, m'a expliqué Alma.

Poussé à bout par ses caresses, j'ai envisagé, non sans une certaine inquiétude, l'éventualité d'un mariage ou au moins d'une promesse de mariage qui m'aurait permis de sauter les étapes. Je l'ai un peu sondée pour savoir si, en l'épousant, l'avenir risquait de me réserver le même sort que son père.

– Et toi?

Pour la cinquième fois, nous regardons *Hantise*, le film de George Cukor avec Charles Boyer et Ingrid

Bergman qui a, historiquement parlant, le redoutable privilège d'être le premier film doublé à Cuba. Expérience heureusement sans lendemain. Le public cubain, sage et de bon goût, s'est montré peu enthousiasmé par cette idée du progrès.

A chaque fois, Charles Boyer met Alma en transes et, depuis que je l'ai vue dans son premier film *Intermezzo*, je suis toujours foudroyé par la beauté d'Ingrid. Ces dieux de l'écran réveillent en nous des volcans. Nos jeux de mains dans le noir nous transportent dans une ivresse telle que nous en perdons la notion du temps et de l'espace. Puis arrive le moment où nous roulons par terre entre les deux dernières rangées de sièges. L'ennui c'est que ce délire charnel ne se produit jamais au même instant. Il est inattendu et incontrôlable. Il peut se déclarer à n'importe quel moment de la projection, ce qui, pour un film à suspens, est vraiment handicapant. Je n'ai jamais compris comment ce film austère, mystérieux, parlant de sujets graves, de folie et de faux-semblants nous met dans un tel état de rut. C'est la cinquième fois que nous le revoyons et nous sommes incapables de dire si Joseph Cotten est le mari ou l'amant d'Ingrid, Charles Boyer un flic ou un assassin.

Je ne suis pas très chaud pour participer à cette réunion de fin d'année en robe longue et nœud papillon. Mais Lohengrin essaye de me convaincre.

– Il y aura un orchestre live, un buffet bien garni, un grand salon sans air climatisé avec des portes-fenêtres pour respirer l'air frais de la nuit. Imagine un peu... Une rumba déchaînée... et le punch antillais, mon frère, commence à faire son effet. Les corps suent. Un goutte à goutte, une rosée inonde la peau du dos. Les aisselles, les seins, les ventres de nos vierges ruissellent. L'humidité imprègne leur linge intime, combinaison, soutien-gorge, petite culotte... L'humidité – ce n'est pas moi qui le dis mais Havellock-Ellis – réveille chez les filles leur instinct animal. Et quelles filles! Quinze, seize, dix-huit ans au plus! Sans oublier que le répertoire se met de la partie. Comme dans le plus minable « combo » de la plage de Marianao, on alterne rock ou rumba avec des slows cheek to cheek, pubis contre pubis. Les chairs, les muscles, les artères, toute la région du bassin remue, tremble et palpite. Tu as vu les couples qui dansent sur la plage, un véritable coït, mon frère. Comme il se doit, ça se termine dans une « posada », sur un lit-sauna qui vous envoie au paradis. Pourquoi cela se passerait-il autrement le soir de notre fête ? Ça pourrait aussi bien se conclure dans un hôtel de passe ou dans un coin discret de la terrasse, du jardin. Ce qui compte pour moi, c'est de déclencher ce moment de chair et de stupre où les instincts se libèrent, ou les filles s'abandonnent, histoire de finir en beauté nos années de lycée, de fêter notre passage à l'université comme un baptême.

Lohengrin m'a convaincu. Je cours chez moi. Ses paroles m'ont bouleversé, fait tressaillir jusqu'à la racine des nerfs. Il a raison, c'est comme ça que cela doit se passer. Rumba, slow, un verre de punch, swing, slow, rumba, slow cheek to cheek. Qu'est-ce que c'est ? Rien, chérie, non pas du punch, une boisson légère, désaltérante... Elle a soif, elle transpire, elle boit jusqu'à la dernière goutte un grand verre de cocktail – mélange de Seven-Up, gin et curaçao. Après quelques slows, je connais mon Alma, c'est le septième ciel assuré. Les dernières rangées de tous les cinémas de La Havane connaissent nos extases. A nous les balcons, les terrasses, les faux arbustes qui décorent le salon, les toilettes – notre spécialité, et celle de Mae West, paraît-il, quand elle faisait ses tours de chant dans les universités américaines. J'ai entendu dire que cinquante boys en rangs serrés l'attendaient devant la porte des W-C! Ce sera notre soir, Alma. Adieu virginité, bonjour hymen brisé, broken lys, féminité triomphante, fête des fêtes !

Toute la journée j'ai traîné et cherché une excuse valable pour ne pas me rendre au bal.

Ma mère repasse mes vêtements fraîchement arrivés de la blanchisserie. C'est le signe, je le sais, d'un grand désarroi, d'une peine sincère, d'un profond chagrin.

Tout petit, j'ai appris à repérer chez elle ces états d'angoisse. Parfois je me demande si je ne m'y suis pas habitué quand j'étais dans son ventre. A l'état d'embryon, rabougri et ratatiné, je sentais déjà cette tristesse empoisonnée qui courait des veines de ma mère aux miennes.

– Qu'y a-t-il, maman?

– Rien, mon cœur, que veux-tu qu'il m'arrive?

Je connais cette sorte de dialogue. On l'a répété maintes fois depuis dix ans. Quand elle sombre dans le spleen (« j'ai de l'esssspline, ce soir... » comme elle dit joliment), rien ne peut l'en sortir.

Le Docteur n'est pas là. Apparemment, ce soir il ne rentre pas.

– Tu veux que je reste avec toi?

Je suis lâche, sournois, car je connais d'avance sa réponse et je fais semblant de lui sacrifier mon corps à corps avec Alma.

– Tu as le bal ce soir. Ton ami allemand y sera.

– Juif-allemand, maman, et, en plus, trois fois plus cubain que toi et moi.

– Il est né à Berlin. Il est donc autant allemand que je suis une pauvre femme ni juive, ni arabe, ni gitane, née à Malaga.

Pas fier de moi, je vais dans ma chambre me préparer. Ce long rituel bien ordonné fera de moi un prince irrésistible et vaillant.

Bain chaud, talc, parfum, gomina sur les cheveux, chaussettes de soie et slip d'athlète – ses slips moulés dernier cri viennent de détrôner les caleçons qui jusqu'alors sévissaient à Cuba – chemise de nylon « wash and wear » comme dit la publicité, plus fraîche que le lin qui se froisse vite, le coton qui colle, pantalon noir avec une bande satinée sur les côtés, et enfin le nœud papillon noir.

Posé sur le lit, je trouve un paquet joliment enveloppé. Un paquet mince, plat et carré. C'est tout elle. Souvent je trouve dans ma chambre un cadeau qu'elle dépose sur mon lit.

– Mais pourquoi, maman, tu es folle!

– Parce qu'il fait beau, parce qu'il fait moche, parce que je suis triste, parce que je suis gaie, parce que je t'aime... telles sont ses excuses.

La valeur des cadeaux ne répond à aucun ordre. Des riens. Des objets. Des livres d'art. Un désir que j'ai manifesté un jour, comme ces raisins de Corinthe qu'elle achète à prix d'or dans des épiceries de luxe pour me faire une surprise au petit déjeuner.

Je déchire le papier. C'est un 78 tours de Judy Garland. Sur une face, l'inévitable *Over the rainbow*, sur l'autre des chansons sentimentales qu'elle a le don d'interpréter comme un chant profond. *Last night when we were young*. Ce cadeau me touche doublement. Anti-américaine viscérale, ma mère n'apprécie que les artistes de langue hispanique, de Madrid à Buenos Aires. Un radicalisme révoltant pour moi qui cultive l'éclectisme à tout prix.

Aussi elle avoue n'avoir jamais compris ma passion pour Judy Garland. Nous en avons souvent discuté.

– Jeanette McDonald, passe encore. Elle est prognathe et lesbienne, mais elle a un grain de voix. Lena Horne à la rigueur parce qu'il n'y a que les nègres qui savent chanter en Amérique, mais cette chatte miaulante au regard halluciné, cette hystérique!

Mettre une dernière touche à ma toilette en écoutant Judy Garland est un plaisir esthétique d'une extrême volupté et j'en suis plein de reconnaissance pour ma mère. J'ai mis le disque assez bas pour ne pas l'incommoder. Il faut dire que son allergie aux produits américains s'arrête au seuil des salles de cinéma, bien qu'avec sa mauvaise foi habituelle elle soutienne qu'elle va voir les productions hollywoodiennes pour mieux les critiquer. Un zèle qui nous pousse dans les salles obscures plusieurs fois par semaine. Nous assistons à ces merveilleux «programmes doubles» que personnellement j'adore : les actualités Movieton, deux longs métrages, une série présentant les aventures d'un cow-boy, plusieurs dessins animés. Ces séances durent l'après-midi et la soirée, et c'est l'occasion de se gaver de pop-corn, chocolats et Coca-Cola.

Je suis en train d'ajuster mon nœud papillon quand ma mère entre dans la chambre en pleurs.

– Cette chanson...

– Quoi cette chanson ?

– Ça me rappelle un chant hébreu que ma grand-mère fredonnait.

– Judy Garland serait plutôt irlandaise.

– Publicité mensongère. Les Américains sont racistes. Rita Hayworth par exemple s'appelle en fait Margarita Cansino, c'était une petite pute danseuse issue d'une famille de Gitans. Ce sont les requins d'Hollywood qui lui ont rajouté ce « Hay » de mes fesses, pour faire plus anglo-saxon. Quant à Judy, cette façon de chanter, c'est juif.

– Je croyais que tu ne pouvais pas la supporter ?

– Je n'aime pas la voir dans *Le Magicien d'Oz* jouer la gamine avec un cul de bonniche de Boston, mais dans cette chanson...

Cette chanson, je m'en rends compte, lui fait un effet indéfinissable. Plusieurs fois à la demande, je retourne le disque pour lui traduire les paroles :

Hier soir, quand nous étions jeunes,
l'amour était une étoile... une chanson.
La vie était si nouvelle, si réelle, si brillante
hier soir...
Aujourd'hui le monde est vieux, tu es parti
et tout devient glacé.
Où est cette étoile qui brillait si fort ?
Les anges aussi sont partis
hier soir...
Penser que tant de choses merveilleuses
sont passées, juste en une seule petite journée.
Penser que le printemps ne dépendait que
de choses aussi simples... un regard... un baiser...
Ne restent maintenant que les souvenirs
hier soir...
Quand nous étions jeunes...

– On dirait qu'elle a été écrite pour moi, Niño ! s'écrie-t-elle, la voix brisée.

Elle me fait de la peine. Je me hasarde une nouvelle fois :

– Tu veux que je reste avec toi ?

Elle ne répond pas, s'assoit sur le rebord du lit, le texte de la chanson dans les mains, le dos courbé, le front traversé de rides. Pour la première fois je la vois vieille.

– Ton père, il me trompe.

– Mais non, tu te fais des idées.

– Cette fois c'est très grave.

– Rien n'est jamais grave, maman. Il revient toujours à toi, tu le sais bien.

– Il a eu un fils avec l'autre pute.

– Quoi, qui, comment ?

– Un fils, plus jeune que toi.

Puis ma mère se confie au milieu d'un flot de larmes et de sanglots à vous déchirer l'âme.

Elle me raconte comment elle a reçu une lettre anonyme d'une femme qui la supplie de lui laisser son homme, d'autres lettres qui évoquent des suicides manqués, un enfant qui a failli rester orphelin.

– Un enfant, crie ma mère. Tu te rends compte ! Il a quatorze ans, presque un homme !

– Un an de moins que moi, maman.

– Presque ton âge. A croire que ton père est toujours prêt à engrosser des pauvres gourdes par douzaines !

– Qu'est-ce qui te prouve que c'est vrai, à part ce bout de papier anonyme ?

– Des preuves ! C'est pas ce qui manque. Regarde cette photo qui m'est arrivée aujourd'hui par la poste.

Sur la photo, mon père tient par la taille une assez jolie dame et, de son autre bras, serre un gamin qui a l'air radieux. En bas mon père a écrit « amour et baisers pour ta fête, mon fils ». Signé : papa. L'écriture est indiscutablement la sienne. J'en ai le souffle coupé.

– Tu lui as parlé... je veux dire... à papa ?

– Non, cette fois je ne dirai rien. Pas un mot. Je vais déposer sur sa table cette photo et ces lettres. A lui de décider. Je me conduirai comme la femme de haute naissance que je suis.

Fière, surmontant sa douleur, elle redresse la tête. Son front redevient limpide, lisse. Ma mère reprend possession de ses moyens. Elle continuera le combat auquel elle se livre depuis des années, une fois encore elle fera face, pour garder son homme à la maison.

Je peux sortir tranquille. Elle va lui faire le grand jeu, celui de la dignité offensée, et mon père aura toutes les peines du monde à sortir de cette mauvaise passe.

— Avant de partir, je voudrais que tu fasses quelque chose pour moi, Niño.

— Dis-moi.

— Viens.

Je la suis au fond de la maison jusqu'à une sorte de débarras où Senta, en sa qualité de santera, officiante du nambo vaudou, a élevé un autel consacré à Santa Barbara. Vierge portant à la fois les attributs mâle et femelle, déesse noire et sainte catholique, patronne au glaive d'acier, Santa Barbara protège, par le sang et le feu, ceux qui la vénèrent.

Autel quasi clandestin, dissimulé aux yeux de mon père qui hait ce genre de manifestations, ces cérémonies, le vaudou aussi bien que la messe catholique, qu'il taxe de sorcellerie.

Autour de l'autel sont disposés des dizaines de bougies et de cierges pour la vierge catholique, des fruits et de la nourriture, offrandes rituelles à la déesse vaudou.

— Jure-moi que jamais tu n'adresseras la parole à ce bâtard, que tu le regarderas avec mépris, quoi qu'il arrive! Jure-le-moi!

Elle serre mon bras comme une pince de crabe, un garrot. Je connais ses crises de désespoir et ses colères, je sais avec quelle force ma mère est capable de haïr mais, cette fois-ci, j'ai peur pour elle. Elle pousse sa passion jusqu'aux limites de la folie et personne d'autre que mon père ne pourra la calmer. Sauf qu'il est la cause de ses malheurs.

— Jure-le!

— Je le jure, petite maman, jamais je ne parlerai à ce garçon que, d'ailleurs, je ne connais pas...

– Merci, mon cœur.

Nous restons côte à côte, la main dans la main, tandis qu'elle murmure une prière où le mot « vengeance » revient à plusieurs reprises.

Je transpire sous ma chemise en nylon et mon cœur bat comme un oiseau qui meurt. A mon tour, je me surprends à murmurer des paroles d'exorcisme :

– Dieu, Vierge noire ou blanche, si tu existes pour de bon, fais qu'elle se calme, je t'en supplie, fais qu'elle se calme...

La fête

Quand j'entre, le bal est bel et bien commencé. C'est la première fois que je pénètre dans cet endroit. Choisir la salle des fêtes du Centre régional espagnol pour le bal de fin d'année est une idée plutôt bizarre. Un endroit modeste aurait été plus approprié : on aurait pu se rapprocher un peu, se parler entre deux danses. Tous, je suppose, nous partageons les mêmes peurs face à l'avenir, la même impatience à quitter l'adolescence, à entrer dans le monde des adultes et être admis dans le sérail des universitaires. Travailler, réussir, s'installer, partir... Un peu de chaleur humaine n'aurait pas été de trop pour célébrer ce rude passage. Cette chaleur humaine dont parle Lohengrin. Mais on a fait les choses à l'envers.

Le Centre régional espagnol symbolise l'espèce de mégalomanie des peuples conquérants. La Havane possède plusieurs centres de ce type, sommets de mauvais goût érigés à la gloire des colonisateurs espagnols : les centres galicien, aragonais, basque rappellent la puissance économique et l'importance du groupe des natifs de ces régions. Construits tous à peu près sur le même modèle, ils offrent à leurs adhérents et au public un service de restauration où l'on déguste une authentique cuisine du terroir – histoire d'entretenir ses racines –, plusieurs salles de réunions occupées en permanence par des groupes de jeu – dames, loterie, belote espagnole, dominos... Un plateau de théâtre accueille des spectacles amateurs, des danses folkloriques régionales ou le répertoire des zarzuelas à la mode à Madrid, comme *La Verbena de la paloma*. Mais le clou, c'est la salle de bal car chaque région, voulant exprimer sa spécificité, a rivalisé de baroque, d'inédit, de grandiose.

Planté sur le pas de la porte, dans l'entrée, je me décide à monter le pompeux escalier qui débouche sur « la salle des pas perdus », un grand hall à colonnades rouges, fermé à l'extrémité par de lourds rideaux de velours croisés. De chaque côté se trouvent les vestiaires, toilettes, stands de tabac et autres salons intimes qui permettent au visiteur de se préparer psychologiquement pour faire une entrée solennelle dans la salle de bal proprement dite. Si le visiteur est distrait, ignorant ou simplement timide, des huissiers au visage terne et en costume régional lui font prendre conscience de l'importance de cet instant. L'un déposera sur un plateau d'argent l'invitation qu'on lui aura remise tandis que l'autre, actionnant le système de cordons dorés, ouvrira grand les rideaux, exposant le nouvel invité à la reconnaissance émue de la bonne société.

J'entre dans une grande salle rectangulaire décorée de plafonds de stucs polychromes bleu azur et jaune d'or. Des lustres monumentaux, scintillants de pendeloques de cristal et d'ampoules colorées, descendent du plafond. Aux murs, des peintres ont immortalisé les paysages de la région ou des faits historiques marquants. Les portes-fenêtres ouvrent sur des balcons en volutes et rondeurs qui surplombent le célèbre Paseo del Prado, promenade édifiée au siècle passé en hommage aux Ramblas de Barcelone. Dans un grand médaillon sculpté qui court tout le haut du mur, il est écrit que la Galice est une terre libre et fière.

Un orchestre joue sur le podium à gauche tandis qu'en face, derrière le buffet, des serveurs en costumes régionaux proposent des nourritures régionales et des boissons.

Les couples en piste tournent sur la musique langoureuse et répétitive d'un « danzon », comme un ballet bien réglé. Ils ont l'air empruntés et malheureux. Les femmes se prennent les pieds dans leurs jupes longues. Certaines, juchées sur des talons aiguilles pour mieux se grandir (car la plupart sont courtes et petites), trébuchent ou se tiennent anormalement raides. En smo-king noir ou blanc, le cou serré dans leur nœud papil-lon, les garçons sont congestionnés par la chaleur, le contact avec le corps de leurs jeunes partenaires aux savants décolletés et l'ingestion abusive de nourriture et de vins épais, plus adaptés au froid climat de l'Espagne du Nord.

– Une assiette de fabada, monsieur?

Rouge comme une pivoine, le serveur qui a dû faire largement honneur au vin de terruño me colle dans les mains une assiette remplie à ras bord et fumante. La fabada, soupe composée de fèves, pois chiches, hari-cots blancs, est agrémentée de morceaux de lard et de viande de bœuf, le tout baignant dans des feuilles de choux blanc, des navets et des raves. Je sais de quoi je parle car ma mère en a fait tout l'hiver. Elle s'est mis dans la tête que cette soupe soignait tous les maux : crises de foie, maux d'estomac, rhume, nervosité, ané-mie. Et même la cécité.

– Je ne suis pas aveugle, maman, j'ai besoin de lunettes, c'est tout.

– Mange de la fabada et ça ira mieux.

Imaginative, entreprenante, ma mère a ajouté aux ingrédients traditionnels de la soupe des légumes plus typiquement cubains, comme la patate douce, la malangue, l'igname. Elle obtient ainsi un liquide épais à couper au couteau et indigeste. Je déteste de toutes mes forces cette fabada et j'ai inventé des ruses de Sioux pour ne pas la manger, vidant mon assiette dans l'évier, la cuvette des W-C et même quelquefois dans le pot d'une plante.

– Tiens, terre, nourris-toi de fabada.

Comme je refuse son assiette de soupe, le serveur me prépare un plateau de charcuterie. Chorizo pimenté, saucissons, mortadelle, de quoi tenir un siège tout un hiver, plus quelques tranches de jambon cerclées de gras, une motte de beurre et des tranches de pain bis. Comment lui expliquer que je n'ai pas faim?

Empêtré d'un lourd plateau et habillé de blanc comme un prince, je rase les murs à la recherche d'un coin discret où me poser – une chaise vide, un bout de table – quand j'aperçois Lohengrin qui vient à ma rencontre.

– Ma foi, on se restaure!

Il me toise de son regard ironique, impeccable dans sa veste blanche, tiré à quatre épingles, à l'aise et les mains libres.

– Débarrasse-moi de ça tout de suite ou je vais dégueuler. Tu en veux?

Je lui offre le plateau qu'il refuse. D'un geste autoritaire il lève le doigt et arrête un serveur.

– Veuillez apporter ça à la dame qui est assise sur la chaise en face, dit-il indiquant une matrone dont les replis de chair débordent de sa robe et de son tabouret.

– Tu la connais?

– Pas du tout, mais mon intuition me dit que... Tiens, regarde...

Pour la grosse dame, ce plateau qui lui tombe du ciel est une aubaine. A peine l'a-t-on posé devant elle qu'elle l'attaque avec entrain et se met à tartiner une épaisse tranche de pain qu'elle recouvre de jambon.

– Tu es arrivé bien tard.

– Je n'ai pas pu faire autrement. Ma mère...

Lohengrin me pousse vers le bar. Il s'est déjà fait remarquer par le garçon car sur un simple geste – deux doigts dressés en l'air – on nous apporte un Martini dry, sa boisson favorite, celle qui, dit-il, est la mieux adaptée au climat de Cuba. Moi, je n'en raffole pas mais j'aime attendre que l'olive soit imbibée d'alcool pour la manger.

– L'ambiance n'est pas folichonne, dis-je alors que, nos verres à la main, nous faisons un tour du salon.

– Ne t'inquiète pas, l'alcool et la danse vont agir. J'ai demandé à Polo de mettre le paquet sur les rumbas et les congas.

– Polo?

– Le chef d'orchestre. D'habitude il joue dans un troquet de la plage. Je l'ai connu là-bas. Ce soir, il a soigné son répertoire, « pour des gens raffinés », comme il dit. Je lui ai fait servir un double rhum. Regarde-le...

Rond comme une bille, chauve, le mulâtre Polo ressemble au bonhomme Michelin : il chaloupe et danse sur ses jambes tout en conduisant le groupe du bout de sa baguette nacrée.

– Quand la rumba va éclater, mon pauvre Polo va être surpris, tu peux me croire. Les enfants de la bourgeoisie, quand ils se réveillent, n'ont rien à envier aux couples qui fréquentent la plage de Marianao. Je lui ai demandé d'attaquer en seconde partie avec le boléro-rumba qui a failli être interdit, tu sais :

Le lait bout et déborde
Aïe, aïe, aïe, mamacita...
Apporte-moi un verre profond
pour verser mon lait qui bout.

Nos ancêtres galiciens vont se retourner dans leurs tombes, car les brumes mélancoliques du *Finis terrae* n'ont pas grand-chose à voir avec la chaleur des tropiques. Vise un peu ces culs qui commencent à s'échauffer et ces balancements de jeunes femelles en rut !

Il en est à son cinquième Martini. Il faut une bonne dose d'alcool à Lohengrin pour l'entendre sacrifier le langage châtié qui lui est naturel à son amour pour l'argot des machos cubains. Même ivre, je n'ai jamais entendu dans sa bouche les mots de *coño, maricón...* *pinga... joder...* si familiers aux cubains. Tout mâle de l'île qui se respecte en égrène sa conversation dès son plus jeune âge. Sous l'influence de l'alcool, la façade de Doctor Jekyll de Lohengrin laisse apparaître le Mister Hyde caché en lui et, dans sa bouche, ces mots pimentés font l'effet d'une explosion colorée.

– A propos de beau cul – sans vouloir t'offenser –, il y a une paire de seins succulents et merveilleusement mis en valeur sous une robe de taffetas et de satin qui ne cesse de roucouler pour toi, de s'offrir en palpitant, se demandant à chaque instant... Mais où est-il ?... l'objet de mes soucis... Regarde-la. Depuis que tu es entré, elle n'a d'yeux que pour toi. Va donc la rassurer, vieux frère, car ces deux fruits opulents soupirent à en mourir...

Lohengrin prend ma coupe vide et me pousse gentiment dans le dos.

Sous le contrôle et la surveillance de sa mère, Alma-Rosa s'est toujours fait remarquer au lycée par sa rigueur vestimentaire et la sobriété de son maquillage. Pas une goutte de rouge sur les lèvres ni de carmin sur les joues, encore moins ces ombres violacées sur les paupières dont les filles sont si prodigues. Elle portait des chaussures plates, une jupe droite au-dessous du genou et une blouse ample destinée à dissimuler sa gorge de pigeon. En classe on se moquait de son uniforme de bonne sœur.

Moulée dans une robe qui met en valeur ses rondeurs et ses courbes, la jeune fille qui avance vers moi ce soir est méconnaissable. Très serrée à la taille, un bouillon de taffetas et de dentelle s'ouvre en corolle sur ses seins, laissant à découvert les épaules, le dos, les bras... ces bras que j'ai si souvent palpés dans le noir mais que je n'ai jamais vus. Je comprends maintenant pourquoi la mère d'Alma-Rosa tient tant à dissimuler le corps de sa fille. Pas grand, un peu trop rond, son corps ne se mesure pas en termes de beauté mais de charge sensuelle. Possédant un sacré tempérament, elle n'a pas encore eu l'occasion d'accomplir l'acte sexuel. Est-ce cela qui donne à chacun de ses pas, à chaque geste, cette tension charnelle explosive, ce magnétisme ? Car on devine la force tellurique que ce corps doit libérer. Une explosion grandiose, cosmique.

Ses cheveux sont tirés en arrière. Légèrement remontés sur les tempes, ils retombent dans son dos en une cascade de boucles noires. Quant au maquillage, il est un peu chargé, la bouche et les joues sont trop rouges, les ombres sur les yeux durcissent son visage poupin. Peu importe ce relatif manque de goût car ses lèvres sont pulpeuses, ses joues en feu, ses dents étincelantes.

Lohengrin fait parfois des réflexions tordues, et je me souviens d'une. « Quand une fille qui me plaît se refuse à moi, alors j'essaie d'imaginer à travers ses chairs appétissantes son squelette », m'a-t-il raconté un jour. Et, pour donner du corps à ses paroles, il m'avait fichu sous le nez deux photos tirées de la page faits divers d'un journal. La première montrait une jeune fille qu'on avait tuée après l'avoir violée et la seconde un crâne aux orbites vides, à la mâchoire édentée. J'avais trouvé ça macabre. Dans mon Alma-Rosa, dans son corps qui est un hymne à la vie, à l'amour, à l'explosion des sens, je n'imagine pas qu'il puisse y avoir des os, un squelette, l'ombre de la mort.

– Tu es... sublime, dis-je.

– Ma robe, elle te plaît? C'est Tiita qui l'a faite. Elle l'a cousue sur moi!

Son bras rond décrit un cercle dans l'espace, désignant une dame assise quelques tables plus loin. C'est donc elle, Tiita, la fameuse tante Nora, la sœur de son père, sa meilleure amie et confidente. Une femme solide et imposante, toute de noir vêtue car elle porte le deuil.

– Elle n'a eu qu'un seul amour dans sa vie, son mari. Depuis que son Luis adoré a disparu il y a dix ans, elle n'a pas quitté le noir.

Hiératique et hautaine, la tante ne bouge la tête que pour suivre les déplacements de sa nièce chérie.

Nora s'enorgueillit d'être mulâtresse et nourrit une haine viscérale pour sa belle-sœur américaine qu'elle accuse d'être responsable de tous les déboires de son pauvre frère. Sous son influence religieuse, il avait abandonné une carrière prometteuse de trompettiste dans un des meilleurs orchestres de l'île, le Casino de la Playa. Progressivement il s'était éteint à côté de ce kapo, de cette Américaine, il en avait perdu sa joie de vivre, son amour de la musique. Elle ne lui pardonnait pas.

C'est grâce à Nora qu'Alma et moi pouvions nous fréquenter plusieurs fois par semaine. Elle disait à sa mère qu'elle allait chez sa tante et la tante Nora couvrait nos rendez-vous. Elle m'était donc sympathique d'emblée, mais je m'étais toujours bien gardé de la rencontrer, comme l'avait maintes fois suggéré Alma-Rosa. Devant son insistance, mes arguments ne changeaient pas :

– De toute façon, nous ne pourrons jamais nous fiancer avant d'avoir passé le bac. Attendons ce moment pour rencontrer ta tante, c'est plus sérieux.

Alma et moi nous dirigeons vers le bar. Tous les regards se posent sur nous. C'est aussi sa tante qui lui a appris à marcher sur des talons aiguilles. Le marbre est glissant, mais Alma-Rosa met à profit ses difficultés pour mieux balancer les hanches, chalouper, faire voler à chaque pas les volants de taffetas de sa jupe.

Le barman, copain de Lohengrin, jette sur les seins de la jeune fille des œillades gourmandes. Je commande deux Martini dry. Alma ne boit pas mais il me faut un coup d'alcool pour calmer le désordre que cause en moi la présence langoureuse de celle qui n'hésite pas à s'appuyer nonchalamment contre mon flanc.

– Tiita, elle est au courant de tout, me glisse Alma à l'oreille tout en déposant sur ma joue un rapide baiser.

– Ah bon? dis-je légèrement inquiet.

– Aujourd'hui, quand elle a fait les dernières retouches à ma robe, nous en avons parlé. Tiita pense qu'il ne faudrait pas attendre.

– Attendre?

– A quoi bon des longues fiançailles? De toute façon ma mère va nous rendre la vie impossible. Elle déteste l'amour, c'est clair.

– Alors?

– Tiita a parlé à mon père et elle l'a convaincu. Mes parents ont une maison qu'ils prêtent à leur secte dans la Ruta 24 du Vedado. Nous pourrions en disposer.

– Nous?... Quand?

Je n'en reviens pas. Je me sens un peu idiot et même l'olive imbibée de Martini que je m'apprêtais à savourer avec délectation me laisse un goût amer.

– Après le mariage.

– Et ta mère?

– Papa a donné son accord. Tiita nous soutient à cent pour cent. Tant pis pour ma mère!

Dans une sorte de flash j'ai la vision de ce qu'Alma-Rosa pourrait devenir avec les années. Gourmande et paresseuse, elle ne tardera pas à s'empâter. Les enfantements répétés – ne m'a-t-elle pas déjà annoncé qu'elle rêve d'avoir une grande famille, cinq enfants au minimum ? –, tout ce qui dans sa splendide silhouette d'aujourd'hui n'est qu'appel à la volupté et à la tendre ivresse pourrait bien en s'épaississant se transformer en deuil de l'amour. Je ne parle pas seulement de métamorphose physique – je décèle dans son regard décidé la mégère implacable qu'elle pourrait devenir, vu son redoutable héritage maternel.

– Je me fous pas mal de ma mère, répète Alma, puis elle enchaîne : Tu as dix-neuf ans, je viens d'en avoir dix-sept. Nous allons entrer tous les deux à l'université. Nous pourrons faire nos études ensemble, et si des bébés arrivent, Tiita s'occupera d'eux.

J'ai avalé un troisième Martini sans même manger l'olive. Quand j'en commande un autre au barman, je surprends dans son regard une nuance de haine. Alma-Rosa a glissé son bras sous le mien et se coule contre mon flanc droit. Je sens la rondeur ferme de son sein à travers le tissu de mon costume. L'orchestre est en train de jouer une rumba endiablée, elle susurre à mon oreille et, comme je dégouline, elle sèche d'un doigt les gouttes qui perlent au-dessus de ma lèvre supérieure. C'est ce geste câlin qui rend l'autre fou de jalousie. Pourtant, que ne donnerais-je pour être à sa place à servir des verres et observer les autres s'enivrer.

– Tiita veut te parler. Ce soir, c'est l'occasion ou jamais. Mon père se dit prêt à recevoir tes parents. Tu te rends compte ? Si on se marie à Noël, on pourra profiter des vacances pour partir en lune de miel.

Sans se soucier du qu'en-dira-t-on, elle m'embrasse l'oreille et croque le lobe entre ses dents petites et effilées. Je sens planer sur nous le regard d'oiseau de proie de la tante Tiita et celui, accusateur, du barman.

Je ne me souviens pas de ce que j'ai raconté à Alma-Rosa sur mes parents. Je crains de lui avoir menti en lui faisant croire que mon père ne s'opposerait pas à notre mariage. En fait, j'ignore complètement quelle pourrait être sa réaction.

– Quand il s'agit d'amour, il est très compréhensif, lui ai-je dit crânement.

A propos de ma mère je me suis un peu trop avancé en déclarant qu'à coup sûr elle regretterait de me voir fonder une famille si tôt, mais que de toute façon elle avait beaucoup aimé la photo d'Alma que je lui avais montrée. « Elle a des yeux de garce », avait été son seul commentaire. Et toute l'année j'avais dû inventer des ruses de Sioux pour qu'Alma-Rosa ne vienne pas me rendre visite à la maison comme elle le proposait si souvent.

– Tiita nous regarde, viens, amore. (Depuis que nous avions vu ensemble *Rome, ville ouverte* de Rossellini, Alma-Rosa ne me donnait plus que de l' « amore ».)

– Non, pas maintenant, pas ce soir.

– Et pourquoi pas? dit-elle en ouvrant des grands yeux de gosse.

Ce regard, qui traduit un sentiment confus quand elle se trouve face à une situation qu'elle ne peut affronter, m'enchante.

– Nous sommes là pour faire la fête, pas pour parler de choses sérieuses. Viens danser.

Au même moment l'orchestre attaque un slow. J'attends le moment de glisser mon bras autour de sa taille, de la serrer tout contre moi, de lui chuchoter à l'oreille des mots d'amour qui la feront tressaillir.

Alma-Rosa recule, son regard me foudroie.

– J'ai promis que je te présenterais à Tiita. J'ai promis à mon père que tu prendrais rendez-vous avec lui ce soir. Pas demain ni après-demain, tu m'entends? Il t'attend à la maison. Tu l'avais promis, c'est mon cadeau de fin d'année.

Elle a raison. Le dernier jour de l'examen, profitant de ce qu'elle avait une bonne excuse pour rentrer tard chez elle, nous avions été au cinéma. Je serais incapable de dire quel film nous avions vu. Nous nous étions précipités dans la salle la plus proche de l'Institut du Vedado. Est-ce la tension de l'examen ou le fait de réaliser que nous quittions le lycée, ou la chaleur, ou une montée subite d'adrénaline et d'hormones?

Nous nous étions rués l'un sur l'autre! Tout entiers absorbés par nos baisers et caresses, j'avais dû lui mettre un mouchoir dans la bouche pour étouffer ses gémissements et cris de plaisir. En sortant, assis à la table d'un café devant deux verres de Coca-Cola comme deux enfants sages, je lui avais demandé :

– Si tu réussis le bac, qu'est-ce que tu veux comme cadeau?

– Une demande en mariage. Le soir du bal de fin d'année.

J'affronte son regard. L'image de vamp tropicale que sa tante Tiita lui a fabriquée avec tant de soin s'effondre. Elle tient à peine sur ses hauts talons, vacille. Une couture de sa robe a craqué, sur le côté gauche, près de la taille, laissant apparaître un morceau de combinaison saumon clair. Avec la chaleur ambiante, son maquillage brille et se décompose. Les bras ballants, elle me fixe d'un air désolé.

J'ai pitié d'elle. Elle mord sa lèvre inférieure pour retenir ses larmes. J'ai pitié de sa belle bouche meurtrie. J'ai pitié de ses yeux d'enfant qui perd pied, de son air hagard. Elle n'attend qu'un mot de moi pour s'y accrocher, comme à une bouée de sauvetage. J'ai pitié. Je n'ai qu'un mot à dire, un seul, et tout peut s'arranger.

Impossible. Il refuse de sortir de ma bouche, ce simple mot. Je bredouille et m'éloigne à reculons, disparaissant dans la masse des danseurs.

Alma-Rosa n'est pas dans le secret des dieux, elle croit dur comme fer que j'ai dix-neuf ans, que, dans le pire des cas, il me faudra attendre ma majorité pour l'épouser sans le consentement de ses parents. Comment lui avouer que je suis son cadet de deux ans? Je m'enfuierais plutôt que de faire face à cette humiliation : j'imagine ma mère, réservant à la gringa son regard le plus méprisant :

– Comment, vous ne savez pas que l'acte de naissance de mon fils est faux? Le Niño n'a que quinze ans!

Le Niño, son fils, son enfant. De quoi s'ouvrir les veines sur le mur du Malecon.

Je traverse à cent à l'heure la salle de bal qui n'en finit pas, me glissant comme une anguille entre les couples. Personne ne me remarque. Une conga a de nouveau éclaté et ça commence à chauffer. Les prévisions de Lohengrin étaient bonnes. Polo tient à peine sur ses jambes. Un sourire béat aux lèvres, il mène son orchestre à coups de gestes imprévisibles. Les membres du « conjunto » doivent être habitués à son comportement car c'est maintenant le batteur qui mène les musiciens et, ma foi, il se débrouille. Il délaisse la tumba pour les cymbales et pousse les instruments à vent dans un rythme endiablé. Les cuivres se déchaînent. Souffle de sang et de sueur. La danse fait rage. Les vestes tombent, les chemises s'ouvrent sur les poitrines ruisselantes, les nœuds papillons finissent dans les poches, les filles qui ont eu l'imprudence de mettre des robes trop fermées ont des grands cercles mouillés sous les aisselles. J'aperçois Lohengrin debout dans un coin, une main dans la poche de son pantalon, tenant un verre de Martini, imperturbable. Pas un pli sur son tuxedo d'été. Un sourire lointain flotte sur ses lèvres fines et je ne saurai jamais à quel genre de méditation se livrent ses yeux gris-bleu. Il m'apparaît soudain cynique et méprisant. Je suis étonné par cette nouvelle facette de son personnage, moi qui croyais le bien connaître. Où est l'humaniste qui ne cesse de parler d'intelligence entre les hommes et de fraternité ? Où est l'immigré si bien adapté à sa terre d'accueil qu'il va jusqu'à épouser les tics des autochtones : l'articulation molle de leur langue, l'abus de diminutifs (une autre caractéristique du parler cubain, émaillant son discours de « isitas » – *mesita, cucharita, hambrecita...*) qui m'exaspèrent tant. Lohengrin le Cubain, capable de cuire pendant des heures au soleil comme un lézard, le Lohengrin trahissant les siens et sacrifiant au goût immodéré des Cubains pour le porc, l'animal impur entre tous.

Celui que je crois connaître et que j'apprécie tant ne se ressemble plus. Se tenant en observateur à l'écart de la fête, l'étranger que j'observe porte sur ses épaules des siècles de culture. Il fait partie de ceux qui disent : « Quand les Indiens siboneyes se promenaient à Cuba nus comme des vers, nous étions en pleine Renaissance » et qui se souvient de Sarah Bernhardt apostrophiant son public cubain, les traitant d' « Indiens cravatés ! », elle qui traînait sans la moindre pudeur sa jambe de bois sur les pistes des cirques américains parce qu'elle était payée en dollars.

Lohengrin a l'air supérieur. Il peut être fier de lui : son scénario se réalise. Les corps se trémoussent à la limite de l'indécence, les mains des garçons se baladent sur les hanches, les seins, les fesses des filles, les couples sont collés dans des baisers qui n'en finissent pas, tandis que quelques chaperonnes éperdues essayent de ramener les jeunes vierges à la raison. Est-ce Lohengrin qui en a décidé ainsi ? Pour les slows, voilà maintenant que les grands lustres s'éteignent et que le Centre régional d'Espagne bascule dans l'orgie.

Est-ce pour me faire enrager qu'Alma-Rosa a pris comme cavalier celui qu'en classe j'appelais l' « homme de Cro-Magnon » ? Un pois chiche dans la tête, disions-nous de lui... mais bâti comme un athlète, il se distinguait dans tous les sports, course, natation, base-ball, haltérophilie. Apparemment il n'était pas mauvais non plus dans les exploits amoureux. Alma-Rosa disparaît presque dans les bras puissants de son partenaire. A-t-elle remarqué que je la regarde ? Elle lève son visage vers lui et le Tarzan en smoking écrase ses lèvres de prognathe sur les siennes.

Je me sens observé à mon tour. Lohengrin le manipulateur a quitté son poste dans l'ombre et s'est approché d'une femme élégante, tant par l'âge que par l'assurance, et dont la présence dans cette assemblée de petits jeunes détonne. D'où sort-elle et que fait-elle là ? Elle n'a ni l'air d'une mère, ni le comportement d'une grande sœur venue là pour servir de chaperonne. Comble d'insolence ou mépris des conventions, elle n'est pas en robe du soir, mais porte un « tailleur de cocktail pour dame chic » – comme dirait ma mère –, un de ces modèles dessinés par les couturiers parisiens en vogue – Jacques Fath, Coco Chanel – que les femmes cubaines découpent dans les revues et recopient. On dirait même que le tailleur de la belle inconnue vient directement de Paris.

Belle, est-ce si sûr? J'essuie mes lunettes embuées, avant de me rendre à l'évidence. Trop grande à mon goût, des hanches étroites soulignées par la coupe de sa jupe droite, elle s'éloigne radicalement de l'idéal de beauté féminine des mâles cubains dont je me sens solidaire, à savoir une croupe de femme hottentote, des hanches en amphore, des seins de déesse crétoise. Celle-ci appartient plutôt à la catégorie que les Cubains qualifient avec un certain dégoût de « flaca », autrement dit « une maigre ». Pourtant la silhouette que je vois de trois quarts n'est pas dépourvue de ces charmes féminins sans lesquels une femme sous les tropiques ne peut être désirable. Une cigarette à la main, un long drink dans l'autre, tout en devisant avec Lohengrin, elle me regarde. Et tous les deux rient. Ils ont l'air de connivence, deux spécimens d'une même race, deux étrangers venus s'encanailler dans un pays sous-développé, conscients de leurs privilèges et s'amusant de nous.

Me sentant traqué, j'opère une rapide volte-face et sors sur le balcon qui est juste derrière.

En bas et malgré l'heure tardive, le Paseo del Prado grouille de monde. Le flux lent des passants qui se promènent sur les larges trottoirs contraste avec le flot incessant et bruyant des voitures qui roulent dans les deux sens. Il y a beaucoup de femmes, des jeunes, des vieilles, des Blanches, des Noires, des mulâtresses... Mères et filles, sœurs et amies, bras dessus bras dessous, elles parlent fort, rient, blaguent entre elles, feignant d'être indifférentes aux hommes assis sur les bancs qui, seuls ou en groupe, les admirent et les interpellent, se risquant à un « piropo » :

– Aïe, mamacita, si j'étais roi tu serais la reine de mon royaume !

– Le macadam fleurit sous tes pas, beauté !

Quand l'une d'elles accorde au « piropo » un sourire

ou un regard, c'est signe que le contact est établi. La belle s'éloigne discrètement de son entourage et l'homme fait un parcours sinueux qui le mènera dans une rue transversale, moins fréquentée, moins éclairée et où abondent les hôtels de passe. Quelques heures après, la dame reviendra s'intégrer au groupe de celles qui, en l'attendant, continuent d'arpenter le Paseo del Prado de haut en bas. Après cette petite incartade, la dame ou la jeune fille rentrera dans son foyer, racontant au mari ou aux parents que la promenade était agréable, sans plus.

Nuit tellurique de l'été cubain où la nuit devient sanctuaire païen. Je me dis qu'il va pleuvoir ce soir, il faut qu'il pleuve, avant que cet éveil de tous les sens, que cette attente sexuelle qu'on sent monter chez les hommes, les femmes, les animaux, les plantes ne provoque l'irruption, l'orgie cosmique. Un delirium tremens généralisé nous menace. Le balancement des croupes femelles, le tic-tac des talons ou des chancletas le long du Paseo sont un chant trop puissant, un appel à l'ébriété et à la débauche. Seigneur, faites que la pluie vienne !

– Tu as l'air de t'emmerder autant que moi ! Putain de fête à la con ! Ici, heureusement, on respire un peu.

La dame s'est approchée de moi. Son visage colle à sa voix. Les traits sont purs, le front haut, le nez droit, le menton légèrement pointu, volontaire, les pommettes saillantes. Un de ces visages qui accrochent la lumière, aurait dit un photographe. La bouche bien dessinée laisse deviner un sourire de moquerie, de cruauté même. Le dos appuyé à la balustrade et regardant vers l'intérieur, elle poursuit :

– Regarde-moi cette empotée. Le pauvre garçon bande comme un kangourou et elle n'arrête pas de retirer ses mains de son corps. Je lui ai pourtant bien fait la leçon avant de venir. Baise un bon coup, Mercedes. Seize ans et encore vierge, tu ne trouves pas ça aberrant ?

Pour la première fois je reçois son regard de plein fouet. Un regard vif, intelligent, incisif. Je hausse les épaules, histoire de réagir, de ne pas me sentir trop démuni devant elle et je souris d'un air dégagé, imitant inconsciemment Lohengrin. Elle regarde à nouveau vers le grand salon en me tendant d'une main son paquet de Pall Mall et de l'autre faisant jaillir la flamme d'un briquet en or massif. Elle a la voix voilée et sourde des grandes fumeuses. Quel âge peut-elle avoir? Trente ans minimum, vécus à toute allure. Il y a en elle quelque chose d'indien, sa peau mate, ses pommettes hautes malgré les cheveux châtain clair, presque blonds. Je la verrais bien habillée comme Dolorès del Rio dans *Maria Candelaria*, en train de faire cuire une tortilla de maïs au fin fond du Mexique.

– C'est ma petite cousine. Elle est tellement bourgeoise... J'essaye de la dévergonder un peu mais rien à faire, elle est désespérément bobonne...

Comme ma cigarette s'est éteinte, elle me tend la sienne avec un sourire amusé : elle s'est bien rendu compte que je ne suis pas un fumeur. Raison de plus pour inhaler exagérément la fumée qui manque de m'étouffer et faire de mon mieux pour soutenir son regard effronté.

– Tu aimes le jazz? me demande-t-elle.

Cette question me paraît complètement saugrenue. Je bafouille quelques mots sur Cole Porter et Gershwin pour m'entendre rétorquer que le jazz, c'est autre chose que ces conneries de Broadway et d'Hollywood. Elle me raconte qu'elle rentre tout juste d'un séjour aux États-Unis avec ses valises pleines de disques.

– J'ai ma voiture en bas. Viens écouter de la musique chez moi...

Elle a pris mes hésitations et mon silence gêné pour une acceptation car déjà elle rentre dans la salle de bal :

– Je vais prévenir mon idiote de cousine que la voiture de son père viendra la chercher.

Je ne peux m'empêcher de la suivre. Je n'ai jamais rencontré de femme si directe, aussi envahissante.

Lohengrin vient à sa rencontre et l'invite à une danse. Elle lui chuchote quelque chose à l'oreille et accroche la fameuse Carolina qui n'a pas l'air si gourde que ça. Puis Lohengrin s'approche de moi, les deux mains serrées l'une contre l'autre.

– Bien visé, bravo! me dit-il. Gipsie me dit qu'elle t'embarque chez elle!

– Gipsie?

– Maria del Carmen Molina de la Sierra. Gipsie pour les intimes. Et crois-moi, ils sont légion.

Je n'ai pas le temps d'écouter ses commentaires car la belle femme qui s'est acheminée vers la sortie se retourne et m'invite à la suivre.

Gipsie

Traversant le Paseo en diagonale, Maria del Carmen Molina de la Sierra, dite Gipsie, se dirige vers une Porsche rouge décapotable. M'ayant devancé, elle ne s'est pas retournée une seule fois pour s'assurer que je la suivais. A sa façon de marcher, de donner un pourboire au Noir qui a surveillé sa voiture, d'ouvrir la portière et de s'installer au volant, on devine que Gipsie n'a jamais rien dû se refuser. Seule une enfance protégée et dorée peut vous donner cette sorte d'assurance.

Planté à côté de la portière, je reste un instant paralysé par ma propre indécision. En traversant le grand salon j'ai croisé de nouveau le regard d'Alma-Rosa. Croyant que je venais vers elle, elle a lâché son homme de Cro-Magnon pour me rejoindre. Une seconde fois, je l'ai laissée désemparée, les bras ballants et le regard embué de larmes.

– Alors tu montes, chéri? lance Gipsie d'une voix rocailleuse.

Elle m'interpelle comme un maquereau qui ramasserait une pute sur le trottoir et, quand elle voit ma tête, elle ne peut s'empêcher de rire. Ce genre de renversement de situation entre un homme et une femme semble l'amuser beaucoup. Davantage par défi que par envie de la suivre, je m'assois à ses côtés. Qu'est-ce qu'elle croit? Moi aussi, je suis anticonformiste, je suis capable d'insolence.

Elle démarre en faisant grincer, comme un vrai macho, les pneus de sa voiture. Une main sur le volant, le coude gauche appuyé au rebord de la fenêtre et bloquant ses cheveux qui lui tombent dans les yeux de l'autre main, Gipsie conduit à toute allure. Sentant mon malaise, elle me jette un regard en biais tout en faisant une spectaculaire queue-de-poisson à une Cadillac qui s'apprête à doubler une auto. Un bouquet d'injures accueille les exploits de la jeune femme.

– J'adore ça! Le mec est doublement humilié. Primo il se fait doubler, secundo par une femme!

– Tu n'as jamais d'accident?

– Si, une fois, et je l'avais bien mérité. Sur l'autoroute de l'Est en allant à Varadero, j'ai fait une queue-de-poisson à un type qui m'a poursuivie pendant cent kilomètres. « Je vais te casser la gueule, salope » disait-il à chaque fois que sa bagnole arrivait à ma hauteur. Par chance j'avais pris la Mercedes de mon père et lui roulait dans une minable Ford. C'est peut-être ce qui m'a sauvé la vie. A un moment donné, il s'est mis à pousser ma caisse en dehors de l'autoroute comme font les gangsters dans les séries B américaines. Manque de pot, il s'est trouvé face à face avec un poids lourd qui doublait en troisième position. Dans le rétroviseur j'ai vu la Ford littéralement voler et retomber sur le dos cinquante mètres plus loin. Je t'avoue que je n'ai pas eu le courage de m'arrêter pour voir ce qu'il était devenu. Le lendemain, les journaux ont fait une description épouvantable du carnage. Le type était en bouillie.

En la regardant, je suis convaincu qu'elle ne raconte pas de bobards. J'ouvre la radio pour me donner une contenance et mieux réfléchir à la conduite à suivre. Il va me falloir beaucoup d'aplomb en arrivant devant chez elle pour lui faire comprendre que je la plante là, que je rentre chez moi. Pourtant une partie de moi-même est tentée de la suivre. Dans ma courte existence, je n'ai jamais rencontré pareil phénomène. Du gynécée de mon enfance j'ai tiré quelques leçons qui me font diviser les femmes en deux catégories : d'un côté « les soumises », celles qui, comme ma mère et Senta, se consacrent tout entières à un homme, et de l'autre « les indépendantes », qui, comme Myrna Abascal et les étudiantes qui ont habité chez nous, travaillent et font des études précisément pour ne pas avoir à dépendre d'un homme. Cette seconde catégorie qui lutte pour subsister change les données du problème. Certaines font des sacrifices et vont jusqu'au bout de leurs ambitions, c'est le cas de Myrna ; d'autres se donnent du bon temps puis s'arrêtent à mi-chemin. Elles finissent par se marier et fonder une famille. Je les appelle « les soumises nostalgiques de l'indépendance » : les meilleures candidates au divorce.

Gipsie, elle, est hors catégorie. Elle n'a pas besoin de lutter pour conquérir sa liberté. Non seulement elle a de l'argent, mais l'esprit d'indépendance est chez elle un comportement inné, un principe de conduite, une philosophie de la vie dont je ne devine que quelques aspects, mais qui me font rêver : l'idée d'entretenir une relation avec une femme toute différente m'excite. Ma mère, Senta, Myrna et les autres filles sont des mères et des sœurs pour moi ; les gamines que j'ai fréquentées, même les plus précoces et les plus délurées comme Alma-Rosa, n'ont ni l'expérience ni la maturité suffisante pour entretenir une relation libre et adulte. Gipsie arrive à point pour m'aider à en finir avec l'adolescence et je me prends à penser que c'est un signe du destin : voilà que le soir où j'enterre ma vie de lycéen, je fais la rencontre d'une femme exceptionnelle.

Me calant confortablement dans le siège un peu raide de la Porsche, je ferme les yeux pour que l'air tiède de la nuit emporte ce qui reste de mes craintes et de mes réticences, et je savoure la voix câline et veloutée d'Olga Guillot qui chante :

Je t'ai donné mon corps
mais, dis, qu'as-tu fait de mon cœur ?

Le paysage défile par la fenêtre. Ces derniers temps La Havane a beaucoup changé. Pour certains c'est un signe de modernisation positif, les autres se lamentent que la ville en a perdu son âme, son charme colonial.

Une étrange série d'événements socio-politiques semblent s'être donné rendez-vous pour déclencher des changements qui sont l'enjeu de conversations passionnées.

Fulgencio Batista – l'ex-sergent devenu général après la chute de Machado en 1933 – ne se satisfaisant plus d'exercer le pouvoir dans l'ombre, avait décidé en 1940 de se présenter aux élections contre l'homme qui avait le soutien du peuple cubain : Ramon Grau San Martin. Bénéficiant des faveurs de l'armée et de la police officielle, mais aussi de la police secrète – sans compter le pouvoir de l'argent –, Batista vola littéralement la présidence à Grau. La guerre faisait rage et Roosevelt envisageait une intervention des États-Unis dans le conflit. Il avait besoin d'ordre et de stabilité dans ce qui constituait l'arrière-poste de la grande nation américaine, c'est-à-dire l'Amérique centrale, le stratégique détroit de Panama et les îles Caraïbes, parmi lesquelles Cuba avec la base américaine de Guantanamo. Batista, qui gouvernait depuis 1933 avec ses hommes de paille, avait besoin d'une nouvelle image. Le militaire endurci laissa tomber l'uniforme pour ne plus apparaître que dans des complets blancs d'une élégance raffinée. Il poussa la coquetterie jusqu'à vouloir jouer la carte de la démocratie – quoi de plus démocratique, pensa-t-il sans doute, que d'octroyer quelques ministères mineurs au parti communiste, son plus farouche ennemi de la veille. Il faisait d'une pierre deux coups : d'un côté il débordait Grau et son Partido Autentico sur son aile gauche – la plus farouchement anti-batistienne - et de l'autre il gagnait la paix sociale grâce au parti communiste en faisant avaler aux paysans et aux ouvriers une politique de bas salaires sous prétexte de consentir à « l'effort de guerre ». Avec la bénédiction des Américains et des communistes locaux, Batista gagnait sur tous les fronts. Mais il était ambitieux, avide d'argent et de tout ce qui pouvait s'acheter. Après avoir pillé le Trésor public dans lequel ses collaborateurs et acolytes avaient largement puisé, il ouvrit les portes – et les ports – de l'île, celui de La Havane en particulier, à des touristes américains d'un genre nouveau : la Mafia et ses entreprenantes « familles ». Situation plus que surréaliste si l'on se souvient qu'à travers le FBI, Franklin Delano Roosevelt et ses amis puritains du Parti démocrate avaient dépensé beaucoup d'argent et d'énergie à combattre la Mafia à Chicago, Miami, Las Vegas... et que d'un autre côté l'armée américaine passait un accord avec les barons de la Mafia sicilienne pour préparer des opérations en Afrique du Nord et en Sicile. A vol d'oiseau de Miami, Cuba était la plaque tournante idéale pour les hommes d'affaires, les politiciens véreux, les mafiosi de tout poil ainsi que les très respectables représentants des armées américaines et latino-américaines. On vit pousser tout le long de la côte des hôtels, des cabarets et des salles de jeu. Les agences immobilières comprirent que l'avenir était dans les gratte-ciel et l'on construisit d'énormes tours qui accueillaient des bureaux, des appartements de luxe, des commerces, des restaurants et des cinémas. Un architecte visionnaire nomma cette fièvre de construction le « syndrome babylonien ». Quoi qu'il en soit, l'argent se mit à couler à flots. Batista, selon le *Financial Time* de l'époque, était un des hommes les plus riches du monde. Toujours soucieux d'honorabilité, il se paya le luxe en 1944 d'organiser des élections libres. Grau San Martin fut élu président à une écrasante majorité. Le peuple fit ses adieux à Batista en l'accompagnant massivement au port de La Havane où il embarquait pour l'Europe sur un paquebot afin de jouir en toute impunité de sa colossale fortune. Magicien et expert en tours de passe-passe, il quittait l'île qu'il avait ruinée sous les applaudissements chaleureux des Américains qui virent en lui le prototype du président démocratique, des alliés communistes qui avaient participé à son gouvernement sans la moindre honte et de la Mafia qui venait de découvrir un terrain aussi fructueux et trois fois plus sûr que Palm Spring ou Atlanta City.

Batista quitta donc l'île pour de très longues vacances. La Mafia, elle, étendit progressivement son pouvoir sur l'île. Ni Grau San Martin ni son dauphin Prio Socarras (élu en 1948) ne firent quoi que ce soit pour stopper cette gangrène. « Nous sommes ici pour de bon ! » dit un jour l'ineffable Charly Luciano, alias

Lucky, sablant le champagne un soir de Noël à La Havane.

C'est dans une de ces tours qu'habite Gipsie. Le temps de garer sa Porsche au troisième sous-sol du parking et de prendre un ascenseur qui provoque des décompressions dans les oreilles et des haut-le-cœur tant il monte vite, et nous voilà dans son « penthouse », comme elle dit. Une sorte de pigeonnier en verre et en fonte avec la ville à nos pieds. Il a suffi d'appuyer sur un bouton pour que les stores vénitiens s'ouvrent, découvrant la mer et le ciel.

– Quand il fait beau, me dit Gipsie, on voit d'ici les côtes de Key West.

Une grande terrasse fait tout le tour de l'appartement, je ne m'approche pas trop du bord car je souffre de vertige. L'intérieur de l'appartement est plus rassurant. Un épais tapis couvre tout le sol, mode insolite à Cuba qui privilégie les dalles fraîches et les tapis de coco. Il est vrai que l'air climatisé poussé à fond rend l'atmosphère glaciale. Obéissant à son invitation à me mettre à l'aise, j'ai ôté ma veste de smoking et enlevé discrètement mon nœud papillon. Tout en grelottant, je fais mine de m'extasier sur les meubles design de la salle de séjour tout en chrome, acier, verre et faux cuir.

– Mies.

– Pardon?

– Mies van der Rohe, l'architecte allemand qui a construit le Seagram Building de Chicago. J'aime le style du Bauhaus mais adapté au goût américain. Je déteste tout ce qui rappelle un foyer, une famille. Tu vois, ici je n'ai que ces murs en verre, La Havane à mes pieds, des meubles anonymes à force d'être sophistiqués et la photo de mon père.

Je remarque un agrandissement couleurs, la photo d'un homme qui couvre la moitié d'un mur. Chapeau à larges bords sur la tête, un ranchero mexicain tient un coq dans les mains. L'homme fixe l'objectif avec une fierté hautaine.

– C'était un jour heureux pour mon père. Il venait

de gagner une fortune grâce à ce coq, son meilleur combattant.

– Il a l'air un peu sévère...

– Non, pas sévère, timide, oui. Il arbore un visage de pierre pour mieux se défendre, mais son cœur est de l'or pur. Tellement pur qu'il n'a pas su tenir tête à ma garce de mère.

Avec une peau de chamois et des mouvements presque religieux elle passe la main sur le visage pour enlever la poussière de la photo. Puis elle me fait visiter ce qu'elle appelle sa niche, un salon complètement insonorisé. Les murs sont couverts de livres jusqu'au plafond. Un meuble de bois précieux abritant des haut-parleurs, un gramophone et des rangées de disques en occupe une partie. Peu de meubles mais un épais tapis et des coussins confortables. Avant d'entrer, Gipsie me demande de me déchausser.

– C'est là que je lis et que j'écoute de la musique. Il m'arrive aussi d'y dormir. Très peu de gens connaissent ma niche. J'ai un sixième sens qui me dicte qui je peux y faire entrer et qui doit être blackboulé. Jusqu'à présent je ne me suis guère trompée.

Elle choisit un disque et met en marche l'appareil, m'invitant à m'asseoir sur un coussin. Tout en parlant, elle ne cesse d'astiquer les objets et les meubles avec sa peau de chamois d'une manière un peu obsessionnelle, entrecoupant son espèce de monologue de « tu vois? » et « tu comprends? » auxquels je réponds par des mouvements de tête encourageants. J'ai l'impression qu'elle continue une conversation interrompue la veille... Ou plutôt – ce qui me trouble plus – j'ai l'impression qu'elle a l'habitude de s'adresser à des inconnus – je ne dois pas être le premier – avec cette même intimité déconcertante. Combien de jeunes gens ou d'hommes a-t-elle ramassés comme moi dans des fêtes et des bals ou au cours de rencontres fortuites, et ramenés dans sa niche pour leur jouer le même scénario?

– Tu vois, il y a des gens qui dédient des autels aux saints... ici c'est mon sanctuaire de musique... je la **vénère** comme un dieu... je lui ai fait construire ce

116

meuble en ébène venu directement d'Afrique... Non, idiot, pas le gramophone, non, pas d'Afrique, pour la technique c'est les USA... Le jazz?... J'ai passé un an à Chicago à suivre plusieurs cours à la fois. Psychologie béhavioriste, modern art, name it! Et surtout, je suivais un jeune Noir partout, un jazzman, see? Saxophoniste. Il m'a fait connaître le vrai jazz et la révolution que les Noirs-Américains sont en train de faire dans la musique... Je me suis amusée, j'ai appris beaucoup de choses, mais c'est aussi très dur. J'avais le cul entre deux chaises, au vrai sens du terme. Les Noirs m'acceptaient parce que j'ai du sang indien dans les veines, pour les flics je n'étais qu'une petite Blanche qui s'encanaillait avec des niggers. J'ai passé plusieurs nuits au poste à entendre leurs conneries. Ils m'avaient fichée : me mettre en taule pour faire venir mon avocat était devenu leur sport favori. C'était absurde. On ne me tabassait pas parce que j'étais blanche, riche, et que j'avais le meilleur avocat de la ville. Mais à chaque fois John L. recevait des coups, just for fun. Il a fini par se fatiguer de moi et moi par dégueuler au seul nom de Chicago... J'ai quelques disques qu'on ne trouve pas à Cuba, pour le feeling...

Le « feeling », c'était son grand mot, son passeport pour la vie, pour ce qu'elle pouvait lui offrir d'agréable. Elle ne marchait qu'au feeling, se lançant tête baissée dans de nouvelles aventures.

– Bessie Smith... Ella... Sassie Vaughan... Diana Washington... Tu ne connais pas ces magnifiques voix noires? Non? Oui? Je me trompe? Voilà... Mon feeling me le disait. Prépare-toi à décoller, mon vieux. Je t'assomme d'entrée avec Billie Holiday. On aime ou on aime pas, pas besoin de tricher...

– Et si je n'aime pas?

Elle pivote et me regarde par-dessus son épaule :

– Mon feeling me dit que tu vas aimer.

Puis elle ajoute : « Ne me déçois pas », et disparaît.

J'ai comme le feeling que sa phrase est pleine de sous-entendus. Comme l'air est glacé je m'enveloppe de coussins. Dans cette pièce fermée à l'acoustique exceptionnelle j'entends une voix, terriblement proche, qui se déchire dans le micro, qui miaule, une voix impudique et qui souffre. Je serais incapable de dire si j'aime ou si je n'aime pas, si je trouve cela beau ou laid. Juste fermer les yeux et serrer les coussins contre moi. Ces chansons parlent d'amour impossible, de cœurs déçus et écorchés, la voix de la chanteuse a un tel souffle, une telle vérité qu'elle vous prend aux tripes, vous envoûte...

My heart is broken
all the beautiful days in life
have gone...

Je n'ai pas remarqué la présence de Gipsie. Pieds nus, enveloppée dans un peignoir qui lui tombe jusqu'aux chevilles, les cheveux remontés et retenus dans un ruban rouge flamboyant, elle dépose un grand plateau, une bouteille de champagne dans un seau à glace et une corbeille de fruits avec de superbes grappes de raisins. Je ne peux m'empêcher de manifester ma joie et ma surpise :

– Ma parole, tu lis dans mes pensées!

Pour un Cubain, le raisin est un fruit exotique. Doré, gorgé de soleil et rond, il est pour moi sacré. C'est l'essence du fruit. Nul ne peut approcher mieux que lui du nirvana chanté par les poètes. Il évoque aussi les Noël successifs, les fêtes improvisées par ma mère et d'où les grandes corbeilles de raisins ne sont jamais absentes.

Pour répondre à mon enthousiasme, Gipsie prend une pose conventionnelle de pin-up de calendrier américain. S'appuyant à la porte, elle sort une jambe nue du peignoir et enroule un bras autour de son cou. Imitant l'accent de Garbo, elle murmure :

– J'aime les raisins glacés parce qu'ils n'ont pas de goût. J'aime les camélias parce qu'ils n'ont pas d'odeur. J'aime les hommes jeunes parce qu'ils n'ont pas de cœur.

Puis, faisant une pirouette sur elle-même et esquissant un pas de conga, elle prend un accent vulgaire de fille des bas-fonds et me lance : « J'espère bien toujours deviner tes pensées, papacito!» avant de s'éclipser à nouveau.

Le champagne frais, le raisin, la voix de Billie et ses peines d'amour que j'ai troquées contre un Duke Ellington première époque, m'ont plongé dans l'extase. Pieds nus sur le précieux tapis persan, j'ai fait l'inventaire des livres sur les étagères. La bibliothèque de Gipsie m'épate. De l'*Orlando* de Virginia Woolf à *Tandis que j'agonise* de Faulkner, en passant par Henry James et Proust dans leur langue, on y trouve ce que toute personne cultivée se doit de lire. Le rayon scientifique d'ouvrages de psychanalyse et de psychologie est particulièrement fourni. Jaspers et Heidegger, en allemand, s'il vous plaît. Plusieurs de ces livres sont annotés. *L'Être et le Temps*, par exemple, est griffonné dans la marge de notes en anglais et en espagnol. Je découvre au passage une magnifique collection de livres érotiques de Chine, d'Inde et du Japon. Au fur et à mesure de l'exploration de sa bibliothèque, Maria del Carmen Molina de la Sierra devient pour moi une énigme de plus en plus passionnante et terrifiante. Car si je compte ses nombreuses expériences personnelles et son initiation sexuelle avec un saxophoniste noir de Chicago, j'ai de quoi me faire tout petit. Je crains de ne pas être à la hauteur. Et cette fois-ci la panique me prend. Poussé par l'envie de prendre la fuite, j'enfile mes chaussettes et sors en catimini de la pièce à la recherche de mes chaussures et de ma veste. A peine ai-je fait deux pas en direction du salon que Gipsie m'intercepte :

– Tu me cherchais?

Elle est nue sous un négligé de soie transparent très léger. J'esquisse un sourire lamentable et je m'avance vers elle comme le condamné à la potence.

Pluies d'été

Il faut beaucoup d'abattage pour impressionner quelqu'un comme Gipsie. Heureusement, j'ai eu la bonne idée de ne pas jouer l'homme d'expérience. Crâner, faire l'adulte n'aurait été d'aucun secours, mon intuition me le disait. Car, finalement, elle a été touchée par l'histoire de ma famille, l'anecdote de mon faux acte de naissance. Je ne sais comment, mais je suis même allé jusqu'à lui faire des confidences, lui livrant des sensations intimes sur le malaise qui m'avait si souvent paralysé dans le passé.

Je lui ai raconté comment, sous des airs désinvoltes, je copiais en classe les gestes et la démarche des garçons plus âgés que moi et comment j'en arrivais à obtenir l'effet contraire de la décontraction que j'admirais chez eux : raide et conscient de chaque mouvement, je ressemblais à un automate. Non, vraiment, ces quatre ans de plus pesaient très lourd sur mes épaules.

Gipsie a été prise de fou rire. A son tour elle a évoqué notre rencontre au bal, comment elle m'a vu traverser le salon raide comme un soldat de plomb, rapide comme un obus qui fonce sur sa cible, les bras collés au corps, le menton relevé et les yeux fixés dans le lointain.

– Tu étais touchant et un peu pitoyable dans ta solitude. Tout le monde dansait, braillait, s'amusait, sauf toi.

Quand elle a entendu l'épisode de mon acte de naissance falsifié, sa joie est passée au délire :

– Ça ne peut arriver qu'à moi. Tu te rends compte, un garçon de quinze ans! Je suis ton aînée de dix ans!

Elle s'est levée, a ouvert les rideaux des portes-fenêtres qui donnent sur la terrasse. Le dernier étage de la tour où elle habite est un véritable délire architectural. On dirait que les appartements ont été plantés au milieu d'une grande terrasse ronde comme sur une piste de cirque. Les baies vitrées sont tellement larges et hautes qu'on a l'impression d'être entouré de murs de verre. Quand les stores et rideaux sont ouverts, on baigne dans le ciel. Et quel ciel! L'orage qui a grondé pendant toute la journée a finalement éclaté. La pluie se déchaîne et frappe contre les vitres dans un bruit assourdissant, nous plongeant dans un aquarium gris et crépitant, sous haute tension. Les éclairs illuminent la chambre à intervalles réguliers. La chambre est vide. Pour tout mobilier un grand lit bas qui flotte entre ciel et terre comme un radeau. Les draps sont en soie couleur crème.

La silhouette nue de Gipsie se découpe contre la porte vitrée. Fausse maigre, ses jambes longues et bien galbées, ses hanches un peu trop étroites mettent en valeur un dos élancé et des seins hauts, en forme de poire. Par compassion pour moi, elle a baissé le redoutable air conditionné.

– J'ai construit ce havre pour l'amant-adolescent que Dieu me destinait, dit-elle en souriant et se laissant tomber sur le lit. Sais-tu que dans les civilisations antiques, poursuit-elle, celles de l'Inde, de la Chine, de l'Égypte, de la Grèce antique, des prêtres et des prêtresses initiaient à l'amour les filles nubiles et les garçons qui arrivaient à la puberté? Ces adolescents de sang royal, des princes et princesses, étaient destinés à gouverner. Or pour bien gouverner, pour être lucide, il faut jouir du calme intérieur. Et cette sérénité, ces cultures anciennes l'avaient bien compris, ne s'acquiert qu'au prix d'un corps sain. Pas d'excès de nourriture, des nuits de repos et une sexualité comblée. Une philosophie de la sagesse. Ce sont l'orgie et la débauche qui ont provoqué la chute de l'Empire romain, et la pudibonderie ou le complexe de castration ne conduisent qu'à la tyrannie. Il suffit de voir Ivan le Terrible en Russie ou Staline, plus tard. Je les soupçonne de n'avoir jamais pris le temps de faire l'amour. Les gouvernements catholiques et leurs régimes atroces : Rosas en Argentine au siècle dernier, Franco, Salazar plus récemment. Tout cela est franchement sordide. Moi, Maria del Carmen Molina de la Sierra, aristocrate par ma putain de mère, j'ai un esprit profondément démocratique et une âme de midinette. Je me passionne pour les histoires de cul des gens qui nous gouvernent. On sait que Franklin Roosevelt trompait sa femme Eleanor avec sa secrétaire. On le comprend, le pauvre, il ne pouvait pas coucher avec un cheval aux dents jaunes, pour intelligent que ce cheval fût. Truman, par contre, qui ne devait pas baiser beaucoup, qu'a-t-il fait avec son puritanisme sinon lancer la bombe atomique sur Hiroshima et Nagasaki ? Notre président Carlos Prio Socarras est un bel homme au sourire étincelant, symbole d'une sexualité assouvie. On peut lui faire confiance. Machado, qui avait reçu une éducation militaire et répressive, est devenu le monstre sanguinaire que l'on sait. Sexe et politique, voilà le livre à écrire. Je n'ai pas approfondi la question, mais cela vaudrait le coup. Quelquefois je me surprends à rêver à Napoléon entre Joséphine et Marie-Louise. La première, une belle pute, savait maintenir l'Empereur en forme. Leurs ébats amoureux lui donnaient un punch d'enfer : il bouffait du Prussien, du Belge, de l'Italien, name it ! Cœur vaillant et couilles vides ! En revanche te souviens-tu des gravures représentant la grosse Autrichienne ? Une masse amorphe, passive... J'imagine le pauvre Napoléon se démenant comme un beau diable pour la faire réagir. Heureusement qu'il est tombé sur la Marie Waleska en Pologne – tu te souviens du film avec Charles Boyer et Garbo ? Mais il était déjà trop tard, son empire s'émiettait. Je serai ta prêtresse, finit-elle par me dire après toutes ces divagations. Je t'enseignerai l'amour. Quand je t'ai vu traverser le grand salon, raide et hautain, je me suis dit : il y a chez ce garçon quelque chose d'un héritier lointain de Gengis Khan. Artiste, dictateur peut-être ou assassin de grande envergure... Tout reste à faire. Je lui ferai connaître les secrets de la connaissance, et qu'il sache qu'il n'y a pas d'autre terrain de combat que celui de l'amour.

Était-ce une simple coïncidence? Fallait-il voir dans le temps qu'il faisait et ma rencontre avec cette femme un symbole caché? Cette fin d'été surprit tous les spécialistes et météorologues par la violence des orages qui s'abattirent sur La Havane. Du jamais vu. Un désordre atmosphérique qui ne correspondait pas aux données climatiques de la région. Il ne s'agissait pas seulement de pluie; quelque chose d'autre était en jeu. Certains évoquèrent les effets à retardement de la bombe atomique. Dans les journaux cubains, on pouvait lire que « des poussières atomiques s'étaient déplacées lentement et arrivaient, trois ans après, dans le ciel cubain, juste au-dessus de La Havane ». Quoi qu'il en soit, le ciel grondait à une fréquence inhabituelle. Une étrange relation s'instaurait entre les habitants de l'île et la situation atmosphérique. Un pas de deux très codifié. Le scénario était toujours le même, rigoureux comme une pièce de théâtre Nô. Les gens regardaient le ciel et commentaient : « Ça va tomber. »

Mais ça ne tombait pas. Ça se faisait attendre, comme une vieille star de cinéma capricieuse. On se sentait défaillir au moindre geste. Inutile de prendre une douche glacée : moites, poisseux, on était soumis au régime de la transpiration permanente. Le moindre pas dehors coûtait un effort démentiel. Les gens passaient des journées à boire des « buchitos » de café. Peine perdue car le compteur était à zéro, la tension basse, et le foie et l'estomac en prenaient un sale coup. Les nerfs aussi. Ma mère, pour une fois, n'exagérait pas :

– Tu sors ?
– Oui, maman.
– Tu as vu le ciel ?
– Ça va tomber. J'ai pris mon parapluie.
– Parapluie, mon pauvre !

Elle avait raison. Quoi de plus ridicule sous ces

pluies torrentielles qu'un quidam avec un parapluie qui se retourne au premier coup de vent.

– Tu es sûr que tu as vraiment besoin de sortir?

– J'ai un rendez-vous avec le directeur d'une revue, c'est important. (Mensonge, Gipsie m'attend.)

– As-tu entendu la dernière *Guantanamera* de Joseïto?

– Il n'y a que toi pour écouter ces idioties.

– Joseïto dit que l'orage rend fou. Ces aguaceros tuent pour un rien. Un chauffeur de taxi a poignardé un client. Une femme a tiré sur son médecin. Un type a dépecé sa maîtresse. Une mère a étranglé ses deux enfants, ses propres enfants, tu te rends compte? Et tout ça pourquoi? A cause de ces maudits orages!

Souvent Gipsie vient me chercher en voiture, mais je lui ai interdit de s'arrêter devant la maison, ce qu'elle admet difficilement.

– Je ne suis pas encore prêt à une rencontre entre ma mère et toi.

– Mais pourquoi? Je suis sûre que nous nous entendrions à merveille!

– Peut-être, je ne sais pas. Ça me gêne.

– Freud appellerait ça un complexe d'Œdipe.

– Freud? Je l'emmerde, Freud!

J'ai pris l'habitude d'adopter face à la jeune femme un ton résolument machiste. Car avec son goût de la rébellion, elle ne se prive pas d'utiliser en public un langage ordurier qui me fait pâlir. Un jour elle est allée jusqu'à me masturber sous la table dans un des meilleurs restaurants de la ville.

Ce jour-là je réussis finalement à convaincre ma mère que mon rendez-vous est incontournable, qu'il pleuve ou qu'il vente, ou que l'océan nous engloutisse tous. Et je cours retrouver la voiture de Gipsie garée trois pâtés de maisons plus loin. Je cours car l'orage vient d'éclater et je suis trempé jusqu'aux os.

Prévoyant l'orage, Gipsie a préparé chez elle un véritable festin : saumon norvégien, caviar d'Iran, raisin d'Espagne et, bien sûr pour ne pas déroger à nos habitudes, une bouteille de champagne glacée.

– A dix-sept ans j'ai eu un amant français, un vieil acteur de la Comédie-Française dont le nom ne te dira sans doute rien. Un bel amour qui a duré le temps d'une tournée. Il venait toujours avec une bouteille de champagne...

Je feins de ne pas tenir compte des amants dont Gipsie me parle. Car la liste est longue, éclectique et colorée : le saxophoniste noir, l'acteur français, le boxeur cubain, un médecin anglais, le psychanalyste viennois avec qui elle avait fait son analyse...

– J'ai été déflorée à sept ans, avec mon consentement, par un jeune Indien qui travaillait pour mon père, beau comme un dieu primitif, une statue maya!

Est-elle mythomane? Peu importe, j'aime sa manière de raconter sa vie amoureuse. Je la pousse, d'ailleurs, à écrire ses souvenirs.

– A quoi bon? répond-elle. Tellement d'auteurs l'ont fait, et quels auteurs! Sapho, la poétesse, le divin Marquis de Sade, Madame de Sévigné, la Comtesse de Ségur... Il faut que tu apprennes le français rien que pour lire ces deux bonnes femmes dans le texte. La première était amoureuse de sa fille et ses écrits sont d'une perversité délicieuse. Quant à la Comtesse... on prétend que ce sont des lectures pour enfants. Tout en demi-teintes apparemment innocentes. Je suis sûre que la Comtesse a initié bon nombre de petits garçons et de petites filles françaises à l'onanisme...

Gipsie est intarissable sur la question, mais son sujet favori concerne ses relations avec feu son père qu'elle adorait et l'aversion qu'elle éprouve pour sa mère.

– Je ne comprendrai jamais comment ce paysan – riche, mais paysan quand même – a pu tomber amoureux d'une bourgeoise cubaine. Et de la pire espèce, parce qu'en plus elle souffre d'un complexe d'infériorité devant les femmes européennes et elle est inculte. Elle a toujours refusé de donner une instruction supérieure à ses filles, prétendant que c'était une mode héritée de l'influence américaine, car ma mère a toujours manifesté avec insolence son appartenance à l'élite espagnole qui a colonisé Cuba. Ridicule! Mon père, lui, était un homme sombre, violent, silencieux. Il avait compris très tôt que son mariage avec ma mère serait un échec, mais il était épris de cette femme snob qui se croyait supérieure à lui. Il n'était heureux que dans ses champs immenses de Guadalajara. Elle détestait la campagne et surtout le Mexique, ce pays sauvage d'Indiens et de tueurs de nonnes, comme elle disait. Mon père faisait donc la navette entre ses terres mexicaines et La Havane où il avait fait construire pour elle un palais à Miramar. Elle y régnait comme Isabelle la Catholique dont elle prétendait descendre. J'ai passé mon enfance à voyager entre le Mexique et Cuba. A quatorze ans j'ai revendiqué le droit aux études et aux diplômes des universités américaines, pris le pouvoir contre ma mère et entraîné mon père avec moi : il la haïssait mais ne se l'avouait pas. Entre quinze et vingt ans, j'ai été très proche de lui et n'ai dû voir ma mère que trois fois à l'occasion de vacances. Et, chaque fois, nos rencontres se terminaient en psychodrames.

« Pourquoi est-ce que je la déteste avec autant de ferveur ? Elle a tout fait pour essayer de me modeler à son image : égoïste, sournoise, arriviste. Pour se venger ma mère disait que quelque chose dans mes gènes avait mal tourné. Elle disait que le sang indien de mon père avait pourri la délicatesse et l'élégance du sang bleu de la branche maternelle. Un jour, exaspérée par moi, elle n'a pu se contenir et m'a jeté la vérité en face : je n'ai jamais aimé ton père, je voulais son argent. C'était un contrat clair entre nous : je lui donnais mon corps en échange de sa fortune et de ma fidélité. Fidèle, elle l'était car j'en avais la preuve. Je m'étais mise à la surveiller. Je l'espionnais, lisais son courrier, écoutais ses conversations avec ses amies, observais ses moindres gestes en face des hommes. Je n'ai jamais pu surprendre le moindre indice : elle lui était bizarrement fidèle. Était-ce la crainte d'un divorce, de perdre sa fortune ? Ou la peur des colères de l'Indien, comme elle l'appelait. Contradictions profondes et mystérieuses de la chair. Ma mère était une femme plutôt belle et mon père possédait en lui une puissance tellurique, la force d'un taureau. Il devait être irrésistible au lit. Voilà comment ce couple si mal assorti est resté plus de vingt ans ensemble.

« Aujourd'hui je ne vois guère ma mère. La vengeance de mon père a été sournoise, typiquement indienne, comme elle dit. Il est mort, lui laissant en héritage le palais de Miramar. Le reste m'appartient et je l'ai mis entre les mains d'avocats et d'hommes d'affaires avisés qui doivent se soumettre à mes désirs depuis que je suis arrivée à la majorité. Ma mère reçoit une pension à vie substantielle mais elle ne peut rien toucher sans ma signature. Et comme j'ai une vie très agitée, tu comprends, il m'arrive d'oublier l'existence de cette dame que je n'ai pas vue depuis l'âge de vingt ans. Alors c'est elle qui me rappelle que je dois lui faire parvenir son argent. L'Indien, il doit bien se marrer dans sa tombe, je te jure !

Sans cette saison d'orages interminables, je pense que je n'aurais jamais rien su de la vie de Gipsie. Sous ses apparences libérées, c'était une âme secrète qui ne se livrait pas facilement. Elle était fière et pudique dès qu'il s'agissait de sentiments. Un jour j'avais manifesté le désir de rencontrer sa mère et, depuis, elle voulait à tout prix connaître la mienne. Pour des raisons différentes nous refusions l'un et l'autre de passer à l'acte. Moi parce que je craignais que Madame Sérénité ne soit jalouse de la première femme que j'aimais vraiment. Gipsie prétendait que je ne pouvais pas voir sa mère car la haine qui les unissait n'admettait pas de témoin.

– Nous n'avons qu'à nous considérer comme des orphelins, me dit-elle un jour. Sans lien avec le passé ni personne.

Et, comme deux orphelins abandonnés sur une mer houleuse et un frêle radeau, nous attendions dans les bras l'un de l'autre que l'orage éclate. C'était notre jeu préféré : nus sur le lit, portes et fenêtres grandes ouvertes, le vent s'engouffrait, faisant voler les draps et les rideaux puis, quand la pluie torrentielle s'abattait, nous refermions la fenêtre et faisions l'amour, persuadés que nous allions finir foudroyés, carbonisés – mort grandiose pour deux amants!

Entre un orage et l'autre, Gipsie s'était mis en tête d'améliorer mon niveau culturel qu'elle trouvait insuffisant. J'ai reçu, il est vrai, une éducation chaotique, ballotté entre l'école primaire et les locataires de ma mère, lisant ici et là des revues, écoutant les conversations de mon père et de ses amis.

Gipsie avait fréquenté les meilleures écoles américaines. A sa manière, elle croyait aux vertus du système. Quand elle s'intéressait à une date de l'histoire ou à un écrivain, elle faisait systématiquement des recherches, étudiait tout ce qu'il y avait autour. Lire Faulkner sans savoir qui était Herman Melville lui paraissait aberrant. De même, elle s'intéressait à l'histoire du sud des États-Unis, à l'esclavage, aux lynchages, au Ku Klux Klan. « Une démarche marxiste », lui disais-je, connaissant son aversion innée pour le marxisme que j'attribuais à son éducation américaine. Insinuer qu'elle était communiste m'amusait beaucoup car elle se mettait en colère et perdait ce calme zen qu'elle prétendait posséder.

– Ces connards n'ont jamais rien compris à Hegel! Leur dogmatisme n'a pas de limites. Parce qu'il décrivait à merveille la société où il vivait, ils ont fait de Balzac un précurseur du réalisme socialiste. Grotesque! On a fait de John Steinbeck le grand écrivain du Sud pendant les années de la dépression alors qu'en fait, son roman *Les Raisins de la colère*, qui se prétendait subversif et dénonciateur, n'est qu'un grand mélo, un feuilleton à succès pour femmes bien-pensantes. Le vrai écrivain du Sud, celui qu'on accusait d'être réactionnaire, c'était Faulkner, l'aristo...

Mais Gipsie avait une autre théorie qui me convenait mieux par tempérament : ce qu'elle appelait « le pot-pourri démocratique de la culture ».

– Méfie-toi des inquisiteurs. Ils sont partout et surtout chez les communistes. Chez les cathos, bien sûr, les bourgeois libéraux, les anars même. C'est une histoire d'hormones, je les repère au premier coup d'œil. Celui qui ne jure que par Bach et crache sur Bartók est mon ennemi. Celui qui méprise la comédie musicale, les films d'action et les mélos de Bette Davis sous prétexte que le cinéma est un art, est mon ennemi. On peut aimer autant le Dali première époque que le Rembrandt de la maturité, se pâmer en écoutant Billie Holiday ou Kirsten Flagstad dans les *Walkyries*. On peut lire Schopenhauer et mourir de rire en regardant Groucho Marx ou les dessins animés de Tex Avery. Le dogmatisme, où qu'il se situe, est l'aveu d'une profonde connerie. Gratte un peu le dogmatique et tu trouveras dessous le fantôme pourrissant de Torquemada.

Ainsi se passa cette fin d'été, à courir d'un cinéma à l'autre pour combler mon retard culturel. De *Citizen Kane* à *En route pour le Maroc* de Bing Crosby, nous assistions à toutes les premières de théâtre, à tous les vernissages. A son sens inné de la pédagogie s'ajoutait une intention moins innocente : son goût du scandale et le plaisir sournois de provoquer sa mère. Car celle-ci achetait de la peinture, et faisait partie de tous les comités de soutien aux activités artistiques, celui de l'Orchestre philharmonique de La Havane, Pro-Art Musical, le Lyceum Lawn Tennis Club. Elle était partout où il fallait être. Nous la croisions souvent, sans que je le sache, car Gipsie ne m'en disait rien, mais je le comprenais à son sourire triomphant lorsque nous entrions dans un endroit. Cela expliquait aussi son insistance à me voir changer de style vestimentaire. Pas de couleurs sombres, décida-t-elle, ni cravate, ni nœud papillon. Des chemises printanières, un style sport « pour te rajeunir ». Cette réflexion me mit la puce à l'oreille.

— Je peux aussi mettre des culottes courtes tant qu'on y est !

— Tu ferais ça pour moi ?

— Faire quoi, bon sang ?

— T'habiller comme un gosse. Quelqu'un a dit à ma mère que je sortais avec un garçon de quatorze ans. Elle m'a téléphoné pour la première fois depuis des mois. Complètement paniquée. « Tu es folle, il est mineur ! » criait-elle. Et moi de lui répondre : « Cet enfant, c'est mon amant, maman ! » Un de ces quatre, elle va avoir un infarctus. J'aurai réussi le crime parfait !

L'été tirait à sa fin et ceux qui étaient partis en voyage comme Lohengrin revenaient dans l'île. Tous me regardèrent d'un œil différent. « Tu as drôlement changé », m'entendais-je dire. J'ai changé, oui. J'ai quitté ma peau d'adolescent pour revêtir le costume de l'adulte. Aujourd'hui j'ai apporté à Gipsie un bouquet de fleurs et un magnum de champagne. Auparavant j'ai emprunté de l'argent à ma mère, prétendant que c'était « pour aider un ami dans l'adversité ».

Gipsie ne dit rien. Quand elle est silencieuse, c'est le signe qu'elle est émue, comme son père. Elle met les fleurs dans un vase et ouvre la bouteille de champagne.

– A nos orages, dit-elle en levant son verre et le faisant tinter contre le mien.

Nous n'avons jamais prononcé le mot amour entre nous. Nous avons juste fait l'amour le premier soir de notre rencontre. L'entente de nos corps a créé un lien plus fort que toutes les déclarations de fidélité ou de tendresse. Je n'en sais rien. Je ne me pose pas de questions. Gipsie, prêtresse de l'amour, paraît connaître d'avance toutes les réponses. Mais elle se tait et j'aime son silence.

La nuit est douce, une légère brise nous parvient de la mer. Je lève les yeux vers le ciel noir scintillant d'étoiles comme un tissu troué qui laisse passer de la lumière, immobile, retenant mon souffle, pour ne pas rompre le charme qui nous entoure. Gipsie a raison, en haut de sa terrasse on se sent coupé du monde, loin du bruit et de la violence de la rue et pourtant plus fragile, sans défense sous l'immensité de la voûte céleste. Un pas en avant et c'est le vide, le vertige, la chute. Je comprends l'histoire de l'Ange déchu, m'a-t-elle dit un jour. On se sent écrasé par tant de beauté. Un matin, ce pauvre ange a dû regarder vers la terre et se laisser aller à la tentation de tomber, fatigué des hauteurs et de la pureté que cette vision contient en elle. Allons vers le bas, a-t-il dû se dire. Confondons-nous à l'enfer que vivent les humains. C'était un choix, pas une punition divine. En haut de notre tour, nous sommes des dieux, il ne faudrait jamais avoir la tentation d'en descendre.

Elle m'a raconté aussi une étrange expérience qui lui était arrivée lorsqu'elle était petite et passait ses vacances dans la ferme de son père à Guadalajara. Son père, me dit-elle, était un chrétien fervent, un catholique convaincu, un papiste souscrivant aux dogmes du Vatican. Et pourtant...

– Père m'avait prise avec lui sur son cheval. « Je veux te montrer l'étendue de nos terres », m'avait-il dit. Nous avons chevauché des heures durant, du nord au sud et d'est en ouest. J'ai pris conscience que cet immense territoire lui appartenait. Arbres, bêtes, fermes et gens... et même le fleuve qui traversait sa terre de part en part. J'étais morte de fatigue, à moitié endormie, aussi avons-nous fait une halte. Père m'a prise dans ses bras pour monter la colline. Le soleil commençait à décliner et le ciel à prendre cette couleur incertaine, entre chien et loup, quand l'ombre livre son combat quotidien contre la lumière. J'avais froid, faim et soif. « Cette partie de nos terres », me dit mon père, pour mieux me faire sentir l'orgueil du propriétaire, « contient en elle l'image du Mexique tout entier. Ici l'exubérance tropicale, ici l'aridité du désert et sur ces flancs de colline verdoyante les traces d'un volcan endormi. » Déjà je ne l'écoutais plus, je venais d'apercevoir un gros lézard qui se faufilait entre deux pierres. Accroupie, j'avais pris une grosse pierre dans ma main, guettant l'animal pour lui écraser la tête. Mais il ne réapparut pas. De guerre lasse, je laissai glisser la pierre de mes mains et levai les yeux vers mon père pour lui rappeler qu'il était temps de rentrer car la nuit avait gagné du terrain. Tout à coup il m'apparut immense. Sa silhouette imposante se découpait contre le clair-obscur du ciel. Il ne bougeait pas, la pierre ne bouge pas. Il ne respirait pas non plus. Plus aucun signe de vie. Ses yeux étaient devenus sans expression, ses pupilles, deux pierres d'onyx fixées sur le soleil. Il aspirait les derniers feux de ce soleil pâle, presque lunaire, qui descendait vers la terre. Je compris alors qu'il puisait directement de sa communion avec l'astre-roi cette énergie solaire qui l'habitait et qui inspirait à l'autre la peur et le respect. Et c'est peut-être à cause de cette puissance surnaturelle, me suis-je dit, que ma mère qui le craignait ne l'a jamais trompé, ni de son vivant ni après sa mort. Massif, sculptural, telle une idole maya taillée dans le granit, le culte du soleil était sa vérité profonde.

Gipsie, elle, tire sa force de la nuit. La lune illumine son profil, la lune est sa vraie mère. Maria del Carmen Molina de la Sierra, prêtresse et déesse de l'amour, est en pleine extase.

Je regarde la rue en bas où les humains s'agitent, s'aiment et se déchirent. Et j'éprouve soudain le vertige de l'Ange déchu.

L'aveu de Lohengrin

Gipsie déteste le soleil. Elle soutient, contre toute évidence, que son père qui est mort d'un cancer à l'œsophage a été victime du soleil. Cet astre lui a donné sa force vitale, dit-elle, mais il lui a aussi brûlé complètement l'intérieur.

Voilà pourquoi je n'ai pas encore réussi à l'amener à la plage. La seule fois où nous avons fait une escapade de trois jours à Varadero – la plus belle plage du monde –, Gipsie s'est arrangée pour me retenir dans la chambre la journée entière, ne quittant l'hôtel qu'à la nuit tombée.

– De quoi te plains-tu? Maintenant au moins nous avons la plage pour nous tout seuls. Regarde comme le sable brille sous la lune...

Nous avons marché jusqu'à l'extrémité de la plage pour pouvoir enlever nos maillots et nous baigner nus, ce qui est absolument interdit à Cuba comme dans chacun des pays catholiques et latins. La nuit, l'eau tiède, chauffée toute la journée par un soleil de plomb, me semble glaciale. Ce n'est pas l'avis de ma compagne qui persiste à vouloir faire l'amour dans les vagues.

– Rejouons *Tant qu'il y aura des hommes*, version porno, dit-elle pour me stimuler car elle connaît ma cinéphilie.

Quand je perds patience en lui demandant pourquoi elle s'obstine à vivre à Cuba quand elle aurait pu s'installer dans son Mexique bien-aimé ou dans je ne sais quelle contrée nordique où le soleil disparaît toute une saison, elle sourit d'un air ingénu :

– Habana by night me plaît. Je passe des nuits entières à prendre le pouls de la ville dans ma longue-

133

vue. L'été, les fenêtres sont ouvertes et les nuits sont chaudes...Tu n'imagines pas ce qu'on voit! Femmes, hommes, enfants, chiens et chattes... une vaste fornication, un merveilleux sabbat!

Quoi qu'il en soit, privé de soleil pendant l'été, je me suis retrouvé à la rentrée universitaire pâle comme un vampire. Pitoyable. Mes camarades, inquiets, m'ont demandé d'un air gêné :

– Tu as été malade?

– Tu n'as pas pris de vacances?

Écœuré par leur mine compatissante et leur gueule bronzée, pétant la santé et l'ennui, je leur ai répondu :

– Où j'ai passé l'été? Au lit, à baiser, pardi!

Ce qui n'empêche qu'en montant les marches de l'université le premier jour, j'éprouve un certain malaise à cause de ma pâleur. Pendant plusieurs mois je me suis préparé à cet événement.

Construite à flanc de colline, l'université de La Havane a quelque chose d'un temple ou d'une forteresse. Des grands escaliers mènent à un portique à colonnades d'inspiration grecque. Il faut monter cet escalier lentement pour s'imprégner de l'importance de cet édifice. Tout est conçu pour donner au néophyte l'impression qu'il pénètre dans un lieu sacré. Avant d'arriver au bas de l'escalier, il a eu le temps d'éprouver le sens de sa démarche car, tournant le dos aux bâtiments, offerte à la ville, il est passé devant l'Alma Mater, la statue de bronze d'une femme aux seins lourds et prolifiques, mère spirituelle de tous les étudiants. Et quand à mon tour je passe devant elle, je chuchote à mi-voix, jouant les types blasés mais au fond de moi-même terriblement ému :

– M'y voilà, enfin!

Au cœur de l'enceinte de l'université se trouve la place Cadenas, l'agora rêvée par des architectes et constructeurs éclairés. C'est ici que se déroulent les représentations du théâtre universitaire depuis qu'un ex-élève de Max Reinhardt est venu jouer à Cuba les tragédies grecques, Shakespeare et les classiques du siècle d'or espagnol. C'est aussi de la place Cadenas que sont parties les grandes manifestations étudiantes contre le dictateur Machado en 1933.

Ma mère, nostalgique de cette époque où Cuba s'essayait en tâtonnant à la démocratie et manifestait pour la liberté, avait accumulé une collection de photos et d'articles de revues qui témoignaient des luttes politiques de cette période de l'histoire cubaine. Mais surtout, nous allions voir les films d'actualités du début des années trente projetées dans une salle de cinéma spécialisée.

Plan général lointain de la façade de l'université de La Havane. Gros plan sur l'Alma Mater, bras ouverts et poitrail de bronze offert. Derrière on aperçoit l'escalier qui monte vers le porche à colonnes doriques. En haut, des groupes d'étudiants se forment jusqu'à n'être plus qu'une masse compacte, remplissant tous les espaces vides. Dans ce même plan général on a, en amorce, les casquettes des policiers.

Plan en contre-plongée du haut de l'escalier.

La large avenue en face de l'université a été isolée par les cars de police et les pompiers. Au premier plan, rangs d'uniformes et de boucliers serrés des flics, matraque à la main, prêts à cogner. D'autres soutiennent de gros et longs tuyaux d'arrosage alimentés par des pompes à eau quelques rues plus loin.

Les protagonistes sont en place : les étudiants en haut, les policiers en bas, et l'attente commence. Il y a aussi du public. Sur les balcons, les terrasses et les toits, des grappes de gens sont amassés. Quelques-uns se sont installés aux premières loges pour profiter du spectacle : transats, fauteuils pour les aïeules ou les femmes enceintes, rafraîchissements pour les enfants, bière et rhum pour les adultes. Certains ont ouvert des parasols, d'autres portent sur la tête des chapeaux de paille ou des mouchoirs. Il est bien connu que les meilleures manifestations se déroulent en plein jour. Une ambiance de corrida. Pourtant, dans cette corrida-ci les dés sont pipés d'avance. Le torero policier sera forcément le plus fort et l'on sait déjà que les étudiants compteront leurs blessés, crânes ouverts et membres brisés. La caméra se promène sur les balcons et filme aussi des équipes de cinéma qui ont pris leur poste là-haut. Quelques francs-tireurs, caméra à l'épaule, se promènent dans les deux camps : celui de la police et celui des étudiants.

Puis c'est l'affrontement. Personne ne parle jamais de ces anonymes que sont les chefs opérateurs ou les monteurs et monteuses de films d'actualités. Et pourtant ces documents sont de précieux témoignages et celui de cette manifestation en est un. Car à la longue attente fait suite un montage précis, nerveux, brutal, à la mesure de la brutalité des événements.

Les étudiants descendent les escaliers en déployant une énorme banderole :

A BAS LE DICTATEUR MACHADO!
MORT A LA TYRANNIE!

Dans une succession de plans courts et rapprochés on voit les visages durs des policiers, les visages tendus des étudiants, un public dans une expectative anxieuse. A peine le cortège des étudiants a-t-il descendu les dernières marches, symbole du territoire public, que la police lance ses premiers jets d'eau. C'est le tumulte général, les étudiants avancent pour gagner du terrain sur la rue et les policiers les refoulent avec leurs jets d'eau, tout en laissant des petits groupes s'infiltrer... stratégie habile qui consiste ensuite à les encercler pour mieux les matraquer. Les étudiants sont sauvagement frappés, puis transportés et jetés dans des cars. Les blessés graves qui gisent sans connaissance sont ramassés par des ambulanciers en blouse blanche. Des balcons et des toits, les spectateurs prennent parti et entrent dans l'action, lançant tout ce qui leur tombe sous la main : poubelles, bouteilles vides, seaux d'eau, urine même, aux cris de : POLICE POURRIE! MACHADO ASSASSIN!

La police procède à un nettoyage rapide et violent jusqu'au moment où les étudiants, hagards, trempés et sanguinolents, sont refoulés à l'intérieur de l'université.

Assis dans les fauteuils confortables de la salle de cinéma, ma mère et moi nous surprenions à crier les slogans avec eux. Nous aimions particulièrement cette salle car elle avait l'air climatisé, un écran géant et un bar où l'on pouvait se fournir en Coca-Cola, pop-corn et tablettes de chocolat. Il était vide la plupart du temps car peu de gens s'intéressaient à ces documents d'actualités, et les quelques rares spectateurs devaient nous prendre pour des fous en nous voyant nous exciter contre un dictateur mort et des événements qui s'étaient déroulés dix ans auparavant.

Une fois passé le légendaire escalier et la place Cadenas, le paysage change. Si les architectes ont misé sur le prestige de la façade extérieure, le reste des bâtiments a été négligé et les départements de droit, pédagogie, philosophie et lettres ressemblent à des casernes. Une entrée plus modeste donne directement sur les bureaux du théâtre universitaire. C'est aussi par là qu'entrent les voitures des fonctionnaires et professeurs qui doivent montrer patte blanche au policier de garde, car, après la chute de Machado, l'université a retrouvé son autonomie.

C'est place Cadenas, dans l'agora officielle, lieu de rencontre et de promenade, cadre idéal pour les discussions politiques et philosophiques, que j'ai donné rendez-vous à Lohengrin. Je ne l'ai pas revu depuis le soir du bal car il est parti en vacances tout de suite après. Voyage culturel pour lui, voyage d'affaires pour son père et voyage dans la mémoire pour l'ensemble de la famille. Ils sont allés visiter les camps où les leurs ont trouvé la mort.

J'ai prévu d'organiser un dîner chez Gipsie et je me régale à l'idée de nos blagues, de la bonne musique et des conversations brillantes que pourraient échanger ma maîtresse et mon meilleur ami, deux êtres cultivés, intelligents et sensibles, deux étrangers. A mon grand étonnement, ni l'un ni l'autre ne semblent très chauds pour cette rencontre. Lohengrin m'avoue qu'il a trouvé

Gipsie fascinante quand il l'a rencontrée la première fois mais que, très vite, il a pensé qu'elle représentait tout ce qui l'ennuyait le plus : l'argent, le sectarisme de classe, l'insolence aristocratique... Gipsie, quant à elle, a déclaré qu'elle admirait la culture et l'intelligence de Lohengrin, que son côté snob l'amusait, mais qu'elle le trouvait néanmoins sec et froid.

Aucun des deux, bien sûr, ne s'est opposé franchement à ce dîner mais, les connaissant, je préfère ne pas insister. Je vois d'ici Lohengrin, tendu, se mettre à boire pour masquer son agacement, et Gipsie commencer à rouler joints sur joints pour se mettre à l'aise. Lohengrin, je le sais, déteste tout ce qui touche à la drogue (à Cuba dans les années quarante la marijuana est considérée comme une drogue dure) et j'imagine déjà ses commentaires sarcastiques. Ce dîner dont je me suis fait une joie n'aura donc pas lieu.

Je retrouve un Lohengrin bronzé, presque brûlé par le soleil et plus émacié que jamais. Quand je m'étonne de sa mine, il me dit qu'à peine rentré d'Europe il est reparti faire un tour de l'île, qu'il a parcourue d'un bout à l'autre.

– De San Antonio à Maïsi...

– Qu'est-ce qui t'a pris, tu prépares un cours de géographie ?

– Non, j'ai voulu me désintoxiquer. Ce voyage en Europe a été pour mes parents très sentimental. Je l'ai vécu, moi, comme une rupture avec le passé. Et j'ai fait ce tour pour reprendre contact avec la réalité profonde de notre île. C'est une question de santé mentale..., me dit-il, sans que je saisisse le sens de ces paroles.

Quoi qu'il en soit, nous avons décidé de nous inscrire ensemble en droit et philosophie. Je me suis fait, pour ma part, une stratégie : je concentrerai mes efforts sur la philosophie et suivrai les cours de droit en dilettante car je m'y suis inscrit uniquement pour faire plaisir à ma mère qui rêve de me voir embrasser la carrière d'avocat, comme mon père.

Pour Lohengrin cette double inscription offre l'avantage de pouvoir passer d'une faculté à l'autre et de réunir assez d'étudiants susceptibles de soutenir sa candidature à la Fédération des étudiants universitaires, la célèbre FEU qui a été le moule de beaucoup de politiciens cubains. C'est de cette université qu'est sorti le parti communiste cubain à la fin des années vingt sous l'impulsion de José Antonio Mella ; c'est encore à l'université que Rafael Trejo a organisé les manifestations du Partido Autentico du docteur Grau San Martin : ce sont aussi des étudiants et des professeurs de cette université qui ont créé la direction du Parti orthodoxe d'Eduardo Chibas.

Aujourd'hui l'université, une fois de plus, se trouve en émoi et c'est un symptôme avant-coureur de la crise que traverse le pays. Parallèlement aux grandes formations politiques – libéraux, conservateurs, orthodoxes, autenticos, communistes – chaque jour voit naître un nouveau groupe à l'idéologie incertaine, dirigé par des petits caudillos qui ont donné naissance à un genre particulier d'étudiant : l'étudiant-gangster. Armés de pistolets, ces faux étudiants obtiennent par la menace et le chantage leur passage dans la classe supérieure ou des diplômes qu'ils ne méritent pas. C'est dans ce microcosme confus, pervers et violent de la politique à l'université que Lohengrin veut agir. De quelle tendance se réclame-t-il ? Je n'ai pas encore réussi à le savoir. Quand je lui demande s'il va adhérer à un parti, il me répond à côté ou s'en sort avec une pirouette ironique.

– Il ne s'agit pas d'adhérer ou non à un parti, mais de défendre dans la pratique des idées justes.

J'ai cru déceler à un moment donné qu'il trouvait ces « idées justes » dans le parti créé par Eddy Chibas, mais il m'a tout de suite détrompé :

– Le parti de Chibas ? Un club de gens chics, cultivés et intelligents, mais incapables de prendre le pouvoir et de faire les changements dont nous avons besoin dans ce pays.

Et c'est sur le thème de « tout ce qui ne va pas dans ce foutu pays » que Lohengrin me raconte son voyage à l'intérieur de l'île.

– J'ai fait la route en compagnie d'un ami que tu vas bientôt rencontrer, Manuel Mas Fortin. Cette année il sera peut-être président des étudiants à la faculté de pédagogie.

– Et il organise des parcours touristiques?

– Non, rien à voir avec le tourisme. Manuel a parcouru Cuba à pied quand il avait quinze ans.

– Vous avez fait le voyage à pied?

– En partie. Puis à cheval et à dos de mule pour monter dans la sierra Maestra et le Pico Turquino.

Ce Manuel Mas Fortin, dit Manu, Lohengrin m'en avait déjà parlé. Il avait fait sa connaissance deux ans auparavant au cours d'une rencontre entre lycéens et étudiants.

– Souviens-toi. Quand nous avons voulu organiser une grève pour protester contre la réduction du budget scolaire annoncé par le ministre de l'Éducation. Au bout de trois heures de réunion, j'en ai eu ma claque. Les discussions tournaient en rond et il n'en sortait rien. Tout le monde parlait en même temps. Un festival d'incapacité et d'égocentrisme. Des jeunes mecs qui se prenaient les uns pour José Marti, les autres pour Hitler ou Cicéron, nous assenaient chacun leur discours. Une verbomanie inutile. Tout à coup un type s'est levé et a pris la parole. Il était plus âgé que nous et en imposait par son physique. Grand, corpulent, il avait la solidité caractéristique des paysans. Il parlait d'une voix puissante, avec des gestes mesurés, une épaisse chevelure et une moustache noire et des petits yeux de jais enfoncés et rieurs. Pancho Villa, me suis-je dit. Les autres se prennent pour des tribuns, des caricatures de politiciens. Et voici qu'arrive Pancho Villa, le paysan devenu bandolero. Tout le monde l'appelait Manu et avait l'air de le connaître. Serré dans une guayabera un peu étroite, il était le seul à fumer le cigare dans cette assemblée, le seul à parler un langage simple et clair, sans effets de style, ne craignant pas les gros mots qu'il accompagnait d'une excuse galante à l'adresse des « señoritas », comme il disait. Il sut mettre la discussion sur les rails.

Au cours de notre dernière année de lycée, Lohengrin fréquentait Manu. Il ne m'avait pas caché que le bonhomme était son conseiller. J'avais demandé à Lohengrin de me présenter ce personnage qu'il semblait tenir en si haute estime. Il avait réfléchi, hésité, puis d'un air fermé s'était contenté de me dire :

– Tu n'es pas encore prêt...

Ce qui m'avait mis très en colère.

– Prêt à quoi ? Faut-il être initié pour avoir le droit de l'approcher ?

Pour toute réponse, Lohengrin avait souri et nous en étions restés là. Il n'avait plus été question de Manuel Mas Fortin entre nous. Avec le temps, j'avais même fini par l'oublier. Et voici qu'aujourd'hui, Lohengrin me raconte en détail son périple sur l'île en compagnie de Manu.

– La force de Manu, c'est qu'il connaît la réalité dont il parle. Il est né à Camagüey, la Cuba profonde, et descend d'une famille de paysans pauvres. Il s'est fait une petite place au soleil à la force du poignet, en avançant dans la vie comme un taureau dans l'arène, mais il a toujours gardé le contact avec sa famille, avec sa terre, le milieu paysan d'où il vient. Manu est encore à l'université quand d'autres ont déjà leur diplôme depuis deux ou trois ans... L'université, c'est son fief... Vois-tu, Christophe Colomb, quand il a débarqué à Cuba, s'est extasié sur la beauté de notre île. Elle est magnifique, c'est vrai, mais quel gâchis ! L'Amérique latine paye aujourd'hui pour cinq siècles de mauvaise gestion et de colonisation qui l'ont saignée à blanc, sans compter un demi-siècle de mercantilisme américain. Je suis certain que si tu avais été avec nous dans ce voyage, tu aurais eu la même réaction. Il y a de quoi être en colère. Quand on voit les richesses immenses de quelques propriétaires terriens et la misère des villageois ! Quand on voit de quelle façon éhontée une seule compagnie américaine exploite une région entière ! Mais le pire, c'est de constater que tous les gouvernements sans exception ont laissé faire et qu'ils n'ont pas su gérer les richesses naturelles de notre pays. Cuba pourrait produire beaucoup plus qu'elle ne produit. La prospérité devrait profiter à tous, à ceux qui investissent et à ceux qui travaillent. Il faut arrêter cette saignée des richesses de notre pays avant que les choses ne s'enveniment. On dit que l'histoire ne se répète pas? C'est faux. L'histoire se répète sous un autre angle, sous des costumes différents. En péplum ou avec des costumes modernes, la pièce est toujours la même. Si la situation ne change pas, on va assiter à Cuba à une sorte de révolution française en guayabera... à moins qu'un Mussolini de fortune ne se présente et fasse taire tout le monde...

C'est la première fois que je vois Lohengrin aussi exalté. Je pressens, comme lui, qu'il devient urgent de parler de la situation. Habitué aux discussions politiques à la maison, j'ai fini par avoir une perception précise de la situation à Cuba, fluctuante comme la marée : pendant un temps les conditions de vie s'aggravent et le mécontentement monte. Une révolution éclate, comme en 1933. Puis le niveau de mécontentement redescend et la vie reprend ses droits jusqu'à la prochaine grande marée. Il se peut que Lohengrin et son ami Manu aient raison : ils ont constaté la misère du peuple à l'intérieur des terres, le malaise général. Moi, de La Havane, je ne peux pas me rendre compte. Si on ne pousse pas jusqu'aux bidonvilles qui encerclent la capitale, le déséquilibre entre riches et pauvres n'est pas visible. Ce n'est pas comme à Calcutta, par exemple, où les gens meurent de faim dans la rue. La Havane est une ville sensuelle et frivole où la vie bat son plein.

« La Havane rit. La Havane danse ! Rhum. Soleil, belles femmes, belles plages ! Venez prendre un bain de jouvence à La Havane ! » dit la publicité.

Dans le bureau d'inscription, je retrouve le Lohengrin cynique et compétent que j'ai vu agir au lycée. Il connaît déjà les appariteurs et les bureaucrates et les portes du royaume universitaire s'ouvrent étrangement devant nous. Empruntant des allées latérales, nous traversons des couloirs, montons des escaliers, évitant la longue queue d'étudiants qui patiente sous le soleil, attendant que des secrétaires aux gestes ralentis collent une photo sur leur carte, apposent un tampon, encaissent la cotisation annuelle de l'inscription et leur fasse signer un reçu qui en fera les membres à part entière de cette noble institution. Lohengrin, lui, règle l'affaire en quelques minutes. Impressionné, je lui demande comment il s'est débrouillé pour connaître déjà tous les rouages.

– Manu m'a présenté beaucoup de monde. Comme il rend des tas de services à l'intérieur de l'université, on lui renvoie l'ascenseur. Quand on connaît les règles du jeu, à Cuba, tout devient possible.

Lohengrin attend sa majorité pour passer son permis de conduire et n'a pas en horreur, comme moi, les omnibus de La Havane. Normal puisqu'il dispose d'un chauffeur et de la voiture de sa famille qui le dépose où il veut quand il veut. Quand celle-ci n'est pas disponible, il peut se payer dix courses de taxi par jour. Pourtant il persiste à prendre « les savoureuses guaguas », comme il dit. Cette marque de snobisme m'énerve mais, rien à faire, il insiste pour que nous nous rendions chez lui en guagua et je n'ose pas le contrarier. Je n'ai pas d'argent pour prendre un taxi. Il veut, dit-il, « me montrer des photos, quelques livres et des brochures ».

Comme d'habitude, l'autobus est bondé et nous sommes debout, collés aux autres entre deux rangées de sièges. Le chauffeur conduit à toute allure et la radio diffuse à tue-tête une rumba à la mode. Le contrôleur passe et repasse dans le couloir car au fond se trouve une superbe mulâtresse à la croupe imposante qui apparemment ne voit pas de mal à ce que l'homme se frotte et se refrotte à elle à chaque passage. Je commence à être mal à l'aise. Lohengrin se tient contre moi. Il a posé sa main sur mon épaule et j'en éprouve une certaine gêne : jusque-là, notre relation était pleine de réserve et de pudeur. Jamais nous n'avons entre nous ces effusions, accolades et grandes tapes viriles, ces démonstrations d'amitié que les

143

machos cubains cultivent en public. Nous nous serrons la main, froidement, « à l'européenne », comme il dit. Et voici que soudain ses doigts serrent mon épaule et que je sens son corps peser contre le mien sans aucune retenue dans les virages. Une autre chose me perturbe : quand j'avais émis l'idée d'organiser un dîner avec Gipsie et lui, la Mexicaine avait penché la tête, laissant ses longs cheveux tomber sur un œil et avec un regard à la Veronica Lake, elle avait lancé :

– Tu sais, la rumeur court que vous êtes amants.

J'avais été choqué, interloqué. Elle s'était alors jetée sur moi et, me couvrant de baisers, elle avait continué son travail de sape :

– Il n'y a pas de mal à ça. Je ne me refuse pas une belle fille de temps en temps. Il est si beau, le grand blond aux yeux clairs. A tous les trois nous pourrions nous donner du bon temps !

Hors de moi, je m'étais mis très en colère et Gipsie, pour se racheter, prétendit qu'elle avait voulu blaguer, choquer ma pudibonderie judéo-chrétienne et me rendre un peu jaloux.

– Méfie-toi, cher ange. Mon éducation américaine me pousse à des relations ouvertes et sans préjugés, mais mon sang indien me rend jalouse et exclusive et, si on l'échauffe un peu, il peut faire des victimes.

– Tu es ridicule, il n'y a jamais eu entre Lohengrin et moi la moindre ambiguïté.

– Physiquement, peut-être. Mais la tête, hein ? La tête tombe amoureuse, se laisse envahir, fasciner. Quand tu émets certaines idées sur la peinture, la politique surtout, je me demande parfois si c'est toi qui parles ou si c'est ton ami Lohengrin qui parle à travers toi.

Quand nous descendons de l'autobus, je suis soulagé. Lohengrin et moi reprenons notre distance courtoise. Mais la phrase empoisonnée de Gipsie me revient de plein fouet quand, arrivant chez lui, au lieu de m'emmener dans le salon-bibliothèque où nous avons l'habitude de travailler, il me propose de le suivre dans sa chambre. Je ne suis jamais allé dans cette pièce. Plusieurs fois d'ailleurs je me suis demandé pourquoi il hésitait à me faire entrer dans son sanctuaire. Car la chambre à coucher, c'est bien connu, est l'endroit intime où une jeune fille ou un jeune homme cultive son jardin secret, et à laquelle il s'identifie un peu. Il y enferme les objets, les images qu'il aime, ses disques préférés et ses livres, ses lettres d'amour et ses poèmes.

Est-ce encore par pudeur et fierté que Lohengrin ne veut pas que j'entre dans sa chambre qui doit être, comme le reste de la maison, luxueuse et confortable? Je le comprends. Comme lui, je me fais fort de mépriser l'argent et la vie facile. Nous rêvons d'ascétisme, de détachement, de voyages aux Indes. Pourtant nous ne dédaignons pas non plus « les nourritures terrestres ». L'élégance vestimentaire ne lui est pas indifférente, ni la qualité d'un repas ou le doux farniente au bord d'une piscine. Mais il est plus riche que moi et je m'imagine qu'il en a un peu honte.

Nous contournons par le jardin le bâtiment à deux étages qui est la reproduction exacte de la maison d'été que ses parents ont eue à Potsdam. Un escalier en colimaçon monte au second étage et sa chambre se trouve au bout d'un étroit couloir.

A ma grande surprise, sa chambre est vide, austère. Avec une minuscule armoire, un lit, une étagère et des livres, elle a un air monacal. Affairé, Lohengrin cherche quelque chose sur l'étagère. Il a perdu son aisance habituelle et j'ai l'impression que ses déplacements, ses gestes sont un camouflage pour calmer son trouble, avant de me parler à cœur ouvert. Je redoute le pire et commence à être gêné à mon tour. Pour mettre les choses au point, sans ambiguïté, mais sans vouloir le blesser non plus, je bafouille :

— Je n'ai rien contre... je te comprends... ça ne changera rien à notre amitié, mais je...

Mes excuses sont plates, ridicules, stupides. Déjà je m'en veux, je redoute la rupture avec Lohengrin. Tous les deux, nous nous sommes toujours considérés comme au-dessus des préjugés bourgeois. En classe nous n'hésitions pas à nous lier d'amitié avec un

« maricon » (pédé) ou à prendre sa défense quand les autres se moquaient du malheureux.

Subitement une idée me vient, pour sortir en beauté de la situation. Le pauvre Luis H., le maricon dont nous avions toujours pris la défense, va me tirer d'affaire!

– Luis m'a déjà fait des avances et j'ai toujours refusé, tu sais que je suis un hétéro invétéré!

Lohengrin abandonne sa recherche fébrile et se plante devant moi avec l'air du parachutiste qui s'apprête à sauter dans le vide :

– Je suis communiste, me dit-il.

– Pardon?

– J'ai adhéré au parti communiste cubain.

– Ah...

– Depuis six mois déjà j'ai la carte du Partido Socialista Popular. Il faut que tu le saches. Ma virée dans l'île avec Manu, c'était pour fêter l'événement et mieux connaître la réalité de l'île.

Je reste coi, m'assois sur le rebord du lit, étroit et dur comme du bois. Il n'y a pas d'air climatisé, je transpire à grosses gouttes tandis qu'il fait les cent pas dans la chambre. Son débit est rapide, monocorde, il parle comme les croyants à confesse. Du moins je l'imagine car je n'en ai pas l'expérience : ma mère qui se dit croyante mais ennemie jurée des curés et de l'Église m'a tenu à l'écart des règles du catéchisme.

– Manu m'a conseillé de garder le secret. Rien ne permet de dire qu'un jour le Parti ne sera pas à nouveau interdit à Cuba. On se prépare à cette éventualité. Tu t'en rendras vite compte à l'université : il y a des communistes qui agissent au vu et au su de tous; d'autres, comme Manu, dont le travail consiste à brouiller les pistes, et une troisième catégorie qui travaille dans l'ombre et la discrétion.

– Ceux que la presse appelle les compagnons de route?

– Exactement. Les « camarades par affinités ». Je préfère la formule. Veux-tu faire partie de ce groupe?

– Pourquoi m'en parles-tu seulement maintenant?

– J'ai essayé de t'en parler, mais je te voyais plus intéressé par les filles, l'art et la littérature... Plus intéressé par les problèmes de la vie et de l'esthétique... Je ne te sentais pas prêt à assumer la dure réalité que nous vivons.

– Surtout, il y a Gipsie. Elle est ma réalité, belle et passionnante. Et en plus, c'est une anti-communiste viscérale, tu le sais.

– Un atout de plus pour toi. Personne ne te soupçonnera, t'affichant comme tu le fais avec une fille riche et notoirement anti-communiste. Alors ? Que dis-tu de ma proposition ?

Sur le coup je n'ai rien répondu. Le côté « coup de théâtre » de la situation m'a amusé, attiré même. Aider clandestinement les communistes, devenir un « agent d'influence », comme m'a expliqué Lohengrin, distiller à petite dose le venin marxiste dans le milieu étudiant, faire partie de ce groupe secret, efficace et intelligent que constituaient Manu, Lohengrin et leurs camarades ne m'était pas indifférent. C'était une aventure digne des films d'action que j'aimais tant et teintée de romantisme. D'autres raisons plus machiavéliques s'ajoutaient à cela : annoncer à Gipsie que je travaillais dans l'ombre pour les communistes, faire comprendre à mon père que le marxisme qu'il exécrait m'intéressait de plus en plus, laisser traîner à la maison ou chez Gipsie les livres et brochures que Lohengrin m'avait sortis de ses tiroirs : *Le Manifeste du parti communiste* de Marx, *L'État et la Révolution* de Lénine, *La Question nationale* de Staline, *Les Fondements du socialisme à Cuba* de Blas Roca... Littérature obscène et nocive entre toutes pour le Docteur, mon père ; des livres que, selon lui, il fallait brûler, lui qui haïssait pourtant Franco et avait lutté contre la peste brune d'Hitler et la peste noire de Mussolini.

C'est donc avec un paquet de cette littérature sulfureuse enveloppée dans du papier cadeau que je sors de la somptueuse propriété de la famille de Lohengrin. Je longe l'avenue du quartier résidentiel de Miramar vers le pont d'Almendares pour gagner les rues du haut Vedado. Je suis content de moi, heureux. L'année commence en beauté. Je suis inscrit à l'université, j'ai une maîtresse riche et belle, mon aînée de dix ans, et je fais partie d'un groupe qu'on appelle « le parti du prolétariat, le parti de l'avant-garde politique » de notre pays.

« Avant-garde! » Ce mot sonne comme une formule magique, éblouissante, exaltante. Avant-garde : ceux qui vont de l'avant, qui s'opposent aux forces rétrogrades et réactionnaires. Les étudiants désarmés qui s'affrontent à la police. Nijinski et son *Petrouchka*. La peinture de Picasso. Le *Citizen Kane* d'Orson Welles. Isadora Duncan dansant à Moscou pendant que son amant Essenine écrit des poèmes fastueux et désespérés, s'ouvre les veines dans un hôtel minable puis écrit sur les murs un poème avec son sang! Avant-garde!

Sur le pont, j'ai le sentiment d'en avoir fini une fois pour toutes avec l'enfance. L'homme qui naît en moi se veut fier, vaillant, à l'avant-garde de tous les combats, prêt à soutenir tous les défis. J'ai oublié en traversant l'Almendares que l'homme que je crois être n'a que quinze ans et trois mois et qu'un pont symbolique ne me met pas au-dessus des lois du temps.

La dure réalité dont parle Lohengrin est encore pour moi une figure littéraire.

Il y a l'île, le soleil, il y a Gipsie qui me rend fou. Je suis heureux et j'avance, le regard tourné vers l'avenir radieux, le menton relevé, comme ces images de jeune révolutionnaire que l'iconographie bolchevique a fait fleurir en les reproduisant à des millions d'exemplaires. La vie est belle, passionnante. Vive la vie!

Une vieille dame que j'ai bousculée sans m'en rendre compte se retourne en maugréant, me prenant pour un fou ou un drogué.

Vive la vie!

Deuxième partie

L'été 1949...

Gipsie, de nouveau...

J'ai tout juste seize ans, quelque chose dans mon apparence a profondément changé et je n'ai pas de mal à faire accepter par les autres les vingt ans mentionnés sur mes papiers officiels.

Il faut se rendre à l'évidence, j'ai rattrapé quatre ans en une seule année. Depuis ma rencontre avec Maria del Carmen Molina de la Sierra, ma notion du temps a beaucoup changé. Avant elle, je vivais au rythme végétatif d'une plante tropicale : un peu de paresse, pas mal de nonchalance, beaucoup de « laisser voir et venir » constituaient les ingrédients sucrés et ensoleillés de ma vie. Je trouvais des excuses à ce laisser-aller, militant pour la contemplation des couchers de soleil, un penchant hérité de ma mère. Combien de fois, depuis tout petit, avais-je participé à ce spectacle grandiose, cette fête de la nature, ces noces magiques du ciel et de la mer. Et quelle exaltation j'en avais retirée! Combien de fois, serrant la main de ma mère, étais-je resté, les yeux perdus à l'horizon, à regarder l'astre rougeoyant s'enfoncer dans les vagues en une explosion de palettes multicolores, tandis que le ciel basculait lentement du bleu intense au noir et que la lune, timidement, en recueillait les reflets. Et, si un jour le soleil refusait de livrer sa bataille quotidienne, s'il acceptait de partager avec la lune un morceau du ciel et que l'ombre et la lumière se décidaient d'un seul coup à cohabiter pacifiquement jusqu'au Jugement dernier? Qui, de la lune ou du soleil, triompherait à la fin?

Autant de questions naïves qui n'avaient jamais tout à fait disparu à mesure que l'enfance s'éloignait de moi. Adolescent, il m'arrivait de rester des heures sur le mur du Malecon à imaginer un nouveau scénario à l'enchaînement du jour et de la nuit, une surprise spectaculaire – et peut-être catastrophique – où la nature deviendrait capricieuse et folle. Car rien n'était jamais sûr, tout pouvait arriver, même si rien n'arrivait jamais. J'en étais certain, un grand événement se produirait un jour ou l'autre car il me restait du temps à vivre! En attendant, ce passage mystérieux de l'ombre et de la lumière, si bien huilé, me servait de boussole. Cet instant précis était à mes yeux d'essence vitale, tel un tropisme, une nécessité existentielle. Lents fondus enchaînés de nuages, immersion paresseuse du globe incandescent sous la ligne d'horizon, brise langoureuse et frémissante comme une caresse qui remuait la houppe des palmiers. Signes palpables d'éternité, message somptueux du ciel. Le temps n'existait plus. Tu es là, je suis là. Goûte l'instant qui n'a pas d'âge, ne te presse pas, hier est déjà demain, la mort précède la vie comme le jour contient la nuit. Regarde ce palma real (palmier royal), « il sait », me disais-je, en admirant sa silhouette haute. Son apparente fragilité défie le temps et les déchaînements de la nature. On a vu des ouragans déraciner les ormes et les chênes; les palmiers, eux, sont souples, ils ploient et se redressent.

Il faut l'avouer, je me balançais dans la vie avec l'élégance d'un palmier royal. Je pratiquais avec désinvolture la philosophie du « mañana », comportement bien connu qui consiste à remettre au lendemain ce que l'on peut faire le jour même. Ainsi passaient les minutes, les heures, les jours. Cette lente distillation du temps me préservait de l'ennui. Car les gens qui s'ennuient sont pour moi des gens toujours pressés, qui paniquent s'ils n'ont pas un rendez-vous, une tâche à accomplir, toutes sortes d'obligations imaginaires. Je pouvais rester assis des heures sur un banc, les mains dans les poches, sans rien dire, sans rien faire, sans rien espérer, à savourer le passage du temps, son lent goutte-à-goutte. S'il y a une décision à prendre, je la prendrai demain, s'il faut écrire une lettre, rien ne presse : *Tomorrow is another day*. J'aurais pu naître, vivre et mourir ainsi, caressant l'instant d'un geste paresseux, comme un gros chat.

Lohengrin avait perturbé mon rythme de vie oisif. Il était entreprenant et travailleur mais, dans son souci d'assimilation, il avait aussi appris à se plier à la loi secrète des insulaires : rien ne sert de courir, la graine prend son temps pour germer, la fleur pour éclore, la terre pour fructifier. Chaque chose a son temps de gestation, tout comme les grandes divas d'opéra savent faire attendre leur public afin de rendre leur apparition spectaculaire.

L'irruption volcanique de Gipsie dans ma vie bouleversa tous mes repères, toutes les idées que j'entretenais sur moi-même.

– Un palmier ? Toi, un palmier ? dit-elle en se moquant. Peut-être, mais c'est con, un palmier. Ça se balance au bout d'un tronc en prenant des airs princiers. Si tu étais un palmier, tu peux me croire, je ne serais pas avec toi. Tu te connais mal, mon pauvre !

– Ah bon, sans doute tu vas me dire ce que je suis.

– Le destin m'a placée là pour ça.

– Dis toujours.

– Il y a quelque chose du cactus en toi, tu as la force tellurique du cactus, de ces cactus du désert mexicain qui poussent à vue d'œil. Jeune encore, tendre et un peu assoupi sur les bords. Mais attends que je te montre comment faire sortir tes épines, un beau hérissement d'épines.

Ce qui fut dit fut fait. En un rien de temps, mon rythme de vie changea. Les jours et les heures s'enchaînaient, les mois défilaient à toute vitesse. C'était la course du matin au soir : cours à l'université, repas et temps de pause, activités politiques dans lesquelles je m'étais laissé embringuer. Gipsie occupait le reste par des sorties mondaines et culturelles et nos longs ébats nocturnes en haut de sa tour. Elle m'avait fait cadeau d'un somptueux agenda en cuir damassé où mon nom flambait en grosses lettres dorées. Le papier était tellement fin et soyeux que je n'osais y toucher. Je l'avais déposé comme un talisman sur ma table de nuit, décidant que je laisserais l'agenda vierge et y consignerais à la fin de l'année uniquement les moments forts.

Pour m'y retrouver dans les dédales complexes de mes activités, j'utilisais des petits carnets à deux sous achetés dans les « ten-cents » de Woolworth où la population peu fortunée de La Havane s'approvisionnait en produits made in USA. J'avais toujours un de ces carnets sur moi, il m'arrivait même de les oublier dans les poches d'une chemise et ils me revenaient de la blanchisserie sous forme de papier mâché et tout mon emploi du temps s'en trouvait alors perturbé. J'aimais bien ces carnets, j'y inscrivais seulement des chiffres et non pas le jour de la semaine. Peu m'importait de savoir quel mois et quel jour nous étions, les jours se ressemblaient, pairs et impairs. Le climat cubain permettait ce genre de fantaisie. Hormis la chaleur intense des mois d'été, tout le reste de l'année la lumière, l'humidité ambiante, les habitudes vestimentaires, la sueur et le soleil étaient les mêmes.

Un beau jour du mois d'avril, voilà que la notion du temps me sauta de nouveau à la figure. Pourtant c'était un jour comme les autres. Depuis que j'avais une liaison avec Gipsie, je m'étais installé une chambre au fond de notre maison. Elle avait l'avantage d'avoir une entrée indépendante, réservée aux domestiques et aux livreurs. Je pouvais rentrer tard la nuit sans réveiller ma mère ou lui faire croire, en rentrant à l'aube, que j'y avais passé la nuit. Car elle insistait pour m'amener mon petit déjeuner au lit avant que je parte à l'université. Je rentrais donc exprès pour ce petit déjeuner, ça la rassurait, nous entretenions ce mensonge comme un rituel.

– Je t'ai attendu hier soir.

– Tu dormais, maman, je n'ai pas voulu te réveiller.

– Non, je ne dormais pas ; l'insomnie m'a donné la migraine ou la migraine l'insomnie, toujours est-il que je n'ai pas fermé l'œil. Tu es rentré très tard, non ?

– Minuit passé.

– J'ai entendu la porte de derrière grincer vers trois heures du matin.

– Tu rêvais, petite maman, ou alors c'était la porte des toilettes, je me suis levé au milieu de la nuit.

Ou encore :

– Tu m'as entendu rentrer hier soir? Je me suis arrangé pour ne pas faire de bruit.

– Je ne sais pas, je n'ai rien entendu, j'avais pris un cachet, ces saloperies m'assomment littéralement.

– Tu en prends encore?

– Quand vous n'êtes pas là, ton père et toi, je vis dans la terreur qu'il vous arrive quelque chose.

– J'étais là, maman. A minuit dix pile. De peur de rater la dernière guagua.

– Je dormais à poings fermés.

Ces dialogues se répétaient, à quelques variantes près, instaurant entre nous un statu quo dont Gipsie s'amusait. Depuis notre première rencontre, elle avait pris l'habitude de me raccompagner chez moi en voiture. Si je ratais le dernier passage de l'omnibus, restaient les taxis qui abondaient dans son quartier, mais elle refusait de me laisser partir, prétendant que, repu et détendu après nos parties amoureuses, je risquais de réveiller les instincts de viol des chauffeurs de taxis, que j'étais une provocation vivante, une incitation au crime.

Nous descendions directement au troisième sous-sol où sa voiture était parquée. Elle ne prenait pas la peine de se rhabiller, enfilait un saut-de-lit sur son déshabillé transparent et des chancletas aux pieds, histoire de réveiller tout l'immeuble au passage. Qu'il pleuve ou qu'il vente, profitant de la brise légère de l'aube ou de fins de nuits étouffantes, Gipsie me raccompagnait jusqu'au seuil de la maison et attendait pour redémarrer que j'aie refermé la porte derrière moi. Quand je lui demandais pourquoi elle se donnait cette peine, elle se justifiait ainsi :

– Je déteste les féministes, parce qu'elles ont brouillé les pistes en plaçant leur combat sur le terrain du pouvoir. Terrain pourri. Regarde ces « business women », ces battantes, ces amazones d'un nouveau genre. Ce sont des hommes en jupons, des travelos. Le vrai combat se gagne au jour le jour, et c'est la vie quotidienne qui fait la différence entre un homme et une femme. Les habitudes, les petits riens. Supposons que tu aies une voiture, supposons que tu saches conduire, tu trouverais alors normal de me raccompagner chez moi. Eh bien, la situation est renversée. J'ai gagné une bataille. C'est moi qui te conduis.

Elle allait plus loin dans son argumentation, soutenant qu'en acceptant ses nombreuses invitations, je participais indirectement et sans faux complexes machistes à la cause de la libération des femmes.

– Toutes ces grues que tu invites au cinéma ou à goûter se foutent éperdument de savoir si tu as de l'argent de poche ou non. Elles jouent leur rôle de petites femmes fragiles que l'homme doit pourvoir en pain, chauffage, fringues et qu'il doit en plus combler sexuellement... sous prétexte de leur infériorité atavique. Fais-moi le plaisir d'être le militant d'une nouvelle morale sexuelle. Je paye parce que je veux, parce que je peux. Tu payeras quand tu pourras, pour le reste on s'en fout.

Au début de notre relation, quand nous arrivions au guichet d'un théâtre ou d'un cinéma ou que le maître d'hôtel me mettait sous le nez la note sur une assiette d'argent, je la repoussais discrètement vers Gipsie, écarlate de honte. Puis je finis par accepter cette situation. C'était devenu un jeu entre nous. Gipsie payait avec ostentation et nous partagions le plaisir pervers d'observer la tête de nos voisins quand elle faisait tomber des dizaines de pesos sur le comptoir des bars et les tables de restaurant. Je prenais alors un air angélique et la remerciais de sa générosité.

Comment, ce jour-là, ai-je réalisé le brusque passage du temps? Il y avait neuf mois exactement que nous nous étions rencontrés. Le temps de gestation d'un enfant. Rien dans cette journée n'indiquait qu'elle devait devenir mémorable. J'avais noté sur un carnet : « Matin, fac. Cours de grec et de philo. Midi, cafétéria, Lohengrin, réunion des délégués. Après-midi, bibliothèque, école buissonnière? Soir, auditorium, Gipsie, American Ballet Theater, Alicia Alonso, dans une chorégraphie d'Antony Tudor. »

L'après-midi, j'avais séché les cours pour me reposer à la maison, voir un peu ma mère que j'avais négligée ces derniers temps et être frais et dispos pour le soir. Les représentations de l'American Theater étaient toujours un événement à La Havane, pour leur indiscutable qualité artistique mais aussi grâce à la présence d'Alicia Alonso, consacrée première ballerine de cette formation qui comptait dans ses rangs la Markova, Nora Kayes, Melissa Hayding, ainsi qu'Anton Eglevski et Jerome Robbins. Le chauvinisme cubain triomphait : une petite Cubaine, métisse de surcroît, avait triomphé là où tant d'autres – Russes, Américaines, Anglaises – s'étaient cassé le nez, à New York, dans une des plus prestigieuses compagnies du monde. Alicia Alonso avait de quoi alimenter la légende : elle avait démarré comme girl dans un show minable de Broadway pour pouvoir se payer des études, puis était devenue une star d'un jour à l'autre en remplaçant la Markova dans *Giselle*. En plus, elle était en train de perdre la vue, ce qui rendait héroïques ses performances aux yeux du public. On disait aussi qu'elle avait refusé de changer son nom pour l'américaniser. Vraies ou fausses, ces rumeurs réveillaient l'imagination du public cubain qui lui vouait une véritable dévotion. On prétendait que le rôle qu'Antony Tudor avait écrit pour elle à New York était le plus beau, le plus difficile, le plus extraordinaire de toute l'histoire du ballet classique. Il s'inspirait d'un fait divers, l'histoire d'une pauvre jeune fille qui avait pris une hache et décapité ses parents!

L'hystérie et le snobisme des ballettomanes étaient à leur comble. A peine entrée sur scène, Alicia Alonso subjugua son public. Et lorsque, ses longs cheveux noirs flottant au vent, elle attrapa la hache et s'envola dans un furieux solo pour aller décapiter ses parents, la salle entière retint son souffle, persuadée de vivre un grand et rare moment de bonheur collectif. Cette artiste immense, dans la force de l'âge et au faîte de son talent, dépassait encore sa légende. Nous étions conscients d'avoir assisté à un exploit, d'avoir partagé le privilège de ce moment de rage, de beauté pure et fugitive dont seule notre mémoire garderait la trace.

Le charme fut brusquement interrompu par une tornade d'applaudissements et les cris d'un public en délire. Puis ce furent les commentaires des pédants, les dithyrambes monocordes des fans, les propos amères des jaloux et des blasés. J'aurais voulu courir jusqu'à la mer, monter à l'assaut de la tour de Gipsie et me perdre avec fougue dans ses bras tant mon émotion était forte, mais Gipsie insista pour aller souper au Carmelo. Elle savait que sa mère y serait. Elle voulait, disait-elle, lui gâcher son dîner. Il me fallut donc céder à ses caprices.

Au Carmelo, elle demanda qu'on nous place près de la table où dînait sa mère, accompagnée de deux autres femmes.

– Regarde-les, trois cacatoès! Si mon pauvre père la voyait! C'est vraiment malheureux! Elle se croit belle et distinguée, une maquerelle. Tout en elle est faux, cils, dents, couleur des cheveux. Il paraît qu'elle s'est fait trafiquer les tétons et tirer la gueule à Boston. Si ce qu'on dit est vrai, je lui supprime sa pension pendant trois mois. N'est-ce pas, ma patate douce, mon boniatillo chéri?

Ce disant, elle m'ébouriffe les cheveux d'une main et me plante un long baiser en pleine bouche, juste pour énerver sa mère. Un autre soir j'aurais peut-être joué son jeu avec complaisance, mais j'étais encore sous le choc du spectacle et le comportement de Gipsie me parut vulgaire. Comme tout le monde dans le milieu où j'ai été élevé, on parle à tort et à travers de la nécessité de l'art, de l'enrichissement qu'il nous procure, de son rôle éducatif. *Bullshit!* L'émotion artistique ne s'explique pas, on la reçoit comme un coup de poing. Si plus tard elle réveille une réflexion, tant mieux. Mais les mots viennent a posteriori.

Et ce soir-là je venais de décider que l'art serait pour moi comme un combat de boxe. Quel qu'en soit le moyen d'expression, peinture, musique, cinéma, danse, on reconnaît une œuvre d'art à la manière dont elle vous laisse KO. C'est pour moi le seul critère. C'est donc sous le choc de cette émotion, de ce combat que se livrent ma tête et mon cœur que je subis comme un affront le geste de Gipsie.

— Arrête, ne sois pas ridicule! dis-je en reculant.

Elle essaye de reprendre mes lèvres. Je détourne le visage, furieux, et reçois de plein fouet le regard de sa mère. La vieille dame n'a rien d'un cacatoès ni d'une cocotte. Son visage diaphane et tendu dégage plutôt une belle lumière. Ce qui doit rendre Gipsie furieuse, c'est de constater qu'elle ressemble beaucoup à sa mère. Il y a un air de famille évident dans les gestes, l'élégance désinvolte, cette manière particulière de lever le menton pour défier son monde. Seuls ses yeux sont différents. Gipsie a hérité du regard fier et dur de son père. Dans le regard de sa mère il n'y a pas une ombre de reproche, aucun mépris. Seulement un désarroi profond. La voix de crécelle de Gipsie me fait tressaillir :

— Arrête de la reluquer, elle va prendre ça pour une invitation, et se croire autorisée à venir nous dire bonjour. Si elle approche, je te préviens, je la gifle!

Je la connaissais suffisamment pour savoir que ce n'étaient pas des propos en l'air, qu'elle était capable de passer à l'acte. Quand sa figure se rétrécissait ainsi, on pouvait s'attendre aux pires débordements. Et tout à coup, je ne sais pourquoi, j'ai eu envie de lui poser une question saugrenue. Les mots me brûlent les lèvres et je lui demande à brûle-pourpoint :

— Qui suis-je pour toi, Gipsie?

— Pardon?

Elle me regarde comme si elle ne m'avait jamais vu, comme si j'étais devenu tout vert, avec des yeux rouges et des antennes sur la tête.

— En voilà une drôle de question.

Elle appuie les coudes sur la table et pose son menton entre ses mains ouvertes, inclinant le visage à la manière de Lauren Bacall, une manière de prendre la mesure de ce qu'elle va dire, de se donner du temps pour préparer une réponse, avec humour.

– Une drôle de question pour une bien drôle de situation, en effet.

J'imite sa pose sans aucune gêne :

– Neuf mois que nous sommes ensemble.

– Ma liaison la plus longue. Je ne m'en suis même pas rendu compte! Arrosons ça tout de suite. Garçon! Une bouteille de Dom Pérignon!

Elle parle un peu trop fort, pour que sa mère, qui s'est discrètement levée pour partir, puisse entendre.

– Neuf mois... Dis-moi ce que je représente pour toi, Maria del Carmen.

Elle lève les yeux au plafond, allume une nouvelle Pall Mall, me toise du regard, non sans cacher un léger agacement.

– Ma parole, ça devient très sérieux... Voyons... ce que tu es pour moi...

Elle regarde le champagne couler dans les verres en moussant et attend que le serveur se soit éloigné. Puis elle poursuit :

– Mon compagnon, mon boy-friend officiel, mon bel amant. Si j'avais le talent d'Apollinaire, je te le chanterais, comme il a si bien su chanter sa rencontre avec un voyou de Londres. Que veux-tu que je te dise?

Elle boit deux coupes de champagne coup sur coup, sans respirer, sans me regarder. Ce n'est pas bon signe, elle est en colère.

Au début de notre rencontre, elle avait tout de suite établi certaines règles du jeu :

– Je ne peux dormir que toute seule, même si mon lit est immense.

– Ça tombe bien, il faut que je rentre chez moi le soir, à cause de ma mère.

– J'ai horreur des déclarations d'amour, ça dévitalise la passion entre les amants.

– Je jure de ne jamais t'appeler ma biche, ni ma puce, ni mon sucre d'orge!

– Imbécile! Ça n'est pas ce que je veux dire. Les petits mots cons, c'est charmant. Ce que je déteste, ce sont les déclarations amoureuses dites d'un air transi et grave... Ah oui, autre chose...

– Je t'écoute?

– Si tu en as marre de moi ou que j'en ai marre de toi, on se le dira, d'accord?

– D'accord.

Pendant qu'elle allume une cigarette après l'autre et vide des coupes de champagne, je lui rappelle notre pacte.

– Neuf mois ont passé. Nous n'en avons pas encore marre l'un de l'autre? Je ne te demande pas de me faire une déclaration. Je me demande juste si un jour tu serais capable de prendre une hache et de me décapiter, ou simplement de me tourner le dos sans me regarder, comme tu fais en ce moment.

Elle prend ma main et la serre dans la sienne, toujours sans me regarder.

– Ça va, j'ai entendu le message. Je suis trop ivre pour te répondre. Montons chez moi. Sans rien nous dire. Et je répondrai à ta question.

– Mañana.

– Oui, demain. Ou dans neuf mois. Sauf si je prends une hache comme Alicia et que je fais tomber quelques têtes. Celle de ma mère, ou celle de ce pauvre type, là, qui nous regarde bouche bée, ou la tienne, par exemple, who knows?

Nous en sommes restés là. Trois semaines plus tard, un soir, en me reconduisant chez moi, elle sort un gros cahier de la boîte à gants et me le pose sur les genoux.

– Tiens, c'est pour toi.

– Qu'est-ce que c'est?

– J'ai essayé de répondre à ta question.

Je m'empare du cahier, claque la portière de la voiture et m'éloigne sans un mot. Au moment d'entrer dans la maison, je me retourne vers elle. Elle est derrière le volant, la poitrine nue sous son négligé transparent. Elle lève la main et me sourit, puis elle démarre en trombe en faisant crisser les pneus dans la nuit noire. J'ouvre le cahier. Une bonne partie des pages du début et de la fin sont vides. Elle n'a rempli de son écriture franche et déterminée que les pages du centre. Ça fait l'effet d'un message dans une bouteille jetée à la mer. Un message écrit pour soi, une nuit d'insomnie. Je suppose que, si Gipsie avait commencé à la première page, elle se serait arrêtée très vite. Elle m'a souvent parlé de ces quantités de pages noircies de poèmes, de ces cahiers où elle écrivait son journal, les rêves, les pensées obsédantes qu'elle notait d'une écriture automatique.

En gros caractères, au milieu d'une page, elle avait écrit en diagonale :

DÉTRUIRE APRÈS LECTURE

D'où me vient cet intérêt constant pour tout ce qui touche à la psychologie, à la psychanalyse, au cerveau humain ? C'est la question que tu aurais pu te poser. Qu'est-ce que je cherche ? A mieux me connaître, à connaître les autres ? Si tel était le cas, ce serait une source de déception permanente, car prétendre connaître quelqu'un me paraît relever du domaine de l'impudeur et de la grossièreté. Je n'attends pas de la psychanalyse la connaissance avec un grand C mais, au contraire, ce que j'aime en elle, c'est qu'elle renforce les tendances au mythe et à la fabulation.

Prenons mon cas. Avais-je besoin de me payer une centaine de séances de psychanalyse pour savoir que j'étais amoureuse de mon père et que je nourrissais une haine féroce pour ma mère ? Je l'ai toujours su, dès l'âge de cinq ans. Mais le savoir ne suffit pas, car c'est là que le mystère commence. Pourquoi, dès que quelqu'un m'intéresse ou que je me sens proche de lui, faut-il que je retombe dans mes terreurs enfantines, mes obsessions ?

La raison, je l'ai trouvée après avoir dépensé une fortune en livres, stages, cours, séances de divan : parce qu'on essaie toujours de donner une explication logique, scientifique, humaine à tout ce qui touche à l'activité de ce bipède qu'est l'être humain : l'homme... toujours l'homme... il continue à être au centre de toutes nos recherches. Freud a exploré l'inconscient. Il a fait un grand pas, certes, mais il a été incapable de franchir une barrière. Encore un pas et nous étions sur le terrain de la Bête. S'il avait vécu jusqu'à la fin de la guerre, Freud aurait tout compris. Cette idée me hante. Je soupçonne qu'un jour la biologie et la génétique feront des progrès qui viendront corroborer mon intuition. Dans la très lente évolution qui va de l'invertébré au bipède, un anneau de bestialité pure est resté enfoui dans les circonvolutions du cerveau humain. Les légendes, l'art ont transformé cette vérité en images et allégories : la lutte de l'Ange et du Démon, le combat du Bien et du Mal... Mais le Mal, ça n'est pas abstrait. Les religions y ont mis leur grain de sel, avec toutes leurs panoplies de croyances et de doctrines. Dieu a fait son apparition, comme un reflet lointain, inaccessible de ce que l'homme devrait et pourrait être s'il remplissait son contrat avec le Dieu des Dix Commandements, les enseignements du Bouddha, la philosophie du Tao, que sais-je ? Depuis la création du monde, de pogroms en autodafés, de l'invasion barbare de Rome aux camps de concentration d'Auschwitz, les forces du mal ancestrales demeurent, elles défient et se moquent des explications humanistes qui ont ponctué les siècles de leurs interprétations.

Je reste persuadée que les rites des Aztèques, des Indiens d'Amérique étaient plus proches de la vérité quand ils sacrifiaient des hommes jeunes et beaux pour calmer les sombres desseins d'un dieu sanguinaire et bestial. J'ai fait cette découverte toute seule : pour moi, le jugement de Nuremberg n'a été qu'une vaste mascarade. D'honorables jurés et juges se sont escrimés à juger selon les critères d'une justice humaine des fauves sanguinaires et inhumains.

La Bête peut à tout instant se réveiller chez le plus pur, le plus doux, le plus innocent des hommes. On le voit dans les crimes passionnels, ou chez un type qui devient fou et se met à tirer sur les siens. Au procès de Nuremberg, on a essayé de juger comment un démiurge, un grand prêtre nommé Hitler avait pu réveiller la bestialité, la folie de tout un peuple. L'imagination populaire ne s'y est pas trompée lorsqu'elle traitait de « Louve » la kapo nazie qui faisait sur les hommes des expériences qu'on n'aurait pas osé faire sur des animaux.

Des louves, des loups enragés. Voilà ce que sont les nazis, aurait dit le docteur Freud. Et allez coucher un loup sur votre divan d'analyste, il vous arrachera les yeux.

Je ne connais pas non plus d'œuvre plus intuitive et plus clairvoyante sur la nature humaine que ce Doctor Jekyll et Mister Hyde que le cinéma ne cesse de revisiter. Nous avons tous en nous un Mister Hyde qui se cache. Mais l'auteur a fait une analyse judéochrétienne du phénomène : la dualité de l'Ange et du Démon. Il n'y a pas de dualité, nous sommes l'un et l'autre, homme et bête en même temps. A la suite de quoi se produit le déclic, par quelle chimie physiologique, quelle hormone dans nos gènes se réveille un jour ? C'est à ça qu'il faudrait pouvoir répondre. Je n'en sais rien, personne n'en sait rien. Sans doute faut-il chercher au-delà des notions de Bien et de Mal.

J'ai beaucoup interrogé les Indiens du Mexique et j'ai pas mal réfléchi sur moi-même. Les anciens faisaient des sacrifices humains, disaient-ils, pour exorciser l'instinct de mal collectif. Imagine une renaissance du nazisme et un président américain qui, au nom de la démocratie et pour sauver les citoyens libres du monde, dirait : je m'offre en holocauste pour sauver la paix du monde, brûlez-moi pour empêcher que le nazisme renaisse. Ou le pape réunissant une grand-messe sur une des sept collines de Rome et se couchant sur l'autel pour qu'on lui arrache le cœur, afin de préserver le monde des horreurs du communisme. Le chef spirituel d'une nation qui sacrifierait sa vie pour faire taire les forces du Mal.

Dans les ateliers de théâtre on a l'habitude, quand on fait des improvisations, d'interpréter des animaux. Une fille cherche la panthère en elle, un garçon le lion, le singe ou le serpent. Et on se met à quatre pattes, on rampe, on glisse, on rugit, on sort ses griffes et on se contorsionne. A travers ces sortes de simulacres, on *cherche à s'exprimer. Mais imagine qu'on se trans-forme vraiment en animal le temps d'une crise de jalousie ou d'une fornication! Si chacun avait les couilles d'affronter sa propre bestialité, ce serait peut-être une façon de résoudre les problèmes de l'humanité.*

Après ces digressions, venons-en à la question que tu me posais. Que peux-tu bien signifier dans ma vie? Revenons en arrière, à la soirée du bal de fin d'année. Je n'avais rien à faire là mais, en pensant à mes rela-tions avec ma petite cousine, la douce enfant du frère unique de ma mère, le serpent venimeux qui sommeille en moi s'est réveillé. La jeune fille ne m'avait jamais particulièrement intéressée. Jolie et sotte, elle semblait incapable de comprendre les terribles exigences de la vie : la luxure, la cruauté, la haine, toutes ces merveil-leuses passions qui couvent dans votre ventre quand vous avez compris que le jardin des délices de la vie est un nid de violences. Je savais que mes parents crai-gnaient la mauvaise influence que j'avais sur la jeune fille. On acceptait volontiers les cadeaux que je lui fai-sais, mais pour rien au monde on n'aurait consenti à laisser la mignonne avec moi un week-end. Cela m'était complètement égal d'ailleurs, mais ce soir-là c'est Mercedes qui m'avait appelée pour que je lui serve de chaperon. Mercedes de la Conception, s'il vous plaît. J'ai compris à la manière dont elle me regardait, m'écoutait parler, que je représentais pour Merci une madone des enfers, une femme fatale, l'incarnation du péché. Je l'attirais, la fascinais et lui faisais peur. C'était l'occasion de me venger de mon oncle maternel et de sa stupide épouse. Je connaissais la musique. J'amènerais Merci au bal, j'avais souvent été dans ces sortes de bal quand j'étais étudiante. On commençait sur la piste et cela se terminait dans un hôtel de passe ou sur les pelouses de quelque campus. Je voulais la dévergonder. J'ai cru un moment que ton Lohengrin allait faire l'affaire. Je n'aimais pas son côté reptile et froid, il était trop proche de moi, mais apparemment il exerçait sur Merci une certaine fascination.

Puis je t'ai vu traverser la salle, raide comme un prie-

Dieu, l'air hautain et désespéré. Mon cœur n'a fait qu'un bond. Ce garçon, me suis-je dit, va périr entre mes bras. Tu étais la proie idéale. Tu n'étais rien d'autre qu'une proie, pourquoi te mentirais-je ? J'avais envie de planter mes crocs dans ta chair tendre, tout le reste n'est que littérature. Je pensais qu'au bout de quelques jours, de quelques semaines, j'aurais fait le tour de la question, que comme tant d'autres avant toi, je te sucerais la moelle puis te rejetterais. Les cobras ont besoin de proies toujours plus fraîches.

Qu'est-il arrivé ? Je n'en sais rien. Le temps a passé et tu étais toujours là. Je t'avais dévoré, je t'avais englouti et tu étais en moi. Par quel mystère le cobra s'est transforme en boa ? J'ai pris goût à mon rôle d'initiatrice, je me suis prise au jeu. J'aimais m'afficher avec toi à la plus grande honte de ma mère, je me sentais une âme de pédagogue. Dieu, que ton éducation avait été chaotique ! Totalement ignorant des choses indispensables à l'homme moderne et terriblement érudit sur certains points. C'était une émotion tout à fait inconnue pour moi, soudain je découvrais le sentiment de maternité. Mère et amante, prêtresse de l'amour et maîtresse, au sens scolaire du terme, que pouvais-je souhaiter de mieux ?

Je t'ai appris à regarder un tableau, à écouter une musique, à ne pas te laisser manipuler ni influencer par les autres. Tu sais maintenant que les premiers films de Cantinflas parlent mieux de la pauvreté et des petites gens du Mexique que ces Olvidados de Luis Buñuel, portés au pinacle par tous les critiques de la gauche bien-pensante. Tu sais que le Duke Ellington du Cotton Club est aussi important que le Toscanini du Metropolitan de New York, que la bande dessinée Terry et les Pirates peut rivaliser avec un Paul Klee ou un Miró. Et je sais qu'un jour tu me remercieras de t'avoir ouvert les yeux et le cerveau et appris à déjouer la stupidité des snobs et des fats.

Où en sommes-nous aujourd'hui ? J'ai été tentée de te demander de me suivre dans mon périple en Amérique et en Europe. Il faut que je parte, que je me développe, que je découvre d'autres continents, d'autres sources de plaisir, il ne faut pas que je m'arrête. Je n'ai jamais dit « je t'aime » à aucun homme, même pas à mon père. Je lui disais : « je vais rester avec toi ». C'était ma manière de lui prouver mon amour. C'est aussi pourquoi je t'ai demandé de m'accompagner dans mon voyage, je veux être avec toi, mais vouloir t'emmener dans mes bagages est une erreur. Alors... je pars et tu vas rester... Qui peut dire de quoi demain sera fait ? Tout peut arriver dans cette jungle tropicale, je te laisse, petit puma. Vais-je te retrouver avec la parure des grands fauves ? C'est ce que nous allons voir. Mais, si un jour je te vois arborant la couronne du roi de la jungle, la mère boa que je suis, enroulée sur une lourde branche, pourra se dire : il est mon œuvre, je suis fière de lui et de moi.

Il y avait d'autres pages, d'autres idées en vrac, des phrases que je ne me lassais pas de relire, essayant de deviner ce que cachait ce style parfois biscornu et ironique. Je pris l'habitude de relire le texte d'un trait, sans pause, comme elle donnait l'impression de l'avoir écrit, jeté sur le papier, et chaque jour j'y trouvais une nuance nouvelle dont je me promettais de lui parler. Mais la date de son départ approchait et nos sorties avaient pris un rythme frénétique. Craignions-nous l'un et l'autre de nous attendrir en pensant à la séparation prochaine ?

Un soir que nous avions trop bu et qu'elle me raccompagnait à la maison, je lui ai demandé :

– Dis-moi que tu m'aimes. Au moins une fois.

Elle a écarquillé les yeux, s'est mordu les lèvres comme pour s'empêcher de lâcher un gros mot ou une phrase cinglante et, d'une voix rocailleuse, presque inaudible :

– J't'aim', a-t-elle dit.

Puis, sans transition, elle est partie d'un énorme éclat de rire.

– Bambi ? tu as entendu ? La version gouailleuse de Bambi !

En prévision du départ de Gipsie je lui avais préparé un cadeau qui pourrait l'occuper pendant deux mois : soixante petits poèmes qu'elle lirait au rythme d'un par jour en souvenir de notre rencontre. Je ne me faisais guère d'illusions sur la qualité des poèmes, mais ils avaient le mérite d'être courts. J'avais raturé sans fin, revenant cent fois sur un mot, essayant d'exprimer au plus près mes sentiments. Grâce aux économies que j'avais faites avec Gipsie qui payait tout pour moi ces neuf derniers mois, j'avais amassé une petite somme d'argent de poche – deux cent trente pesos. Je m'étais décidé à éditer mes poèmes avec la complicité d'un imprimeur ami de mon père, sous la forme d'une plaquette tirée à cinq cents exemplaires. Je destinais à mes amis cette première œuvre modeste, imprimée sur un papier fruste avec une couverture en carton. Si mes lecteurs se montraient enthousiastes, il serait toujours temps d'envisager par la suite une édition plus soignée destinée aux critiques et aux milieux intellectuels.

Quand l'éditeur me mit les premières épreuves dans les mains, ce fut la consternation. C'était une chose de lire mes textes écrits à la main sur un cahier, tapés à la machine sur des feuillets indépendants, c'en était une autre de voir sur les grandes feuilles de papier rugueux de l'imprimeur une dizaine de poèmes collés bout à bout comme des orphelins, des oiseaux frileux sur une branche. Tout à coup, les mots, le rythme s'étaient évanouis et ils me semblèrent ridicules. Devant ma pâleur subite, mon ami chercha à me rassurer.

– C'est toujours comme ça.

– Quoi ?

– Tu n'es pas le seul. A tous, ça leur arrive, ils se décomposent comme toi quand ils voient les premières épreuves de leurs œuvres : les professeurs devant leurs essais, les étudiants et leur thèse, les journalistes avec leur recueil d'articles, c'est la déception assurée.

– Mais ce sont des poèmes, tu comprends, des poèmes ! Pas n'importe quelle écriture. Un acte d'inspiration et de foi, des pierres précieuses, des bijoux rares, écrits avec son sang et sa chair... c'est de la merde!

Un long silence s'ensuivit. Bruno, l'imprimeur, était un mulâtre longiligne tout en os, les joues émaciées trouées de petite vérole. Les mauvaises langues disaient qu'il arrondissait ses fins de mois en vendant sous le manteau des romans pornographiques à vingt centimes – somme modique pour les lycéens de l'Institut de Vibora qui se trouvait en face de sa boutique. Je refusais de croire à ces calomnies. Primo, Bruno était un ami ; secundo, il me laissait imprimer chez lui mes poèmes ; tertio, je refusais de juger les gens sur leur apparence. Seules comptaient pour moi les qualités intérieures. Certes avec sa maigreur, ses joues en passoire, son regard oblique de mulâtre au sang chinois, ce Bruno avait une sale tête de traître de mélodrame. Mais je connaissais ses qualités : il était généreux (il ne me fit payer que cent pesos pour cinq cents exemplaires), avait le sens de l'humour, racontait des anecdotes hilarantes et était curieux de tout. Dans l'atelier qui jouxtait son imprimerie, les piles de livres montaient jusqu'au plafond : géographie, atlas, sciences naturelles, anatomie... et des collections du *Reader's Digest*, considéré à l'époque à Cuba comme la revue culturelle par excellence. Dans cet atelier j'entrais et je sortais comme je voulais. « Bruno, j'emporte cet album sur Palladio » ; « Je t'emprunte ce livre de géo ».

Il ne disait jamais non. Un jour j'ai déniché deux boîtes en carton pleines de livres de poche où tout – le papier, les caractères, la couverture – révélait qu'ils avaient été tirés vite, à l'économie. Il s'agissait d'un roman érotique qui avait pour titre *Les Plaisirs de Pepita*. Des dessins grossiers mais franchement explicites me firent rougir jusqu'à la racine des cheveux. Je m'étais dit que j'en apporterais un à Gipsie pour rire, mais quelques pages suffirent à m'en dissuader. Même la très libre Maria del Carmen Molina de la Sierra aurait été choquée par la vulgarité du langage et les scènes d'accouplement minutieusement décrites dans le « roman ».

Par contre, ce qu'un pornographe pouvait penser de ma timide collection de poèmes m'intéressait au plus haut point. Bruno sortit de son silence et de sa voix rauque d'ancien phtisique et de fumeur impénitent :

— Je les trouve bien. C'est ce que j'aurais aimé écrire à ma première fiancée. Tu n'as pas à avoir honte, tu sais.

Tout dans la vie étant relatif, je me suis fait à l'idée que je n'avais pas à rougir de mes poèmes, tout comme lui, Bruno, n'avait pas le moindre scrupule à revendiquer la publication de la série des *Pepita* : *Les Plaisirs de Pepita*, tome 2 ; *Les Trois Mariages de Pepita* ; *Pepita et les hommes aux longs cigares*.

M'ayant surpris en train de lire *Pepita*, Bruno entreprit de me vanter l'aspect moral, physiologique et pédagogique de sa démarche d'éditeur.

— Tu as la chance d'avoir une maîtresse expérimentée qui t'a tout appris. Mais pense aux mômes qui sortent du lycée. Ils viennent ici, les angoissés, les boutonneux. A Cuba il n'y a pas d'éducation sexuelle comme il paraît qu'il y en avait en Russie, au début de la Révolution. Où veux-tu que nos rejetons apprennent à baiser ? Chez les putes ? Ils sont trop pauvres ou ils ont peur de choper des maladies, comme beaucoup d'entre eux me l'ont avoué. Alors, ils apprennent dans les livres.

— Excuse-moi, Bruno, je suis d'accord sur les intentions, mais ta Pepita, tu ne la trouves pas un peu nymphomane, non ?

— Penses-tu ! Pepita existe, mon frère. C'est elle qui m'a tout enseigné. Elle s'appelait Laudelina Cumbarta et n'était ni pute ni nympho. Une paysanne de trente-sept ans, mère de cinq enfants. Je l'ai connue quand j'avais seize ans. Son imbécile de mari dépensait tout son argent chez les putes pour leur faire ce qu'il n'osait faire à Laudelina. C'est l'éternel problème, mon frère.

— Quel problème ?

— Sa femme était un objet sacré. Elle servait à faire des enfants, une pondeuse, et pour le plaisir il allait voir les putes. Mais la paysanne n'avait pas l'œil dans sa poche et avait une bonne envie de vivre. Elle tirait son savoir de l'observation des accouplements des bêtes. On trouve tout dans la nature, mon frère. Des coqs pédés, des poules gouines, des boucs obsédés et des juments nymphomanes. Du grand art. Laudelina essaya sur moi ce qu'elle avait observé chez les animaux. Et son cocu de mari payait des putes au lieu de se pencher sur les talents de sa femme dont elle n'était pas avare! Alors, voilà ce que je dis aux gamins qui achètent mes livres : regarde ta fiancée, ta future épouse comme une femme, et non pas seulement comme une mère. Elle t'en sera reconnaissante, et tu éviteras de te retrouver un jour marié, père de famille et cocu!

Fort de l'avis sincère et pertinent de mon éditeur-imprimeur, je lui donnai le feu vert pour qu'il mette sous presse mon recueil de poèmes. Pour le premier exemplaire je confectionnai une couverture spéciale. Au-dessous du titre POÈMES, j'inscrivis mon nom et les initiales de Gipsie. M.C.M.S. en lettres dorées. Puis je courus chez ma maîtresse.

Je la trouvai nue sur la terrasse, le corps enduit de crème solaire.

– Ne me regarde pas comme ça! Bien sûr, je déteste le soleil, mais c'est pour renforcer un peu mon teint indien avant d'affronter ceux du Grand Nord. Le folklore latino-américain plaît beaucoup là-haut.

Elle essaya de m'attirer sur son matelas gonflable mais, comme j'avais une réunion à l'université, je me suis contenté de déposer sur son ventre nu la plaquette enveloppée de papier cadeau.

– Je suis venu en messager, à ce soir!

J'ai filé avant qu'elle ait eu le temps de me retenir.

– Ce soir.

Nous y pensions depuis un mois.

– Faisons comme dans une pièce de théâtre, avait dit Gipsie.

– Non, l'épilogue d'un film.

Il s'agissait de fêter nos adieux, de nous préparer à cette séparation provisoire. Gipsie avait décidé de prendre le premier vol pour New York via Miami, ce qui l'obligeait à partir relativement tôt. Nous avions donc décidé de passer notre première nuit ensemble.

Ce soir, je dois m'arranger pour que ma mère accepte l'idée que son fils va découcher. J'ai l'intention de lui dire la vérité. Puis je me souviens des innombrables scènes dont j'ai été témoin entre elle et mon père et qui me paralysent d'angoisse. Je sais avec quelle astuce infinie Madame Sérénité est capable de retourner une situation en sa faveur. Ses tactiques varient : si mon père se fâche, elle n'ouvre pas la bouche et prend un air d'agneau qu'on va égorger; s'il se tait, fier ou accablé, elle se lance dans une de ces diatribes dont elle a le secret. Pas de reproche direct, mais un feu d'artifice de lamentations sur des thèmes plus généraux du style : la situation tragique de la femme dans notre société machiste, l'abnégation, la dévotion des femmes amoureuses, les silences douloureux de la femme négligée... Ainsi pousse-t-elle mon père jusqu'au découragement, il se résigne et reste à la maison.

C'est par crainte de devoir affronter le goût du drame de ma mère que je décide de lui mentir.

— Ce soir, mamina, je ne vais pas dormir à la maison. Nous avons un copain qui est malade et on se relaie à son chevet.

Silencieuse, elle traverse d'un pas lourd la chambre pour déposer sur mon lit la guayabera amidonnée qui sort de la blanchisserie chinoise de la calle Zanja, la seule à qui elle fasse confiance pour son linge. Dans la glace de l'armoire, je la vois déplier la guayabera, froisser le papier qui l'enveloppe, en faire une boule...

— C'est une bonne action. Rien n'est plus angoissant pour un malade que les nuits qui s'étirent, qui n'en finissent pas... et la fièvre qui monte.

— Qu'est-ce que tu en sais? Tu n'es jamais malade.

— Ton père! C'est lui ma maladie. Et je sais ce que c'est que d'avoir le cœur qui saigne au milieu de la nuit, d'être seule avec sa fièvre. Je sais ce que c'est que d'implorer la mort de venir vous délivrer de la souffrance!

172

Je me rends compte qu'elle a tout compris, que mon mensonge ne passe pas. J'ai envie de hurler, de me révolter, de lui dire : « Tu as passé ta vie à attendre mon père et mon père à courir. Qu'y puis-je ? Coincé entre vous deux, j'ai dû supporter tous les orages. Maintenant, j'ai envie de vivre ! »

Mais elle quitte la chambre et mon mensonge se dresse entre nous comme un rempart. Demain, mañana, je lui expliquerai, je lui parlerai sincèrement.

Au moment de quitter la maison, ma mère m'arrête et me colle dans les bras une grande corbeille de fruits.

– Tiens, porte ça à ton ami !

A-t-elle tout compris ? Est-ce sa manière de me dire : offre ça à la personne avec laquelle tu vas passer la nuit, à cette femme qui finira par t'arracher à moi ? Ou est-ce une façon subtile de me laisser entendre qu'elle n'est pas dupe et, par ce geste, de me donner mauvaise conscience ? Quoi qu'il en soit, je suis soulagé de pouvoir m'éclipser sans trop de fracas. Je l'embrasse sur le front :

– Merci, petite maman, tu es un ange.

Elle soupire et je sens une larme tiède rouler contre ma joue.

Gipsie, avec son goût de la mise en scène, a minutieusement soigné les détails de notre soirée. Elle a préparé un dîner aux chandelles sur la terrasse pour profiter de la douceur de cette nuit de juin et mis nos musiques préférées. Le repas a été commandé chez le meilleur traiteur de la ville. Fait exceptionnel, elle a revêtu une de ces robes mexicaines que j'ai souvent admirées dans sa garde-robe mais qu'elle a toujours refusé de mettre car elle les trouvait trop folkloriques.

– Voilà. Une fois n'est pas coutume. Je joue à la china poblana, à la Maria Candelaria pour toi. La jeune Indienne douce et soumise qui sert son maître les yeux baissés.

Pieds nus, les bras couverts de somptueux bracelets d'argent et de pierres précieuses, elle avait tiré ses cheveux en arrière dans une tresse et dégageait des effluves de jasmin.

– Comme à Xochimilco, patroncito, dit-elle en s'amusant.

Pendant le dîner elle déploie tout son charme : attentive, drôle, délicieusement calme. C'en est trop, ce n'est pas dans ses habitudes. Quelque chose me dit qu'elle s'occupe de moi comme d'un convalescent, avec une sorte de compassion, et c'est là que le bât blesse. Alors je comprends qu'elle me ménage, qu'elle retarde le moment de me parler de mes poèmes. Tant de soin à l'éviter est un mauvais présage. Pour une nature aussi directe et franche, son silence témoigne de sa gêne profonde, elle a peur de me faire de la peine, de me blesser. Après un second café arrosé de cognac, je me jette à l'eau :

– Autant dire qu'il vaut mieux brûler les quatre cent quatre-vingt-dix-neuf exemplaires qui restent...

A l'instant, la mauvaise qualité de mes poèmes me laisse indifférent. Une brise légère souffle de la mer. Repu de mets exquis, sentant dans mes veines couler la douce chaleur du champagne, du bordeaux et du cognac que j'ai absorbés, je me sens comme délicieusement anesthésié. Cette apparente indifférence a l'air de soulager Maria del Carmen qui se lève et vient s'asseoir sur mes genoux.

– Non, pas les brûler, mais les ranger dans un tiroir.

– Tu as bien brûlé ton journal, et tu m'as obligé à brûler le beau cahier rempli de confidences que tu m'avais offert !

– De ce point de vue, nous sommes aussi éloignés l'un de l'autre que le pôle Nord et le pôle Sud. Mon moyen d'expression, c'est la parole. J'aurais bien aimé avoir les deux talents conjugués : écrire et parler. Un Oscar Wilde au féminin, en un mot. Mais ce n'est pas le cas. Voilà pourquoi je me fais un devoir de brûler ce que j'écris. Cet effort littéraire me permet d'y voir plus clair, et c'est mieux pour les autres.

– J'ai honte en pensant à la plaquette que j'ai déposé sur ton ventre.

– Honte, pourquoi ? Un auteur, c'est comme un père de famille nombreuse. Imagine un type qui a six

174

gosses. Sur les six, il aura au moins deux superbes spécimens, beaux, forts, intelligents, gentils. Ces deux-là décrocheront tous les prix à l'école et feront une brillante carrière dans leurs métiers respectifs. Deux autres seront honnêtes et travailleurs, mais néanmoins médiocres. Le cinquième sera paresseux et méchant, une graine de voyou. Et le sixième mongolien. S'il n'assume pas cette paternité, le père se conduira comme un connard. S'il aime son petit mongolien et le chérit, on le considérera comme un homme de cœur. Ainsi en est-il des auteurs prolifiques. Penche-toi sur les œuvres complètes d'un grand écrivain, Henry James ou Honoré de Balzac. Avec les chefs-d'œuvre consacrés, on tombe parfois sur une nouvelle ou un roman insignifiant, *La Recherche de l'absolu*, de Balzac, par exemple. A-t-il renié ce livre? Si mes renseignements sont bons, il le considérait comme l'un des plus audacieux de son œuvre. Balzac aimait son canard boiteux.

— Mon problème, c'est que j'ai commencé par pondre un mongolien. Pour une première tentative, c'est embêtant. Mieux vaut la brûler ou la faire disparaître au fond d'un tiroir, non?

— Nenni, offre-la à ta mère, à tes amis, en leur expliquant...

— En leur expliquant quoi? Il n'y a pas à se justifier.

— Explique-leur que ce n'est que la première pierre d'une longue construction qui s'élaborera petit à petit, patiemment : essais, romans, nouvelles...

— Mon Dieu, combien de mongoliens et de bâtards dans tout ça!

— Si dans dix ou vingt ans tu te souviens de mes sages paroles, cela voudra dire que notre brève rencontre aura servi à quelque chose.

— Tu parles comme si nous n'allions plus nous revoir. Ça ne va durer que deux mois...

— J'ai toujours peur avant de prendre l'avion, ou peut-être suis-je devenue sentimentale.

Elle serre ses bras autour de mon cou et enfouit son visage dans le creux de mon épaule.

– Je voudrais que le temps s'arrête, murmure-t-elle.

Je ferme les yeux en essayant d'imaginer ce temps à venir, ces dix ou trente ans qu'a évoqués Gipsie, et j'ai une sensation de calme et de bonheur. En haut de notre tour, à l'abri du bruit et de la fureur de la ville, nous restons l'un contre l'autre, pour éviter de voir s'installer entre nous la distance et l'indifférence, la fin d'un amour. Qu'allons-nous devenir? Nous n'en savons rien encore. Mais la peur de Gipsie fait écho à ma propre angoisse. Dans les bras l'un de l'autre, nous sommes déjà loin, deux météorites étrangers.

L'avion vient de décoller. Je le regarde monter dans le ciel d'été d'un bleu étincelant. De la terrasse de l'aéroport de Rancho Boyeros, on peut apercevoir, au loin, la formation d'une épaisse couche de nuages gris et lourds. Une fois encore, l'orage va déverser ses poches de pluie sur la ville. Mais Gipsie ne sera plus là, et nous ne pourrons plus nous étreindre dans la tourmente, en haut de sa tour, comme l'été dernier.

Gipsie.

Elle a été à la hauteur des circonstances, jusqu'à la dernière seconde. Préférant ne pas conduire après d'interminables étreintes d'adieux et une nuit sans sommeil, elle a loué pour aller à l'aéroport une limousine avec vitres teintées, radio et mini-bar, et un chauffeur noir très stylé. Et, bien sûr, l'air climatisé qui répand une exquise fraîcheur.

– Il te raccompagnera chez toi.

– J'ai dit à ma mère que j'allais veiller au chevet d'un ami malade. Si elle me voit là-dedans, elle va penser que je reviens avec le corbillard!

L'avion n'est déjà plus qu'un point noir dans le ciel, la limousine m'attend en bas et j'ai le cœur lourd. Juste avant de traverser la barrière qui sépare les voyageurs des visiteurs, Gipsie m'a passé au cou une chaînette en or avec une médaille.

– La Vierge de la Guadalupe, patronne du Mexique. C'est un cadeau que mon père m'a fait pour mes sept ans. Je ne l'ai plus portée depuis sa mort. Garde-la, en souvenir de moi.

La couche sombre des nuages a gagné du terrain, et la chaleur se fait plus étouffante et humide malgré l'heure matinale. Déjà on entend les roulements du tonnerre qui se rapproche. Je serre la médaille de la Vierge dans mes doigts et quitte en me hâtant la terrasse.

– A bientôt, dis-je, la peur au ventre, comme pour exorciser un malheur qui pourrait venir de je ne sais où. Des mots pour que la Vierge les entende, et les transmette à celle qui s'est évanouie derrière le rideau du ciel.

Un rien. Un souhait. Une prière.

– A bientôt, Gipsie, bientôt.

De l'inconvénient d'avoir un père qui parle en la mineur

– On cherche quelqu'un pour couvrir l'actualité culturelle, laisse tomber mon père d'un ton neutre.

Comme si tous les jours, le journal, devenu une entité abstraite, se nourrissait d'annonces du même type.

Je suis en train de prendre mon petit déjeuner, assis sur mon lit, le supplément du dimanche du *Diario* sur les genoux. Ce magazine de photos rend compte des événements mondains et offre chaque semaine à ses lecteurs quantité de bandes dessinées.

Mon père est sur le point de sortir. Impeccable dans son costume d'été, ses chaussures à deux tons, sa chemise coupée sur mesure et sa cravate importée de Madrid. Il attend que ma mère lui apporte sa canne et son chapeau. La canne est pour mon père un accessoire de pure coquetterie. Blessé au cours d'un attentat lorsqu'il remplissait son mandat de ministre-sénateur, il s'est entraîné à manier la canne comme Fred Astaire dans ses comédies. C'est aussi une arme défensive discrète : le pommeau en argent massif s'ouvre sur un stylet long et effilé, qui peut devenir, le cas échéant, une arme redoutable entre les mains du redoutable escrimeur qu'il est. Quant au chapeau – il porte un feutre l'hiver, un canotier en paille tressée ou un panama l'été – très peu d'hommes en cette fin des années quarante continuent à en porter. Ce qui est pour mon père un sujet de désolation.

– Ah bon, porter le chapeau n'est plus à la mode ? Disons plutôt que c'est encore un exemple du relâchement des mœurs. Regarde cette photo prise à l'occasion d'un meeting devant le Capitole au début des années trente. Tu me vois là, à la tribune officielle avec mon équipe, et devant nous il y a des centaines d'hommes jeunes, vieux, pauvres, riches, noirs et blancs, qui portent un chapeau, signe de virilité et d'élégance. Dix-neuf ans plus tard, plus un homme dans la rue n'a de couvre-chef! C'est grave, je t'assure. Autrefois tous les enfants, tous les jeunes gens rêvaient de devenir adultes, d'affronter la vie, de la croquer à pleines dents. Aujourd'hui... nous sommes envahis par les comportements et les habitudes américaines. Les vieux dissimulent leur âge. S'ils ne portent plus de chapeau, c'est pour paraître plus jeunes. Moi, je trouve qu'un homme sans chapeau est aussi impudique qu'une femme sans rouge à lèvres.

Ainsi mon père défendait-il son droit, en tant qu'homme public, de porter un chapeau le soir en dépit des habitudes et de la mode. Il en faisait une question d'éthique, mot clé dans son vocabulaire personnel. Car il aimait à distinguer en lui l'homme public de l'homme privé. Au point qu'on pouvait se demander parfois s'il ne souffrait pas d'un dédoublement de la personnalité.

Lorsque l'homme public se manifestait, mon père adoptait un ton coupant, une diction claire : conscient de ses prérogatives, sûr de lui, il avait le geste sec et autoritaire, tranchant net l'argumentation de son adversaire par une phrase cruelle et définitive. L'homme privé était en revanche doux et calme et n'élevait la voix que lorsque les circonstances l'y obligeaient. Alors il bégayait, butait sur les mots : peu sûr de lui, il en devenait froid à force d'être discret et distant. La manière dont il déclara : « on cherche quelqu'un pour couvrir les activités culturelles », au lieu de me dire tout simplement : « il y a une place libre, je te propose de la prendre », en est un bon exemple.

Cela faisait un certain temps que j'usais de toutes sortes de subterfuges pour faire entendre au Docteur qu'il était temps que je me trouve un job, car lui demander de l'argent de poche chaque semaine était humiliant. Étant copropriétaire d'un journal, je considérais qu'il pourrait facilement, s'il le voulait, me trouver quelque chose à faire dans son canard. Jusqu'à présent il n'avait pas répondu à mes appels du pied et, quand ma mère le harcelait à mon sujet, il restait vague :

– Il y a un temps pour tout, l'étude et le travail. On verra après l'université.

Il oubliait ou feignait d'oublier que, lorsqu'il était jeune étudiant à Madrid, il était stagiaire dans un cabinet d'avocats et collaborait à un hebdomadaire local. Je suppose que, devant l'insistance de ma mère et pour la faire taire, il décida de me donner une occupation mineure dans son journal, mais son air dégagé et le ton sur lequel il m'annonça la nouvelle me restèrent en travers de la gorge.

– Ça veut dire quoi « couvrir les activités culturelles » ?

Il me fixe d'un air glacial, comme si j'avais inventé une façon tordue de lui gâcher sa journée, puis répond, préférant couper court à mon jeu :

– Quelqu'un capable d'écrire des synthèses... de suivre les pièces de théâtre en répétition, d'annoncer le programme de l'Orchestre symphonique... des choses comme ça. De repiquer des anecdotes dans les journaux étrangers. Le *New York Times*, par exemple, annonce un prochain passage de Stravinski à La Havane. Ici personne n'en parle. Je te signale que tu pourras bénéficier d'une carte de presse et assister aux répétitions de Stravinski.

– C'est payé ? lui demandai-je, émerveillé.

– C'est bien pour ça que je t'en parle !

Cette fois je suis en face de l'homme public. J'ai intérêt à arrêter de jouer au couillon car la séance pourrait tourner à mon désavantage.

– Je suis OK pour ce boulot, papa, dis-je, tandis qu'il se tourne vers le chapeau et la canne que ma mère est en train de lui tendre.

Et j'ajoute timidement :

– Je te remercie d'avoir pensé à moi.

En mon for intérieur, je remercie le père en lui, pas le directeur du journal, je le remercie de s'être enfin décidé à m'accepter près de lui sur son lieu de travail, de m'initier au journalisme.

Le Docteur à peine parti, ma mère rentre dans ma chambre. Je lis sur son visage qu'elle sait déjà. Je ne lui ai pas vu de sourire aussi éclatant depuis longtemps.

– C'est réglé! Tu seras près de lui. On va savoir enfin à quoi ressemble la salope qui s'opposait à ce que tu entres au journal.

– Mais qu'est-ce que tu racontes, de qui parles-tu?

– De sa secrétaire, pardi! Il y a sûrement une secrétaire là-dessous. Chaque fois que je lui ai suggéré que nous pourrions, toi et moi, venir le chercher ou lui rendre visite au journal, il s'est débiné comme il a pu, jamais à court d'excuses : « Je ne veux pas que vous fréquentiez le journal. L'ambiance est rude, vulgaire, immorale. Les journalistes aiment s'exprimer crûment, cultiver un certain cynisme... » Tu parles! Il y a sûrement une femme là-dessous, je te le dis!

– Et pourquoi précisément une secrétaire?

– Parce que les femmes journalistes sont toutes moches ou lesbiennes. Les secrétaires, par contre, ont tendance à se prendre pour Joan Crawford dans *Grand Hôtel*. Tailleur cintré et jupe fendue soulignant bien les fesses, corsage ouvert et soutien-gorge trafiqué pour mettre en valeur la poitrine, maquillage de danseuse de cabaret, elles font tout pour exciter les mâles. Et quand ils les basculent sur un coin de table, elle crient au viol!

Ma mère continue d'élucubrer sur la prétendue maîtresse de mon père mais déjà je ne l'écoute plus que d'une oreille distraite. Finies les bandes dessinées du dimanche matin, je me fais mon propre scénario. Ce qui me plaît dans cette offre de boulot, c'est de participer à la vie quotidienne d'un journal telle que je me l'imagine : l'immense salle de rédaction éclairée aux néons, les rangées de tables, de machines à écrire crépitantes, les téléphones, les piles de papiers... l'excitation fébrile du bouclage... les coursiers qui courent dans les couloirs avec des plis urgents, les nouvelles qui tombent et que l'on discute, et les secrétaires, oui, mais des secrétaires que j'imagine plutôt modernes : sportives, sans fard, drôles et directes comme Jean Arthur dans les films de Capra. Et, puisque c'est dimanche, pourquoi pas dans une version musicale en Technicolor d'un film d'Ann Miller dansant les claquettes entre les rangées de rédacteurs et chantant les dernières nouvelles.

Je suis heureux. Dans quelques jours, je vais participer à ce grand ballet. Pas étonnant que je prête aussi peu d'attention aux conseils stratégiques de ma mère qui veut piéger mon père avec une de ses secrétaires. Car mon rôle de limier ne doit pas s'arrêter là : elle demande que je lui fasse une description détaillée du physique de la dame, de son état civil, que je lui fournisse son adresse et son numéro de téléphone. Je l'imagine déjà harcelant la pauvre femme à des heures indues, sous prétexte que mon père n'est pas rentré à la maison.

C'est le jour J, le début de ma nouvelle vie de journaliste. La veille mon père me dit dans son style télégraphique :

– Demain matin, nous partirons ensemble au journal.

La fièvre monte à la maison. Ma mère m'a réveillé à l'aube pour que je prenne ma douche avant que mon père n'occupe la salle de bains et ne procède à sa longue séance de rasage et d'habillage. Choisir mes vêtements prend du temps. J'ai à la fois le souci de faire bonne impression sur mon entourage, mes futurs confrères, et de trouver une tenue confortable et pratique pour affronter ce premier jour. Prévoir de quoi me couvrir sans perdre la face devant ceux qui se baladent chemise et col ouvert, car je suis très sensible à l'air climatisé. Un polo à manches courtes et une veste légère feront l'affaire, c'est l'uniforme parfait du journaliste que je vais devenir.

Ne sachant pas encore en quoi consistera cette première journée à la rédaction – lecture de journaux étrangers, coups de fil tous azimuts pour recueillir des informations, rédaction de notes sur-le-champ – et, détestant perdre mon temps, j'enfourne dans un cartable de quoi lire et écrire aux moments de pause, quelques objets personnels : des mouchoirs, un flacon d'eau de Cologne, une photo de Gipsie dissimulée dans la couverture d'un livre. Je prends aussi un portrait de ma mère à l'intention du Docteur et de sa secrétaire. Je le disposerai sur mon bureau, avec un stock de crayons, des stylos et des petits carnets où consigner mes notes, idées en vrac et poèmes si l'inspiration me vient... Sans oublier quelques photos de mes films préférés : Greta Garbo en costume d'homme dans *La Reine Christine*... James Cagney en cow-boy dans *Terreur à l'ouest*, Shirley Temple dans *The Little Princess*... et Mae West dans toute sa splendeur en *Diamond Lily*.

Pour la première fois de ma vie mon père et moi prenons le petit déjeuner ensemble. Assis à table face à face, nous parlons amicalement de choses et d'autres pendant que ma mère va et vient de la salle à manger à la cuisine, dissimulant à peine son ravissement.

Pour la première fois en seize ans d'existence, nous donnons l'image d'une famille unie, normale : une mère servant le petit déjeuner à son fils et à son mari avant de partir au travail. Débutante dans ce nouveau rôle, ma mère en fait un peu trop : la table croule sous les toasts, les pots de marmelade aux goûts différents, les fruits frais, les douceurs de coco et de lait (dulce de coco, dulce de leche), dessert fortement déconseillé par les diététiciens à huit heures du matin.

Nos adieux aussi sont touchants. D'ordinaire ma mère reste un moment derrière les persiennes pour regarder mon père s'éloigner. Ce matin, elle nous accompagne jusqu'à la porte et reste plantée là pour nous dire au revoir alors que nous montons dans la voiture et que mon père fait ronfler le moteur.

– Au revoir!
– Bonne journée.

– Bon travail.

– A ce soir!

Comme s'il fallait que tout le voisinage sache que ses hommes, pour la première fois, partent au travail ensemble.

Pour ne pas s'énerver à conduire dans les rues de la vieille Havane dont la circulation ressemble à un essaim d'abeilles exaspérées, mon père préfère laisser sa voiture dans un garage qui se trouve à vingt minutes à pied du journal.

– Ça m'oblige à marcher un peu. Il y a un siècle, tout le monde trouvait normal de traverser l'île à pied. On prenait les voitures à cheval ou d'autres moyens de transport pour les circonstances exceptionnelles ou les grandes occasions. Les hommes, en marchant, gardaient la forme. Avec l'invention de l'automobile nous sommes devenus des méduses au volant d'une machine, des mollusques lamentables.

Il oubliait aussi qu'au début du siècle, déambuler dans les vieilles rues de la capitale devait être un vrai plaisir, une promenade en soi. Les piétons disposaient du trottoir et les attelages de la chaussée. Plus maintenant. A la circulation continuelle des autos dans la rue s'ajoutaient les véhicules garés sur le trottoir qui chargeaient et déchargeaient des marchandises. La rue Obispo que nous remontions était la plus étroite et la plus encombrée de la ville. Surtout à cette heure du matin. Sans arrêt, il fallait contourner un camion ou une estafette barrant le trottoir et l'on risquait de se faire accrocher par les voitures qui, si l'embouteillage ne les obligeait pas à rester sur place pendant des heures dans un concert de klaxons, se faufilaient à toute allure. Ces rues aux heures de travail étaient grouillantes de monde, d'une foule dense et tendue qui marchait sous le soleil implacable comme sous les aguaceros torrentiels. En plus des autos, camions et autres véhicules à quatre roues, coursiers à bicyclette et à vélomoteur étaient de la fête. Sans compter les vendeurs ambulants, qui tiraient leurs carrioles colorées de pyramides de fruits et de légumes et hurlaient :

coco d'aaaaaaaaaaaaaaaaaaagüa!
papaaaaaaaaaaaaaaaaaaaaaaaya!
guanabanaaaaaaaaaaaaaaaaana!

Vente à la criée, klaxons, injures des passants, conversations soutenues d'une fenêtre à l'autre de l'étroite rue faisaient une symphonie de bruits complexes, dissonants, nerveusement éreintants et irritants pour l'ouïe. Comparées à cette cacophonie, les recherches sonores de quelques musiciens célèbres d'avant-garde paraissaient pauvres et timides. J'avais proposé à l'un d'entre eux d'enregistrer simplement la rue Obispo au petit matin. On l'aurait appelé « symphonie d'une ville en état de folie ». J'avais pris ce projet très à cœur, mais le type s'était dégonflé à la dernière minute, arguant que l'art, tout en s'inspirant de la réalité, cherchait à la retraduire dans son langage propre. Il continua donc à trafiquer des bandes avec des grincements de pneus et frottements de verre poli qui vous donnaient la chair de poule et vous faisaient grincer des dents.

Et c'est précisément la rue Obispo que mon père choisit pour me parler de mes futurs collaborateurs et du style de la maison. Nous devons souvent marcher l'un derrière l'autre pour éviter une charrette ou laisser la place à une ménagère qui avance les bras chargés de paniers, de sacs et de paquets. Il parle sans faire le moindre effort pour que je l'entende. Dans les bribes que je saisis, il me fait apparemment la description de quelqu'un « ... un travailleur acharné... un peu timide mais... il faut le connaître... ». Je glisse sur une peau de banane et me rattrape au vol en ronchonnant, et son idée de marcher jusqu'au bureau ne m'amuse pas du tout. Il aurait été bien plus agréable, j'en suis persuadé, d'arriver au journal en voiture. Quinze minutes de ce traitement, et je suis déjà en nage, mon polo me colle à la peau, car, voyant mon père cravaté, canne en main et canotier sur la tête, je n'ai pas osé enlever ma veste. Quand on arrive au journal, je suis de mauvaise humeur, en sueur et les nerfs à vif. A croire qu'il l'a fait exprès.

Le journal a installé ses locaux dans un entrepôt désaffecté qui a été aménagé, reconnaît mon père, un peu en dépit du bon sens. Projet dessiné par des copains, des « pays » qui voulaient certainement défendre un principe de vie et des idées généreuses, mais ne s'étaient guère souciés de rentabilité. Car au départ il s'agissait de publier une feuille de libre expression qui se voulait d'une honnêteté radicale et dont les principes étaient sans ambiguïté : pas de manipulation de l'opinion publique. Un instrument pour la démocratie ; un quotidien indépendant du gouvernement ; un journal sérieux mais qui se permettait de manier l'humour et la critique. Certaines campagnes contre la corruption, dont le fameux reportage de la Ruta 28 où avait été publiée la photo des chauffeurs d'omnibus arborant de grosses cigarettes de marijuana, avaient rendu ce journal très populaire. La pagination avait doublé, le personnel avait augmenté mais l'entrepôt, lui, était resté le même. Le rez-de-chaussée était occupé par l'imprimerie et tout ce qui avait à voir avec la fabrication. La rédaction, l'administration et les bureaux de la direction cohabitaient étroitement au premier étage.

En pénétrant dans la salle de rédaction qui ne ressemble en rien à ce que j'ai vu au cinéma, j'ai du mal à dissimuler ma déception. De part et d'autre d'un large et long couloir sont disposés des boxes successifs. Des planches de bois avec des vitres tiennent lieu de portes. Sur chaque porte, un carton tapé à la machine indique le nom de l'heureux occupant. Devant mon visage déconfit, mon père se sent obligé de se justifier.

– Bien sûr, d'habitude on commence par construire de luxueux bâtiments. Dès le départ on est tributaire de l'argent. Mais d'où sort cet argent ? De la publicité dans le meilleur des cas... Sinon... on est à la botte du pouvoir en place ou d'un parti, ou dépendant d'influences financières et politiques. Ici, tu vois, nous campons un peu comme des Gitans, moyennant quoi notre journal se paye le luxe d'être indépendant.

Plus qu'un campement de romanichels, la rédaction

me faisait penser à ces petites boutiques d'artisans qui s'empilaient les unes au-dessus des autres dans la vieille Havane. Horlogers et bijoutiers, enfermés dans des minuscules niches, réparaient et assemblaient leurs pièces – un travail de haute précision – sous la lumière crue d'une ampoule et un ventilateur. Je m'imaginais mal en train de chercher l'inspiration, dans ces boîtes à savon, une ampoule au-dessus de la tête, avec pour tout horizon un mur en bois et le crépitement des machines.

Au bout du couloir se trouve le bureau de mon père et de son associé, le légendaire Don José Fran Marcial. Amples, dotées de portes-fenêtres et de balcons donnant sur le patio intérieur, les deux pièces jumelles, par leur ameublement et leur décoration, dénotent les caractères différents des deux hommes. Dans le bureau de mon père règne une atmosphère de salon mondain. Une grande table massive en acajou sculpté occupe tout le fond, ainsi que des fauteuils larges et confortables. Contre un mur un sofa qui sert à l'occasion au repos du propriétaire s'il vient à y passer la nuit. Il y a aux murs quelques tableaux de peintres cubains et un Zurbarán original ; derrière les portes vitrées de la bibliothèque, ses livres de droit et des éditions reliées de ses auteurs préférés. De grandes lampes diffusent une lumière douce et un appareil à air conditionné répand un ronronnement continu. Dans un coin, un discret mini-bar avec une glacière. Tout est conçu pour réfléchir, recevoir, travailler, se détendre.

Le bureau de Don « Pepe » Fran Marcial est tout différent. Les murs sont recouverts de photos et d'articles punaisés. Sur la vilaine table de travail en Formica papiers et journaux empilés débordent, avec des cendriers remplis à ras bord, des pipes et des encriers. Les chaises sont branlantes et, sur le lit de camp, une vieille couverture enroulée témoigne que Don Pepe passe fréquemment la nuit dans son bureau. Je connais déjà l'homme car c'est un des rares amis de mon père à fréquenter notre maison. Petit, courtaud et bedonnant, chauve et peu soigné de sa personne, il porte des pantalons à pattes d'éléphant retenus par de larges bretelles colorées sur une chemise ouverte. On dirait un épicier en train de faire l'inventaire de son stock, un bloc à la main, le crayon sur l'oreille droite. Il pose sur vous des yeux porcins, noirs, intelligents et inquisiteurs. Contrairement à mon père, Don Pepe a une voix de stentor et la mauvaise manie de vous envoyer dans le dos de grandes tapes à ébranler un bœuf. Don Pepe, en plus, n'est pas dans les bonnes grâces de ma mère. Elle le soupçonne d'être au courant de toutes les aventures de mon père, de ses maîtresses officielles autant que de ses conquêtes passagères. Si ma mère le reçoit du mieux qu'elle peut – selon les règles de la bienséance –, si elle cuisine ses plats préférés et se montre aimable, elle garde toujours à son égard une certaine réserve. Jamais je ne l'ai vue aussi hiératique et avare en paroles que lorsque Don Pepe vient dîner à la maison.

Les exploits professionnels de José Fran Marcial ont bercé mon enfance. Correspondant en Espagne pendant la guerre civile, il a couvert les fronts les plus dangereux, rencontré les grands protagonistes du drame. Azaña, Largo Cabellero, le général Lister et les vedettes étrangères présentes dans le conflit : Hemingway, Malraux, blessé à Madrid au cours d'un bombardement. Fran Marcial a été un des derniers journalistes à être évacué en France. Mon père parle toujours avec émotion de son ami. Avant de le connaître, je l'imaginais sous les traits d'un héros romantique, comme Gary Cooper dans *Pour qui sonne le glas*. Quand je l'ai vu la première fois, j'ai éprouvé le choc de la réalité : il ne correspondait en rien au héros romantique dont j'avais rêvé. Et pourtant il est indéniable que Don Pepe s'est comporté en héros pendant la guerre et dans son métier, et que, tout bancal et repoussant qu'il soit, il est certainement un des plus grands journalistes d'Amérique latine.

Dans la vie quotidienne, lui et mon père me faisaient penser à Don Quichotte et Sancho Pança : l'un était sobre et distingué, l'autre bouillonnant, gesticulant et jamais à court de jurons. Il émaillait son discours de ces *coño... cabron... joder...* qui sonnaient avec l'éclat de cymbales de son accent catalan.

Ce matin-là, le bras d'orang-outan lourd, épais et poilu de Don Pepe s'abat sur mon épaule.
– Il faut fêter ça, dit-il.
Aimant à se qualifier lui-même d'anarco-épicurien, Don Pepe se propose de me montrer tout de suite ce qu'il appelle le cœur et le ventre du journal. A ma grande surprise, le troisième étage de l'immeuble est entièrement occupé par un restaurant qui sert à la fois de réfectoire et de tripot. Je comprends mieux maintenant comment les journalistes supportent leur sordide cellule de travail : ils passent la plupart de leur temps au troisième étage à boire, manger, jouer, écrire leurs papiers sur un coin de table. Ils n'émigrent au second que pour taper à la machine, passer des coups de fil ou s'isoler quand le vacarme là-haut se fait trop assourdissant.
Les tables sont envahies de bouteilles d'alcool, de verres pleins, vides ou à demi remplis. Des assiettes avec jambon-mortadelle-saucisson-pain-beurre laissent leurs auréoles de graisse sur les feuilles noircies ou vierges, et se mélangent aux stylos et cartes de jeu, « chips » pour les paris, dés, jeux d'échecs, dominos... La grande prêtresse et reine du lieu est Ma Tomasa, une Noire au port altier et à la taille haute avec les reins et les fesses les plus volumineux que j'aie jamais vus. Ma Tomasa, honorant son surnom, se comporte en mère poule avec tous les journalistes, mais elle a un faible évident et réserve toute sa tendresse bougonne pour Don Pepe, le taquinant sans fin sur sa grosse bedaine et son crâne chauve – elle l'appelle « Boule de billard » –, roulant de gros yeux quand il remplit trop vite son verre, le couvant lorsqu'il raconte une anecdote de la guerre civile espagnole ou une histoire grivoise récoltée, dit-il, dans un bordel marseillais. Je comprends maintenant ce qui trouble ma mère : pourquoi Don Pepe ne s'est-il jamais marié? Cette question

l'inquiète d'autant plus qu'elle l'imagine courant avec mon père d'un lieu de perdition à l'autre, dépensant leur argent « chez les gueuses », comme elle dit. Économe et les pieds sur terre comme tout bon Catalan, Don Pepe a résolu le problème femme-maîtresse-factotum-cuisinière en les rassemblant sur son lieu de travail. Femelle plantureuse, mère nourricière et intendante, Ma Tomasa veille sur lui et tient d'une main ferme ce bistrot-bar qui accueille les employés de son journal – secrétaires, coursiers, journalistes, imprimeurs – comme les membres d'une grande famille unie, se pliant aux conditions assez particulières de l'entreprise : des salaires modestes, des heures supplémentaires non rétribuées, ils sont soumis aux exigences professionnelles de leurs deux directeurs dont la devise « nous devons être les meilleurs partout » n'est pas une phrase naïve. Sans compter les dangers qu'ils courent à vouloir maintenir fièrement leur indépendance : ces dernières années, le journal a été la cible de deux attentats à la bombe, et quelques passages à tabac mémorables, dont celui du journaliste Mendès, sont restés dans les annales. Une atmosphère aussi solidaire, chaleureuse et franche ne doit pas être monnaie courante dans les autres journaux de la capitale.

Don Pepe débouche plusieurs bouteilles de vin de Murcia en mon honneur. Pendant ce temps, mon père me fait faire un tour des tables pour me présenter aux membres de la rédaction et à ses collaborateurs. Je me réjouis car, plus tard, je vais pouvoir rassurer ma mère : les femmes – une réceptionniste, six secrétaires et deux journalistes – sont toutes franchement laides, il n'y en a pas une pour racheter l'autre : si mon père la trompe – ce dont je ne doute pas – ce n'est sûrement pas à son journal.

Ce tour de piste me permet de mettre un visage sur des noms que j'ai lus quotidiennement au bas des articles. Quelques-uns ressemblent à ce qu'ils écrivent, comme le journaliste de la rubrique sportive : corps d'athlète, visage au carré, cheveux ras, il a le parfait profil du marine yankee. D'autres, par contre, n'ont pas la tête de l'emploi. C'est le cas du critique de théâtre que j'avais imaginé comme le prototype de l'intellectuel éthéré. Ses articles, parfois un peu hermétiques, étaient très argumentés, érudits et fouillés : attablé devant des cochonnailles, c'est un gros monsieur qui me tend une main molle, poisseuse et suintante, m'accordant à peine un regard avant de se replonger dans son assiette. Entre une table et l'autre, mon père me présente un garçon de mon âge, frêle, le visage couvert d'acné, qui s'est presque mis au garde-à-vous pour m'accueillir. Je remarque qu'en face de lui le ton et l'attitude de mon père ont changé. Il a l'air mal à l'aise et marmonne son nom de manière à peine audible : Emilio. C'est à lui, je suppose, qu'il avait fait allusion en remontant la rue Obispo : « Travailleur acharné... un peu timide... » Pourquoi mon père s'intéresse-t-il tellement à ce garçon qui n'est qu'un jeune stagiaire ? Et pourquoi me présente-t-il Emilio comme si je devais fatalement devenir l'ami dévoué de ce blanc-bec ? Je n'en sais rien et ne prends pas le temps de m'attarder sur la question car toute mon attention s'est immédiatement portée sur Nelson Mendès.

A vingt-neuf ans, Nelson s'est rendu célèbre par un reportage percutant sur les chauffeurs drogués de la Ruta 28. C'est aussi, avec Don Pepe, un des rares amis de mon père à fréquenter la maison. Autodidacte, Nelson est un puits de culture sur des sujets qui me passionnent : la littérature américaine, le cinéma, le théâtre. Fiancé depuis très longtemps à une jeune actrice, Sylvia Flores, qui a eu récemment du succès dans un feuilleton radiophonique très populaire. Mendès est la personne sur qui je compte pour m'initier à mes nouvelles fonctions et les rendre plus excitantes.

Brusquement, je quitte mon père et le jeune Emilio pour aller saluer Nelson qui vient d'enfouir sa tête dans les seins de Ma Tomasa. La mulâtresse ouvre une grande bouche blanche dont le rire part en carillon de notes aiguës. Puis Nelson se dégage, groggy, du mol oreiller de chair et me régale de son meilleur sourire :
– Finalement, tu as rencontré ton frère !

– Pardon?

– Emilio, ton frère. Il avait un trac d'enfer. Depuis hier il n'a cessé de m'asticoter, de me demander quel genre de type tu étais.

Je manque de m'évanouir et Nelson me retient par un bras.

– Tu n'en savais rien?

Je fais signe que non.

– Ton père, tu sais...

Coinçant son bras sous mon coude, Nelson me conduit alors à son box au deuxième étage, où il n'y a de place que pour une table, deux chaises et une modeste étagère où s'empilent ses archives et objets personnels. Nelson qui est plutôt grand semble s'accommoder de son bureau ridicule. Sa phrase bourdonne encore à mes oreilles « Ton père, tu sais... ». Loyal et discret, il n'a pas insisté et a immédiatement changé de conversation. Il me passe des numéros de téléphone de gens qui pourront m'être utiles, me tenir au courant des programmes de la saison prochaine, des revues latino-américaines annonçant les films mexicains ou argentins en cours de production ou de tournage et autres renseignements précieux. Tout en consultant ses tiroirs et ses dossiers, il me parle de Sylvia, sa bien-aimée, de son talent, de sa sensibilité et de son brillant avenir artistique.

– Je lui ai beaucoup parlé de toi. On va organiser une rencontre. Elle cherche un auteur pour lui écrire une pièce. Tu as envie d'écrire, m'as-tu dit. Vous pourriez peut-être faire quelque chose ensemble. Le problème c'est les horaires : elle répète et enregistre juste aux moments où je peux me libérer. On se voit toujours en coup de vent. Et puis, tu sais, elle est timide...

La description que Nelson me fait de Sylvia Flores ne correspond pas du tout à ce que j'ai entendu dire d'elle dans les milieux artistiques de La Havane. A en croire les rumeurs, « Sylvita » est un mélange de mante religieuse et de pieuvre et couche avec tout le monde. Elle est passée dans le lit de bon nombre de metteurs en scène et de producteurs de radio. Le Nelson Mendès que je connais et que j'admire ne cadre pas avec l'image du fiancé consentant, faisant mine de tout ignorer. Je suis intrigué, impatient de rencontrer Sylvia. Ses récents succès, me dis-je, ont dû réveiller la malfaisance des jaloux et les histoires qu'on raconte sur elle ne sont que des inventions pour chercher à lui nuire. Un mystère à élucider. Mais, pour l'instant, ce qui me préoccupe c'est d'en savoir plus sur mon statut au journal : quels seront mes horaires, mon salaire, quel bureau je vais occuper, autant de questions simples et concrètes.

Alors que je quitte Nelson, j'aperçois mon père qui se dirige vers son bureau. Je le suis. La phrase de Nelson me revient. J'ai un mauvais pressentiment, un de ces « nuages noirs sur le cœur » dont parle ma mère quand elle renifle une mauvaise nouvelle.

– Où est-ce que je peux m'installer, papa ? Est-ce que je commence aujourd'hui ?

J'ai envie de renchérir : je peux m'installer n'importe où, dans un coin, même au bout de ton canapé, je peux rendre de menus services, servir un verre aux visiteurs, répondre au téléphone, car je brûle de rester, de commencer sur-le-champ...

Il prend le temps de s'asseoir, cherche dans sa boîte de cigares en bois précieux un de ces Upmann qu'il apprécie tant. Ses paroles sortent enveloppées dans la fumée bleue. Il me dit que mon activité au journal est une première approche du travail journalistique, que je ne dois pas y consacrer trop de temps car mes études doivent passer avant tout, et que, de ce fait, je n'ai pas besoin d'avoir un bureau à la rédaction. Il me suffira d'écrire mes articles pendant mon temps libre et de les déposer le matin sur la table du salon. Il les transmettra à la rédaction.

Un coup de fil urgent provenant de je ne sais quel service ministériel l'interrompt et j'en profite pour quitter la pièce sans qu'il s'en rende compte. En traversant le couloir vers la sortie, j'aperçois Emilio assis derrière son bureau, portant veste et cravate comme il est de rigueur chez notre père. Me voyant passer, il esquisse un geste pour se lever et venir à ma rencontre. Je détourne le regard et accélère le pas. Pas question d'adresser la parole à ce faux frère. J'ai tenu le serment qui me lie à ma mère.

Ainsi j'ai rencontré mon frère bâtard et nous nous sommes regardés en bâtards, sans commentaire. Lui, derrière sa table de travail, moi, honteux et déçu et m'enfuyant à toutes jambes. Je suis donc interdit de séjour au journal de mon père. A présent tous ses subterfuges pour éviter que ma mère et moi ne mettions les pieds à son journal s'éclairent. Il ne s'agit pas de dissimuler ses amours clandestines avec une secrétaire mais de cacher l'existence d'un autre « fils de l'amour », mon cadet d'un an, qui signe sans doute ses articles sous un pseudonyme, clandestinité et amour obligent.

Un peu timide mais acharné au travail, avait dit mon père, « notre père ». Débrouillard et précoce, assurément, comme moi. Des qualités propres aux bâtards, ai-je entendu dire.

La voilà enfin décodée, la phrase mystérieuse de Nelson Mendès « Tu sais, ton père... ». Je sais, mon père... aurait dû naître dans un autre contexte, à une autre époque, quand les chevaliers errants parcouraient les hautes terres, apportant justice et réconfort aux peuples visités et laissant partout, des palais aux chaumières, dans le ventre des femmes, les traces viriles de leur passage : ici un fils, là une fille, en tout honneur et toute gloire. Des enfants qu'ils ne reverraient jamais, ou presque.

« Tu sais, ton père... » Je sais, pour mon père... les chemins de notre ville, les champs de notre île sont trop étroits, trop exigus pour sa soif de liberté, d'amour, d'indépendance. Ne lui en voulons pas de tout confondre, de se tromper, de blesser quand il croit faire le bien, de décevoir les meilleures, les plus patientes attentes ; Doña Soledad, ses larmes et ses nuits de veille ; toi, qu'il ne veut pas voir sur son lieu de travail, et l'autre, Emilio, qui ne signe pas de son nom.

Toi au moins, on verra ton nom imprimé au bas des pages. A quoi bon tant de bizarreries inutiles ? Pour ne blesser personne, pour garder un minimum de courtoisie dans ce royaume fantomatique où tout le monde doit souffrir en silence ; pour veiller à ce qu'aucune blessure ne saigne ouvertement. Frères, demi-frères, épouses, queridas, maîtresses. Car le noble chevalier admet de faire souffrir mais ne supporte pas les cris ni les larmes.

Je m'arrête subitement, au milieu de la rue Obispo. Je suis en nage, ce n'est pas seulement la chaleur mais la déception et l'amertume qui me font transpirer ainsi. Au comptoir du premier magasin de fruits j'achète un jus de canne dans de la glace pilée. Le liquide glacé provoque des crampes d'estomac, sans calmer ma fébrilité. Je me laisse guider par mes pas, sous le soleil blanc de midi. Personne à qui parler de mon mal. Je ne peux infliger à ma mère un nouveau chagrin. Gipsie n'est plus là et Lohengrin prendrait mon histoire avec sa désinvolture habituelle, faisant de cette affaire entre père et fils le sujet de nouvelles élucubrations sociopolitiques. Je l'entends déjà dire : « Ton père se comporte comme ce qu'il est, un représentant typique de la classe privilégiée. » En disant cela, je sais qu'il se trompe. Je n'ai pas besoin de ses explications politico-économiques, je sais que la faute est ailleurs, elle se drape dans le mythe, remonte au début des temps, au commencement de tous les commencements. « Tu sais, ton père... »

Non, je n'en sais rien. Personne ne m'a jamais dit que ce que je prenais pour une fable était la stricte réalité. La chute. Le vertige. L'exclusion du paradis.

On paye.

On paye les erreurs commises par d'autres.

On paye toujours.

Manu, ou le charme discutable d'un militant de choc

— Dimanche, il veut nous voir.

— Qui?

— Manu.

— Encore? Mais ça n'arrête pas!

Lohengrin et moi descendons l'escalier monumental de l'université. Je refuse pour ma part d'emprunter ce que j'appelle « la sortie de secours », c'est-à-dire l'entrée donnant sur la rue du côté des bâtiments administratifs et que Lohengrin affectionne particulièrement. C'est aussi l'entrée favorite des paresseux qui la trouvent moins raide et préfèrent sa rue populeuse en pente. Je fais de mon parti pris pour cet escalier une question de principe, sentimentale, idéologique et, quand on me propose de passer par-derrière, je réponds d'un air farouche :

— Imagine un peu Pablo de la Torriente Brau, Rafael Trejo ou José Antonio Mella empruntant la petite porte. Si on n'est pas capable de monter ces marches, comment peut-on prétendre changer le monde?

Les jours où il fait exceptionnellement beau, quand le ciel limpide et bleu s'agrémente d'une petite brise tiède soufflant de la mer, je pousse mon ardeur jusqu'à monter cet escalier au pas de course, surtout si je suis en compagnie de jeunes filles. Peu importe que je m'effondre ensuite sur un banc de la place Cadenas : l'honneur est sauf et j'ai frappé les imaginations car je mets mes paroles en pratique, je suis capable de soutenir le défi avec panache. Personne, bien sûr, ne se doute que ces efforts me coûtent de la sueur, des palpitations, des nausées et des vertiges. Je suis fidèle à moi-même : « Non, jamais je n'entrerai à l'université par-derrière ! »

Si Lohengrin, lui, insiste pour passer par là, ce n'est pas par paresse mais pour des raisons stratégiques. Chaque jour il prend le temps de dire un mot ou deux ou d'apporter un cadeau aux huissiers, portiers, surveillants, et autre personnel administratif en faction à la porte.

— Un conseil d'ami, frère. Sois toujours copain avec les secrétaires, les concierges, les femmes de chambre, les gardiens. On peut se permettre d'être insolent ou méprisant avec un grand patron, un ministre, jamais avec les petites gens qui l'entourent. Car l'amitié de ces gens-là peut nous être utile un jour.

Pour étayer son point de vue, il m'a encore répété la consigne de Manu :

— Dans la légalité comme dans la clandestinité, le Parti doit essayer de se gagner le plus d'amis possible. Ça peut sauver une vie ou éviter la prison.

« Clandestinité », c'est le mot clé de Manu, sa véritable obsession. Ce fut aussi le sujet de notre premier désaccord.

Le jour tant attendu est enfin venu de rencontrer le représentant « non officiel » du Parti à l'université.

— Il faudra faire discrètement, avait précisé Lohengrin.

J'avais donc accepté un rendez-vous en dehors de l'enceinte de l'université sans savoir ce qui m'attendait.

Le jour J, je me poste en bas du grand escalier, comme convenu. Lohengrin doit me ramasser en voiture. Il arrive en taxi et ouvre la portière. A peine suis-je monté que le véhicule démarre en trombe.

— Heureusement qu'on a eu la bonne idée de prendre un taxi. Ça va tomber d'un moment à l'autre ! dit-il en auscultant le ciel qui s'est subitement obscurci.

Puis il marmonne entre ses dents quelque chose dont je ne saisis pas le sens et enchaîne en parlant de tout et n'importe quoi, des menaces de grève à la faculté de droit, du week-end de rêve qu'il a passé avec une voisine, du dernier film qu'il a vu. C'est seulement plus tard que je devais comprendre son singulier malaise.

Nous laissons le taxi du côté de la Punta, face à la forteresse d'El Morro. Puis nous prenons successivement deux autobus, en reprenant le chemin inverse de celui que nous venons de faire en taxi. L'orage gronde et une pluie intempestive et drue s'est mise à tomber. Nous arrivons dans une avenue déserte du quartier de Marianao, quand je commence à manifester mon impatience :

– Mais qu'est-ce que tu fais? Ça fait une heure qu'on tourne en rond. Tu t'es trompé d'adresse ou quoi?

– Pas du tout. On va prendre une guagua.

– Il n'y a pas le moindre autobus par ici, pas l'ombre d'un taxi, pas âme qui vive. Même pas de chiens. Et tu nous fais marcher sous la pluie torrentielle comme si nous concourions pour le prix de la connerie totale.

– C'est pour notre sécurité, bordel de merde, tu ne comprends jamais rien!

Il doit être bien énervé pour tenir ce langage ordurier, le cher Lohengrin, lui qui porte un tel mépris au parler grossier des Cubains. Je prends un malin plaisir à le voir sortir de ses gonds, et retourne le couteau dans la plaie :

– On ne risque pas d'être suivis, c'est sûr! Qui pourrait s'aventurer dans ce désert et sous cette pluie!

Un Noir dans un vieux tacot délabré nous prend en pitié et ralentit :

– Je rentre chez moi, les gars, c'est pas un temps à traîner dehors, même pour un nègre!

Il rit et sa voix tousse comme un vieux poêle dans sa bouche édentée. A l'intérieur, sa voiture fuit l'eau de tous les côtés.

La guimbarde cale en plein quartier du Vedado, et nous le plantons, lui et ses jurons, pour nous enfuir à toutes jambes sous la pluie battante. Trois avenues au pas de course et nous voilà enfin arrivés à destination :

à quelques pâtés de maisons de l'université d'où nous sommes partis une demi-heure plus tôt.

– Ah bon, c'est ici que nous avons rendez-vous?

– Exactement.

– Le tour de la ville pour en arriver là, chapeau!

Je ne me souviens pas de ce que m'a répondu Lohengrin. Il s'est mis à hurler d'une voix haut perchée, hystérique comme une vieille bonne femme, je crois même qu'il a parlé dans un mélange d'allemand et de yiddish. Nous sommes ensuite restés un bon moment à palabrer devant un immeuble cossu de deux étages, avec la plaque en bronze d'un cabinet de dentiste. Puis la lourde porte d'entrée s'est ouverte sans qu'on ait eu à sonner, comme si quelqu'un avait surveillé notre arrivée et attendu le moment propice pour nous ouvrir.

Je reconnais sa figure massive. Il est éternellement vêtu d'un pantalon sans forme et d'une guayabera blanche impeccable par-devant et collée au dos de transpiration. Le sourire carnassier étincelant sous son épaisse moustache, Manuel Mas Fortin se lève et me donne l'accolade.

– Sacré courage, les gars! Venez donc vous sécher. Pas de problèmes, les propriétaires ne sont pas là, vous pouvez vous mettre à l'aise.

Manu disparaît dans la salle d'attente et revient quelques instants après avec un plateau chargé d'une bouteille d'anejo, trois verres et des soucoupes remplies d'olives vertes et noires. Je continue de faire la gueule à Lohengrin. Sans un mot, sans un regard, j'ôte mes chaussures et mes chaussettes imbibées d'eau, laissant des flaques sur le parquet ciré. A en juger par son intérieur luxueux et confortable, ce dentiste-là doit bien gagner sa vie avec nos chicots.

Remplissant comme un sac de son le fauteuil à larges rebords, Manu nous sert à boire et allume un long cigare. Puis nous commençons à parler de la pluie et du beau temps comme si nous étions venus faire des mondanités. Pieds nus, les vêtements humides et collés, je broie du noir et n'ouvre la bouche que pour me gaver d'olives et boire de longues rasades de cette liqueur aux reflets d'or, onctueuse, fine, plus insidieuse qu'un vieux rhum. D'un seul coup l'añejo me chauffe le sang et me donne le coup de fouet nécessaire. Comme je n'ai pas mangé de la journée, l'effet de la boisson se fait immédiatement sentir. Muet comme une carpe, j'observe notre interlocuteur. Avec sa corpulence et sa moustache de bandolero, Manu paraît bien plus que ses vingt-six ans. Sa voix rauque remplit la salle d'attente d'un ronronnement de basse profonde, entre-coupé de l'explosion sonore de quelques jurons bien trempés. Manu se plaît à étaler devant ses auditeurs ses origines paysannes et son extraction populaire. Simple camouflage destiné à mieux mettre en valeur sa culture étendue, son impressionnante maîtrise de la dialectique marxiste, développée au cours d'années de militantisme – sans compter un indiscutable talent d'orateur. Il m'observe de ses yeux noirs enfoncés tandis qu'il évoque avec Lohengrin des anecdotes de leur voyage dans l'île.

Je sais qu'il sait tout sur moi. Lohengrin me l'a naïvement avoué.

– Comment ça, tout?

– Façon de parler... Les traits de ton caractère, tes goûts, tes lectures, des trucs comme ça.

– Une fiche de police, en somme.

– Rien que de normal. On est toujours fiché par quelqu'un. Essaie de devenir membre d'un club de la jet-set et tu verras si on ne se renseigne pas sur toi. Si le Parti s'intéresse à quelqu'un, tu penses bien qu'on passe sa vie au peigne fin, sécurité oblige.

En me rappelant cette conversation avec Lohengrin, la rage monte en moi. Je profite de mon état de semi-ébriété pour dire à Manu combien me semble aberrante, ridicule et inutile cette manie de s'entourer de mystère, cette hantise de la sécurité quand rien a priori n'exige que l'on s'y plie.

Un gros cigare à la main, un cinquième verre de

rhum dans l'autre. Manu attend calmement que je finisse ma protestation passionnée avant de prendre la parole. Il reconstruit le monde, je veux dire depuis l'origine, il me fait un cours magistral d'histoire cubaine, des Indiens à nos jours, semé de détails croustillants.

– D'après les documents des colonisateurs, les Indiennes siboneyes avaient les plus beaux tétons, les plus fantastiques culs du monde.

Histoire de prouver qu'il est un mâle, un vrai. Mais, surtout, Manu veut faire la démonstration qu'en quatre siècles et demi d'histoire, Cuba n'a jamais connu la liberté ni su exploiter la richesse de ses ressources naturelles. Les Espagnols d'abord, les Américains ensuite ont sucé le sang, vidé le pays de sa sève, comme des vampires. Seul le Partido Socialista Popular avec son marxisme pur et dur est capable de sauver notre île.

– En attendant ce jour béni, nous sommes surveillés, harcelés. On nous interdit de nous exprimer en plein jour. Il faut se préparer, bordel-de-putain-de-merde, il faut se préparer !

Lohengrin, qui a l'air de bien connaître cette maison de l'ami dentiste « qui ne fait pas de politique », est sorti et revenu avec un plateau chargé de chorizo et de galettes salées. La bouteille de rhum que nous avons inaugurée est déjà presque vide. Étalé sur le sofa, ivre et hilare, je finis par trouver lumineux le discours de Manu : c'est vrai, il faut aider cette île sous-développée, ce « bordel de l'Amérique » à se libérer du joug des oppresseurs. Il existe ailleurs, en Union soviétique, des pays frères qui ont donné l'exemple. Et quand Manu, d'un air grave et sérieux, propose son plan d'action, je rassemble toutes mes forces pour l'écouter.

– Nous nous rencontrerons à l'université comme d'habitude, j'y ai des contacts avec tout le monde, blancs, noirs, pédés, gouines, de droite, de gauche ! Mais nous aurons aussi nos rendez-vous secrets, comme celui-ci, chaque fois que les circonstances l'exigeront.

Euphorique, j'opine du bonnet à tout ce que dit Manu, attendant de voir comment ses belles paroles se traduiront concrètement, le moment venu.

Le « plan de communication » de Manu confirme une certaine obsession à tromper l'ennemi que j'avais remarquée. Souvent je le croise anonymement à la faculté dans les endroits publics où il travaille à sa réputation : à la cafétéria, place Cadenas, à la cinémathèque, toujours en compagnie d'autres gens, particulièrement ceux qui ont des opinions conservatrices. Une ou deux fois par mois, Lohengrin organise nos réunions secrètes. Et à chaque fois le même scénario se répète : je prends un taxi, remonte quelques rues, m'arrêtant discrètement devant une boutique pour m'assurer dans la vitrine qui fait office de miroir que personne ne me suit. Dans l'autobus, je descends à la dernière minute, juste avant la fermeture des portes. Puis je reprends un autobus en sens inverse, et j'arrive à l'endroit qu'il a fixé pour notre rendez-vous. En général c'est un carrefour passant où il y a deux ou trois cafés. Manu m'observe depuis l'un d'eux pendant que j'entre dans l'autre où Lohengrin m'attend, assis dans la salle du fond. Tout ce déploiement d'astuces et de précautions pour, la plupart du temps, parler de choses anodines qu'on aurait très bien pu se dire en public et dont tout le monde se fout éperdument! Mais j'ai fini par jouer le jeu de Manu car j'en suis venu à penser qu'il s'agit d'une initiation : on me fait accomplir une série de tâches apparemment absurdes pour me préparer au jour où une mission importante me sera enfin confiée.

En général nos rendez-vous donnent lieu à une série de commérages sur nos condisciples. Avec sa manie de ficher les amis ou ennemis potentiels du Parti à l'intérieur de la faculté, Manu nous pousse, Lohengrin et moi, à passer en revue garçons et filles pour savoir qui couche avec qui, laquelle est lesbienne, vierge ou frivole; lequel est homosexuel, hétérosexuel, bisexuel ou simplement impuissant. A partir de quoi Manuel établit un plan d'action qui consiste à faire ou défaire les couples, voir qui pourrait s'accoupler avec qui et lesquels de ces couples « normaux ou anormaux », il conviendrait de protéger afin de les faire tomber, le moment venu, sous l'emprise du Parti.

– Nous avons des camarades pédés et gouines qui font du bon travail, ce qui, apparemment, n'est pas le cas dans les pays frères chinois et soviétiques. Mais ici, nous sommes sous les tropiques, cojones! Côté con, cul et pine, ça déménage. A chacun selon ses goûts, car un ami pédé vaut mieux que deux machos hostiles. La fidélité au Parti est pour nous le seul critère.

Je supporte de moins en moins le temps perdu à ces réunions parfaitement inutiles. Quand un jour Lohengrin me demande de leur consacrer un dimanche, mon sang ne fait qu'un tour.

– Impossible. J'ai prévu ce week-end depuis longtemps. Je vais à Cojimar. J'ai besoin de mer, de plage et de réflexion.

Nous sommes au beau milieu de l'escalier. L'Alma Mater ouvre ses bras derrière nous. En contrebas, l'avenue San Lazaro somnole sous le soleil torride de ce milieu d'après-midi. Il y a peu de piétons mais un va-et-vient incessant d'autobus et de voitures roulant à toute allure comme des cafards à la recherche d'un coin d'ombre. Les mains dans les poches, Lohengrin s'est arrêté pour contempler ce paysage, comme si le défilé des véhicules revêtait un intérêt quelconque. Puis il se retourne vers moi :

– Ce n'est pas une rencontre bidon, comme tu aimes à le penser. Nous avons rendez-vous avec Marcos Felipe Ramirez. La plage sera toujours là la semaine prochaine mais, pour Felipe Ramirez, tu sais que le temps est compté. A toi de voir.

Machinalement je prends la même pose que Lohengrin : main dans les poches, je contemple le flux de la circulation sur l'avenue San Lazaro. La seule évocation du nom de Marcos Felipe Ramirez change tout. Avocat, professeur et économiste distingué, Marcos Felipe est une personnalité haute en couleur et milite au Parti depuis toujours. Bel homme admiré pour son élégance, il anime avec sa femme Elisa Vasquez Sedia l'université parallèle créée par les communistes pour attirer les étudiants déçus par le conservatisme et la médiocrité de l'université de La Havane. Car si les cours de littérature et d'histoire de l'art sont de qualité, en revanche le programme d'histoire de la philosophie est d'une platitude accablante. Marx n'y a pas droit de cité et Hegel y est présenté sous un jour résolument « idéaliste ». Quant aux philosophes contemporains, ils sont à peine mentionnés et traités avec la plus révoltante désinvolture. Ainsi pour s'initier à Jaspers, Kierkegaard ou Heidegger faut-il s'inscrire à des cours en dehors du programme officiel et qui débordent sur notre emploi du temps. L'université du Parti n'a en effet rien à voir avec l'enseignement officiel. Tout y est interprété, analysé sous l'éclairage du matérialisme dialectique. Elisa Vasquez Sedia glose pendant des heures sur les trois « A », étoiles et cimes de la naissante philosophie grecque : Anaxagore, Anaximandre et Anaximène.

De même que son mari fait des ravages dans le cœur des filles, Elisa exerce un pouvoir de séduction certain sur les garçons qui ne manquent pas un de ses cours et boivent ses paroles comme un lait nourricier. S'il arrive que son mari se laisse tenter de temps en temps par une fraîche étudiante, Elisa en revanche est l'image de la militante pure et dure. Elle doit bien se douter pourtant que son corps plein, ses formes voluptueuses et ses yeux vert émeraude, rares dans nos régions, mettent en chaleur quelques-uns d'entre nous, mais elle ne nous en traite pas moins avec une indifférence de matrone romaine, sourde à tout ce qui n'est pas son devoir d'activiste. Elisa Vasquez Sedia serait capable – elle ne manque pas une occasion de nous le faire comprendre – d'envoyer enfants et mari à l'échafaud s'ils venaient à trahir la cause.

Je ne suis pas indifférent non plus à la beauté plastique de la « Magister », comme nous l'appelons, et tressaille à chaque fois qu'elle pose ses yeux couleur de fonds sous-marins sur moi. Heureusement cette attirance est anéantie par ce que je considère comme un grave handicap : la Magister est totalement dépourvue d'humour.

Un jour, j'eus le malheur de provoquer ses foudres. Souvent retenus par leurs charges au Comité central du Parti, Marcos Felipe et Elisa arrivaient en retard à nos cours. Mais un jour que ce retard avait dépassé les bornes je me permis, pour faire passer le temps agréablement, d'organiser une rumba endiablée sur le thème :

Platon, Aristote, gare à vous,
pauvres cloches d'idéalistes!
Voici venir vers vous les trois grands A matérialistes :
Anaximandre
Anaxigore
Anaximène
Un... deux... trois...
Anaxi... Anaxa... gore gore... mène mène!

En entrant dans la classe la Magister me surprit en flagrant délit : grimpé sur une table, je tapais furieusement sur une chaise en guise de tam-tam tandis que les autres frappaient dans leurs mains et roulaient des hanches. Une jeune négresse toute ronde faisait trembler ses seins et ses hanches comme un flan en tournoyant d'un bout à l'autre de la salle. Je remarquai le sourire amusé de Marcos Felipe qui frappa quelques mesures dans ses mains pour accompagner la danse, quand mes yeux croisèrent le regard glacial de son épouse qui déclara haut et fort :

– Il faut choisir entre la frivolité et la prise de conscience révolutionnaire. Tu n'es qu'un petit bourgeois gâté et ce que tu fais n'est pas drôle.

Par la suite, je me suis souvent demandé ce que la Magister trouvait drôle dans la vie. Et je devins plus indulgent envers les frasques amoureuses de Marcos Felipe : même au lit, j'imagine que sa femme doit garder cet air hautain et imposant, sous son large front alourdi de profondes réflexions marxistes-léninistes. Marcos Felipe l'avoue lui-même, il aime « se marrer ». Ses cours d'ailleurs sont brillants, toujours assaisonnés de blagues scatologiques et c'est un plaisir de l'écouter parler. Pédagogue-né, il a le don d'exprimer en quelques minutes ce que d'autres développent en une heure de cours fastidieux. L'idée de le rencontrer en dehors des cours et de passer un dimanche en petit comité avec lui m'enchante. C'est pourquoi j'accepte sans hésiter l'invitation de Lohengrin.

Certes, je m'attends à ce que Manu, fidèle à son habitude, organise cette rencontre avec le soin méticuleux qu'il accorde aux problèmes de sécurité. Mais cette fois la réalité dépasse ce que j'ai imaginé, à croire que nous avons déclenché la révolution.

Ce dimanche-là, sur ordre de mon ami Lohengrin, je me réveille à l'aube. A dix heures du matin seulement, le téléphone sonne.

– Allô!

– J'écoute.

– Tu es prêt?

– Merde, oui, je suis prêt, depuis trois heures!

– On se voit à l'heure où Antonia termine son cours. (Ce qui veut dire, dans notre code secret, à midi.)

– Où ça?

– A l'angle de la rue où on a vu le film de ton actrice préférée.

C'est-à-dire, au coin de la rue Galiano et de la rue San Rafael, non loin du cinéma où Lohengrin et moi avons vu récemment *La Dame de Shanghai* d'Orson Welles.

Avant que j'aie eu le temps de le maudire, Lohengrin a raccroché. Me lever à sept heures du matin un dimanche pour un rendez-vous à midi, quel crétin! Pour y avoir déjà goûté, je sais que ce rendez-vous ne représente que les prémices d'un long parcours au terme duquel on se retrouvera dans une salle de bistrot à quelques pas de là. J'attends donc sur le trottoir à l'endroit prévu, décidé à prendre mon mal en patience. Manu a ses défauts mais il est d'une ponctualité rare.

A midi pile sa vieille bagnole pointe sa silhouette bringuebalante dans une cacophonie de pot d'échappement, essieux, moyeux et châssis mal arrimés. Constatant ma mauvaise humeur. Manu déploie des trésors d'imagination pour me faire rire et ses histoires graveleuses, bien que bêtes et vulgaires, finissent par me dérider.

– La star américaine qui a un cul en or, comment elle s'appelle déjà ? Celle qui a débuté dans *Les Tueurs*, tu vois qui je veux dire ?

– Gardner. Ava Gardner.

– Exact. Eh bien, elle s'est maquée avec ce gnome sympathique de Mickey Rooney.

– Mariée, oui. Et ils ont déjà divorcé.

– Exact. Mais la meilleure, c'est que des journalistes ont publié un enregistrement clandestin qu'ils avaient fait dans l'hôtel de Las Vegas où ils ont passé leur lune de miel.

– Encore des inventions !

– Authentique, je te dis ! Je te montrerai l'article. C'est paru dans un canard américain qui raffole de ce genre de potins.

– Et alors, ce sont des torchons qui inventent n'importe quoi pour vendre.

– Imagine cette superbe femelle couchée nue sur ses draps de satin rouge. Imagine cette moitié d'homme de Mickey Rooney en train de l'enfourcher comme un petit diable et qui lui dit : « Ava, je vais t'aimer comme personne ne t'a jamais aimée, par où personne ne t'a jamais aimée ! » Et la belle Ava de se boucher les narines et de s'écrier : « Non, s'il te plaît, Mickey, pas par là ! »

– Ce n'est pas tellement drôle, dis-je en me marrant.

A mon grand étonnement, nous nous rendons directement à l'endroit fixé pour le rendez-vous : sur les bords du fleuve Almendares, en bas du pont, à l'orée de ce qu'on appelle « le bois de La Havane ». Quand je m'étonne qu'il ait choisi cet endroit, Manuel me répond :

– C'est dimanche, Chino. Le jour du Seigneur. Même les flics se reposent. Et s'il arrive que des sbires ou des mouchards nous voient, ne sommes-nous pas au-dessus de tout soupçon ? Quoi de plus naturel qu'un groupe d'universitaires se promène en causant avec quelqu'un comme Marcos Felipe? Nos ennemis ne l'ont-ils pas surnommé « le communiste œcuménique »? Quand Batista a invité le Parti à prendre part au gouvernement, Marcos ne s'est-il pas gagné le respect et l'amitié de l'armée, de l'Église et du journal *Diario de la Marina*? Un véritable exploit, soit dit entre nous! Comme dit Lohengrin, notre Juif cubain, « Marcos Felipe est le plus cacher des leaders du Parti ».

Ses commentaires réveillent ma mauvaise humeur.

– Si tout cela a l'air si normal, pourquoi m'as-tu fait réveiller à sept heures du matin?

– Par esprit sportif, Chino. Il faut s'entraîner pour le jour des olympiades. Mon rôle est de vous donner, à Lohengrin et à toi, les réflexes pavloviens de la clandestinité. Si tout va bien, nous fêterons nos noces d'argent avec la bourgeoisie nationale et l'impérialisme yankee. Mais qu'on nous emmerde, comme Prio et les Amerloques semblent avoir l'intention de le faire, qu'on nous interdise, qu'on nous foute des bâtons dans les roues, alors nous serons prêts à rentrer dans l'illégalité pour poursuivre notre lutte.

Jouant de sa ressemblance avec l'acteur Wallace Beery dans *Viva Villa!* Manu prend l'accent mexicain et se frappe la poitrine de la pointe de son cigare.

Passé le pont, nous descendons au bord du fleuve. J'aperçois de loin un groupe de douze personnes qui n'a rien à voir avec le petit comité dont m'avait parlé Lohengrin. Je suis furieux. Adieu l'idée d'un tête-à-tête avec Ramirez auquel je me suis entraîné, préparant une liste de questions pointues : le célèbre problème de « la forme et du contenu », cheval de bataille du marxisme; les poètes et les écrivains non marxistes ne pouvaient-ils être aussi de grands écrivains? A ce sujet je venais justement de lire un article de Pablo Neruda qui m'avait fait froid dans le dos. Lui, le magnifique barde des *Vingt poèmes d'amour et une chanson désespérée*, se permettait d'écrire, noir sur blanc, que « Kafka était un écrivain malade, stérile, nocif pour la jeunesse ».

Ce dimanche, j'avais l'intention de pousser plus loin

la discussion. Et voici que non seulement nous étions douze apôtres à vouloir attirer l'attention de Marcos Felipe pour un tête-à-tête intellectuel et philosophique, mais que le maître tant attendu n'était pas là.

– Normal, dit Manu avec un air de gourou licencié ès stratégie, Marcos Felipe a quitté tôt son domicile et va faire un parcours avant de nous rejoindre, vous vous en doutez, c'est une question de sécurité.

Sous-entendu : « Attention, petits cons, nous disait Manu, vous ronchonnez parce que Marcos est en retard mais, lui, il pense à notre sécurité, sans compter qu'il a dix mille problèmes à régler, même le dimanche, eh oui... »

Or, le souvenir d'un cours de Marcos Felipe s'imposa dans ma mémoire. Ce jour-là nous étions un groupe restreint, sept sur vingt-cinq, car une pluie torrentielle avait décimé les effectifs de notre classe. Marcos Felipe, arrivé en retard, était tendu. C'était un cours sur la plus-value et il ne s'était pas montré à la hauteur de son talent. Dans le groupe, il y avait un type qui exaspérait tout le monde, et particulièrement Lohengrin qui ne pouvait pas le supporter. Seul Lohengrin pouvait se vanter d'avoir lu *Le Capital* en entier et en allemand. On avait surnommé ce garçon Point Zéro car il était épais et lent, aussi bien physiquement qu'intellectuellement et ses interventions étaient un vrai supplice. Faisant répéter six fois de suite les mêmes choses. Point Zéro retardait considérablement les cours. Nous nous étions souvent demandé pourquoi ce couple de professeurs exemplaires qui consacraient leur temps et leur énergie sans être payés à nous apporter les lumières du matérialisme acceptait ce cancre fat et mou. Puis nous eûmes finalement l'explication : Point Zéro était leur neveu, et il faut croire qu'au fond d'elle-même la Magister, fidèle à ses origines sardes, avait gardé le sens du sacro-saint « clan ».

A propos de plus-value, notre Point Zéro n'en finissait pas de poser des questions stupides. Lohengrin avait déjà traduit pour lui quelques extraits de la bible marxiste en langage direct, plein d'argot et plus accessible à sa tête creuse. Stimulé et fier de l'attention qu'on lui prêtait, Point Zéro réitérait ses questions avec acharnement. Poussé à bout, Marcos Felipe usa alors de son arme préférée : la dérision.

– Tu veux savoir, en termes simples, ce que Marx appelle la plus-value? Allons-y. Imagine que d'un côté tu as une matrone qui souhaite ouvrir un bordel. Elle n'a pour débuter que quatre putes. Deux d'entre elles sont un peu sur le retour, pas très jolies, un rien déprimées. Les deux autres sont belles, jeunes et ardentes. La règle veut qu'elles reçoivent trente clients par soir à raison de cinq heures de travail. Les vieilles rempliront leur contrat, mais les jeunes en feront le double, et toutes seront payées un salaire équivalent. L'argent gagné en plus passera dans les caisses de la patronne. C'est ainsi que les chefs d'entreprise font de la plus-value en exploitant les travailleurs.

Le cours est terminé, mais comme il faut attendre que la pluie cesse, Marcos Felipe propose son jeu préféré : un questionnaire de cinéma, auquel Lohengrin et moi excellons.

– En 1941 Fritz Lang a tourné un film, lequel?

– *La Femme au portrait*, répond sans hésiter Lohengrin, qui pose une autre question : le journal américain *Variety* a appelé très méchamment des actrices « des Paulette Goddard de séries B ». Qui sont ces actrices?

– Lynn Bari et Mary Beth Hughes, réplique Marcos Felipe du tac au tac.

Quand arrive mon tour, je demande au professeur :

– Qui sont l'acteur principal et le directeur de la photographie dans *Le mort qui marche*, de Michael Curtis?

Marcos Felipe réclame un temps de réflexion. Il a l'air confus un moment, mais ce n'est que pour mieux nous tromper et triompher, car il connaît la réponse depuis le début. Puis il éclate de rire :

– Boris Karloff, pour l'acteur, et Sol Polito pour la photographie.

Marcos Felipe a une mémoire prodigieuse et peut répondre à des questions aussi difficiles que, par

210

exemple, « le nom du personnage d'Ann Todd dans le film *Le Septième Voile* ». D'où tient-il ces connaissances, brillant aussi bien dans les sujets sérieux que sur des détails anodins ?

– Le dimanche, je fais la grasse matinée. Bien calé dans les oreillers, je me défatigue du travail de la semaine en dévorant les revues de cinéma cubaines, mexicaines, américaines. Certaines sont très professionnelles comme *Sight and Sound*, mais la plupart ne volent pas très haut et racontent les histoires passionnelles, les amours, les déchirements et les scandales : contre lequel de ses producteurs Bette Davis a-t-elle entamé son dernier procès ? Quel sera le nouvel époux de Maria Felix ? Car à travers ces histoires trop humaines, on prend vraiment le pouls de l'industrie cinématographique, bien mieux que dans les revues dites intellectuelles.

Fort de ces confidences tenues un jour de pluie à l'université, quand Manu nous explique les raisons du retard de Marcos Felipe, je n'en crois pas un mot : je l'imagine dans son lit, appuyé sur ses oreillers et plongé dans *Cinémonde, L'Écran pour vous, Ciné Mexique*, au point d'en oublier notre rendez-vous.

Manu propose que l'on se restaure en attendant le professeur. Un kiosque-buvette sert aux promeneurs hot dogs et fritas, ces hamburgers version cubaine composés d'un morceau de viande coincé entre une couche d'oignons frits et de pommes de terre râpées comme des cheveux d'ange.

Prétextant un urgent besoin d'aller aux toilettes, je quitte le groupe. En fait, je m'éloigne d'eux pour cacher ma déception et mon agacement. Au lieu de la belle plage de Cojimar au sable fin et à l'eau transparente, je me trouve dans le paysage le plus médiocre et le plus insipide de l'île. Ce dimanche sur les bords du fleuve Almendares qui charrie une eau sale et verdâtre, sous ce pont dépourvu de grâce. Les familles promènent chiens, enfants, mamies et pépés, à la recherche d'un peu de fraîcheur, tandis que les couples d'amoureux disparaissent dans la profondeur du bois pour chercher un coin où faire l'amour à la sauvette moins cher que dans le motel à air climatisé qui affiche complet comme tous les dimanches après-midi.

Je remonte la colline vers le pont, bien décidé à me défiler et disparaître en douce. Il est trop tard pour attraper le bus de Cojimar, mais encore temps de me payer une double séance de cinéma dans la salle qui vient d'ouvrir à Miramar. Je suis en train de penser à l'excuse que je pourrais donner ensuite à Lohengrin et à Manu quand, arrivant au carrefour, je vois la voiture de Marcos Felipe, conduite par son épouse. Mon intuition était juste : Marcos Felipe a sûrement fait la grasse matinée comme d'habitude et ne s'est levé qu'après un copieux petit déjeuner et la lecture de ses revues favorites. Mère modèle et épouse parfaite, la Magister se propose d'amener les enfants chez les grands-parents et de revenir le chercher plus tard.

Sans donner la moindre excuse à son retard – ce qui est tout à son honneur car mieux vaut la franchise qu'un lâche mensonge – Marcos Felipe me fait signe et descend avec moi la colline.

Je le connais assez pour me permettre de lui demander pourquoi il a accepté cette rencontre à l'ombre de ce bois miteux. Il m'explique que Juan et Blas (Juan Marinello, le président du PSP, et Blas Roca, son secrétaire général) l'ont chargé d'une série de tâches qu'ils considèrent comme plus urgentes que les cours parallèles à l'université. Elisa doit prendre en charge la Fédération des femmes communistes et Marcos Felipe se trouve propulsé à la tête d'un Comité international pour la paix.

– Les Américains, dans leur besoin de domination, veulent une troisième guerre mondiale. C'est pourquoi il faut lutter pour la paix. A partir de maintenant je vais voyager beaucoup entre Cuba, Moscou et Paris où nous aurons notre quartier général.

Cette fois-ci c'est l'homme public qui me livre une confidence avec le même air sérieux qu'il arbore à la tribune pendant les meetings. Puis il revient à son humour, me prend un bras et me dit à l'oreille :

– Tu es poète, tu peux me comprendre. D'ailleurs, tu vis une belle aventure avec une femme formidable.

– Manu vous a raconté ma vie, on dirait?

– Mais non! Je n'ai pas besoin de Manu pour savoir ce que tout La Havane sait. Toi au moins tu peux t'afficher sans complexe avec ta belle, ce qui n'est pas mon cas!

Il me serre fort le bras et m'annonce d'une voix sourde pleine de rage et de passion contenue :

– Je suis amoureux fou de Diana. C'est pour ça qu'Elisa et moi ne pouvons plus travailler ensemble et que le Parti met de la distance entre nous avant d'annoncer notre divorce.

Sa sincérité est touchante, mais l'objet de cette confidence me semble terriblement banal et peu propre à m'émouvoir.

Diana G. était étudiante comme nous et suivait les cours de l'université parallèle. De famille catholique et bourgeoise, c'était le genre de fille qui, sans être laide, était totalement dépourvue de charme. Boulotte, noiraude, elle portait des lunettes qu'elle enlevait à tout bout de champ pour vous fixer de ses petits yeux noirs, myopes et inexpressifs. Diana était devenue grâce à moi déléguée des étudiants, une affaire menée de main de maître par Manu. Il m'avait « passé le marché » au cours d'une réunion.

– Chino, les élections approchent. Il nous faut à tout prix un délégué à nous dans la section philosophie. J'avais pensé faire un tandem de choc en te désignant comme délégué et Lohengrin comme second, ou vice versa. On est sûr comme ça de recueillir le vote des filles. Mais j'ai besoin de Lohengrin à la faculté de droit où, entre nous, tu ne fiches jamais les pieds. Nous devons remporter coûte que coûte la faculté de philo. Or, j'ai un problème de stratégie : avec ta cour d'admiratrices, je ne doute pas que tu gagnerais haut la main. Le problème c'est que je suis en train de passer des accords secrets avec les catholiques de gauche. Proposer Diana les satisferait. A vous deux vous pourriez faire une bonne paire.

– Diana G.? Mais elle est timide, effacée, personne ne donnerait une voix sur sa tête.

– Toi, tu vends ton sex-appeal et elle apportera le sérieux qui te manque. Avec vous, nous pouvons gagner. Diana a l'air timide en public, mais elle est du genre coriace et acharné, le genre à travailler dans l'ombre.

Diana fut élue déléguée du département de philosophie. Quand mes camarades s'étonnèrent de me voir accepter la situation sans me battre, j'évoquai toutes sortes de motifs : je n'avais pas le temps d'être un bon délégué. Diana m'avait beaucoup aidé en grec ancien et je lui renvoyais l'ascenseur... En plus, j'avais cru à cet accord avec les catholiques.

Mais la passion avouée de Marcos Felipe pour Diana éclaire à présent ma lanterne. N'est-ce pas Manu qui, connaissant la délicate affaire de cœur du professeur, a choisi d'offrir à la demoiselle mon poste de délégué? Et si cette opération machiavélique était orchestrée par Marcos Felipe? Quitter Elisa Vasquez Sedia, cette militante exemplaire à la réputation infaillible, pour une jeune oie catholique et bourgeoise, risque de n'être pas bien vu par les camarades, dont Blas Roca qui se prend pour Calvin et déteste par-dessus tout que les histoires de cul ternissent le prestige du Parti.

Devenant déléguée de la section de grec ancien du département de philosophie, Diana monterait progressivement les échelons. Tôt ou tard on la verrait à la direction générale de la Fédération des étudiants universitaires, puissante organisation qui avait son mot à dire dans la vie politique nationale. Et si Diana se montrait à la hauteur des ambitions de ses deux mentors, elle serait du même coup très utile au Parti et même Blas aurait du mal à s'opposer au divorce de Marcos Felipe. Le tour était joué, elle pourrait l'épouser.

Devant le reste des étudiants, Marcos Felipe évoque, pour justifier son retard, les nécessaires et contraignantes précautions de sécurité dont l'homme d'action qu'il est doit s'entourer. Manu et Lohengrin ont pris leur tête de joueurs de poker : les traits immobiles et lisses n'affichent pas la moindre réaction, tandis que Marcos Felipe enchaîne directement sur le plan Marshall et sur l'économie européenne :

– Les États-Unis payent leurs laquais, dit-il.

Nous avons pénétré dans un coin du bois plus touffu, traversé de sentiers sauvages. Là, tandis que nous déambulons en causant, je remarque autour de nous un étrange et discret ballet. Des jeunes garçons aux gestes langoureux, regards de biches éperdues et pantalons moulés sur les fesses, vont et viennent en jetant de longues œillades et des sourires plus que prometteurs aux mâles qui passent. De l'autre côté, des hommes seuls d'allure et d'âges divers se promènent comme des touristes dans un musée, les regardent de loin, s'arrêtent, repartent, ou échangent deux mots avant de disparaître dans la profondeur d'une futaie. Clientèle très diverse en effet, j'aperçois un gros type baraqué avec des épaules de docker, un autre qui a l'air d'un curé en civil, le troisième avec l'assurance replète d'un bon père de famille et deux marins en uniforme. Tout ce monde s'observe, se jauge, prend des initiatives. Captivé par notre discussion, personne dans notre groupe ne semble s'intéresser à la situation que je trouve pleine de piment : un groupe de militants chevronnés se promenant au milieu d'une foire homosexuelle. Je suis le seul avec Gabriel Rojo à l'avoir noté, mais si je m'en amuse, lui ne rit pas du tout et pour cause : dans le groupe on le soupçonne d'être « marica ».

– Dites... Il vaudrait mieux s'éloigner un peu d'ici, finit-il par proposer.

– Pourquoi ? demanda Manu, c'est parfait ici, on est tranquilles.

– C'est un coin de... de... pédés, dit-il en montrant quelques signes de nervosité. La police fait souvent des rafles. Ils se fichent pas mal des pédés et les relâchent après leur avoir collé une amende. Ce qui les intéresse, c'est de ficher les clients. Ensuite ils leur font du chantage, ça arrondit leurs fins de mois. Un vrai racket.

Apparemment il en avait fait l'expérience car il ne tenait plus en place.

– Il a raison, dit Marcos Felipe, foutons le camp d'ici, ce n'est pas prudent. Imaginez notre innocente promenade socratique se terminant au commissariat et faisant les gros titres des journaux. « Marcos Felipe Ramirez surpris en flagrant délit de sodomie dans le bois de La Havane! » Bonjour les dégâts!

Le Toque

Comment avait fait ma mère pour savoir qu'Emilio travaillait au journal, usurpant, comme elle disait, une place qui m'était due?

Je n'avais pas dit mot de ce que j'avais vu et entendu lors de ma visite. J'avais même délibérément menti pour ne pas la chagriner.

– Don Pepe m'a reçu comme un père, il a réuni tous ses collaborateurs au bar... Sois tranquille, maman, les secrétaires sont d'une laideur remarquable. Je n'ai jamais vu un ensemble aussi grotesque de longs nez, gros culs, de femmes à ce point disgracieuses dans leurs moindres détails... Papa a été vraiment à la hauteur des circonstances, royal... Tous les journalistes, Nelson Mendès en tête, m'ont accueilli à bras ouverts... Je pourrais à la fois poursuivre mes études universitaires et collaborer au journal. En plus, je vais travailler à la maison... là-bas, c'est trop bruyant.

Ainsi, j'avais transformé l'interdiction de mon père de rester au journal en décision spontanée. Quant à Emilio, je n'y avais pas fait la moindre allusion. Doublement héroïque, j'avais tenu mon serment de ne pas adresser la parole à mon demi-frère, tout en évitant à ma mère de nouveaux tourments. Mais, encore une fois, j'avais sous-estimé la perspicacité de ma mère, son talent de limier pour tout ce qui touchait à la double ou à la triple vie du Docteur, son acharnement à le piéger. Elle ne tarda pas à me montrer de quoi elle était capable dès qu'il s'agissait de défendre son territoire face à toute intrusion étrangère.

Je suis en train de travailler sur un article pour la rubrique « échos de la vie culturelle » quand j'entends dans mon dos la voix de ma mère.

– Qu'est-ce que tu en penses?

Je me retourne et je reste saisi, pétrifié, consterné : la femme qui est plantée devant moi ne lui ressemble pas.

Elle a coupé sa splendide chevelure de jais tout en ondulations naturelles. Ses cheveux sont auburn foncé, courts et frisés sur le front et derrière les oreilles. Ma mère a non seulement imité la coiffure et la couleur de cheveux de Lucille Ball, l'actrice américaine mariée au rumbero et chanteur cubain Desi Arnaz, mais elle a poussé l'identification jusque dans les moindres détails du maquillage. Son rouge, débordant le contour naturel de ses lèvres, lui agrandit la bouche; les sourcils rasés et peints en forme de croissant de lune lui donnent, comme à l'actrice, un air d'étonnement figé. Par un jeu d'ombres rouges et ocre elle a réussi à se fabriquer des pommettes saillantes.

Je murmure dans un filet de voix :

– Mais... qu'est-ce que tu as fait?

– Je change, mon petit, je change. Dans un an j'aurai atteint le demi-siècle. Pense un peu à tout ce qui s'est passé. Nous avons eu deux guerres mondiales, la révolution bolchevique, le triomphe de Mao Tsê-tung en Chine, l'arrivée du cinéma parlant, la mort de Carlitos Gardel... Tout a été tellement bouleversé et tu voudrais que ta mère ne change pas?

Elle se déplace de long en large dans la chambre, perchée sur des chaussures à semelles compensées qui la grandissent d'au moins six centimètres. Elle porte une robe vieil or, rehaussée de larges épaulettes, très cintrée à la taille et qui souligne les seins. Ce nouveau style change complètement ses gestes, son rythme, sa démarche. Avec sa lasciveté de fleur tropicale, sa démarche alourdie de princesse maure, elle, si nonchalante, la voilà à présent qui tourne sur elle-même, traverse la chambre en allongeant le pas, coupant l'air de ses bras, comme une poupée mécanique.

– Il y a quelques jours, j'ai découvert mes premiers

cheveux blancs. Tu m'imagines avec une longue chevelure couleur de neige? A quoi j'aurais ressemblé? A la sorcière de *Blanche Neige*. Eh bien, non! J'ai décidé, mon fils, d'attaquer la seconde partie du siècle en femme moderne!

– Mais, cette robe, maman...

– Qu'est-ce qu'elle a ma robe? Barbara Stanwick dans *L'Étrange Amour de Martha Ivers*, ce film que ton père a tant aimé, portait la même.

Encore une fois, elle se dévoilait. Ce désir de changement ne venait pas d'elle-même et ce demi-siècle n'était qu'un pauvre prétexte pour cacher son inquiétude. Ce qui la poussait, c'était sa hantise de vieillir, de perdre l'amour de son homme, de le voir partir pour de bon. Et mon intuition me disait qu'il y avait encore un autre motif, plus secret, indéfinissable. Mon père seul ne pouvait être la cause de l'état de fièvre et d'hypersensibilité de ma mère, de ce chambardement, de ces grandes manœuvres. J'avais beaucoup appris d'elle à sa manière sournoise de « sortir les vers du nez » de mon père. Aussi j'employai la même technique, la questionnant par petites touches, déviant la conversation quand je sentais son regard pénétrant se poser sur moi. Peu à peu, morceau par morceau, je recomposai le puzzle de l'histoire de sa métamorphose.

– Il y a quelques jours, je faisais des courses dans le quartier quand une femme que je ne connaissais ni d'Ève ni d'Adam s'est approchée de moi. Elle s'est présentée en me disant qu'elle était heureuse de rencontrer l'épouse du Docteur. J'ai d'abord cru qu'elle me confondait avec... enfin, celle que tu sais, qui est mariée par l'Église à ton père. Mais non. C'était bien à moi qu'elle voulait parler. Cette femme, une certaine Magdalena Gutierrez, venait d'emménager dans le quartier et avait appris par les voisins que j'étais l'épouse du Docteur. Pourquoi diable s'intéressait-elle à moi? Parce que sa nièce, me dit-elle, n'était autre que la secrétaire personnelle de Pepe Fran Marcial. Le monde est bien petit, mon fils.

Ma mère comprit très vite le parti qu'elle pourrait

tirer de cette rencontre. Le lendemain elle avait déjà pris contact avec Maria de Los Angeles, dite « Mariquita ». Et en quelques jours la maison de Magdalena Gutierrez devint le centre opérationnel de ma mère. C'est là qu'elle retrouvait Mariquita avant que celle-ci ne se rende au travail. La description que me fit d'elle ma mère me confirma que je l'avais rencontrée lors de ma visite au journal.

– Une méduse, enfoncée dans une sorte de robe-sac, les cheveux décolorés à l'eau oxygénée et coupés à la Jeanne d'Arc pour faire oublier l'aïeul ou la grand-mère de couleur. Des lunettes aux verres épais qui lui font des yeux de têtard noyé dans un aquarium.

D'après ma mère Mariquita était amoureuse de son patron. Elle n'aurait pas été étonnée non plus d'apprendre que Mariquita avait été la maîtresse de Don Pepe dix ans auparavant. Toujours est-il qu'elle semblait s'être résignée à servir de secrétaire, d'infirmière, de blanchisseuse-repasseuse et de souffre-douleur au Catalan. Mal payée, humiliée, Mariquita trouvait en ma mère une alliée de choix.

– Elle m'a tout raconté sur le bâtard qu'elle déteste. Elle le trouve arriviste et prétentieux. Il paraît qu'elle est obligée de lui taper ses textes, figure-toi, parce que cet incapable ne sait même pas écrire à la machine.

Ainsi j'apprends par la bande qu'Emilio est entré au journal comme coursier à l'âge de treize ans et qu'il est monté peu à peu en grade, soutenu par mon père. D'après notre informatrice, Emilio exerce les fonctions de bouche-trou : quand il y a un vide à remplir, il vous « torche » un papier à la va-vite – pages sportives, faits divers, spectacles, tout est bon. Toujours d'après Mariquita, Emilio se prend pour le Pic de la Mirandole cubain du journalisme : le type capable d'écrire sur tout avec la même facilité.

Mariquita confirme aussi ce que ma mère craignait le plus : « l'Autre » fait des apparitions impromptues au journal, sous n'importe quel prétexte – elle apporte à son fils nourriture, mouchoirs, petite laine – ou sans aucun prétexte, si ce n'est pour faire parler d'elle, pour qu'on dise au journal que « la mère d'Emilio est là ».

– Je comprends pourquoi ton père ne veut pas que je vienne au journal. Tu m'as tout caché par gentillesse. Dieu protège l'innocence, mais il a mis Mariquita et Magdalena sur mon chemin. Chaque jour la bonne âme me raconte ce qui se passe au journal : qui vient, ce qui se dit, les projets de ton père, qui il appelle, à qui il écrit...

Ma mère avait trouvé ce qu'elle cherchait depuis des années : un sous-marin, un observateur discret sur le lieu de travail de mon père, l'endroit où il passait le plus clair de son temps. Ainsi elle était informée à l'avance de ses activités, de ses déplacements, elle savait d'où venait le danger et comment y parer. C'est aussi cette Mariquita qui était à l'origine du changement spectaculaire de ma mère.

– L'autre a tout d'une vache espagnole, paraît-il, lourde, noiraude, des robes sombres et des cheveux noirs tirés en arrière. Ton père, en bon seigneur castillan, aime cultiver le genre gitane. Mais... il y a gitane et gitane. Je suis le tableau authentique et l'Autre, la mauvaise copie.

Magdalena et Mariquita avaient trouvé l'idée de ma mère admirable : à l'Autre, elle laisserait l'image de la Tzigane des quartiers miséreux de Séville et elle jouerait à la femme moderne, capable de prendre son destin en main, de se changer, de se rajeunir.

– Tu ne crois pas que je devrais maigrir au moins de dix kilos ? me demande-t-elle.

Elle a un air si désemparé, un regard tellement triste que j'essaie de vaincre le fou rire qui m'a pris en la voyant dans cet accoutrement. Connaissant son côté excessif et son courage à endosser la douleur, je la sais capable de s'affamer si elle a décidé de maigrir. Aussi je ne manque pas de lui rappeler le mépris de mon père pour « les maigres ». C'est son seul côté authentiquement cubain : ce refus de la femme stylisée qu'on admire à l'écran mais qui est insupportable dans la vie. « La maigreur chez une femme, l'avais-je entendu dire un jour, est synonyme de manque de sensualité. D'ailleurs, ces actrices éthérées, les Garbo, les Dietrich, les

Carole Lombard sont toutes des lesbiennes. » Aimant la bonne chair, le vin et la bière, ma mère n'avait pas eu de mal à se laisser convaincre de l'inutilité de maigrir pour présenter la nouvelle image qu'elle voulait désormais imposer à mon père. Quand une phrase sibylline attira mon attention.

– La bataille ne fait que commencer. J'ai heureusement trouvé des alliées à ma hauteur.

Mon inquiétude venait du fait que, pour la première fois dans son histoire, ma mère avait à la fois une ennemie et le fruit de son amour à portée de sa rancœur. La femme officielle de mon père était partie depuis longtemps en Espagne. Séparée de corps bien que non divorcée, elle et sa progéniture étaient trop loin pour entretenir la haine féroce de ma mère. Elle savait que « les époux » ne communiquaient que par intermédiaires – avocats, hommes d'affaires, banquiers – sans que la moindre affection ne passe dans ces contacts anonymes et purement formels. Quant aux autres « rivales », elle n'en avait aucune preuve, juste des soupçons. La plupart du temps elle n'avait pu vérifier ces liaisons qu'une fois terminées. Cette fois c'était différent. L'Autre et son fils étaient « localisables ». Ma brève rencontre avec Mariquita et ce que ma mère me disait à présent de leur « alliance » alimentaient mon inquiétude. Car la secrétaire de Don Pepe me faisait une tout autre impression. Si elle ressemblait à une méduse, son apparente mollesse cachait une volonté d'acier. J'avais observé les regards glacés et perçants que Mariquita envoyait de temps à autre à Don Pepe et comment ce regard se faisait plus tranchant lorsqu'il se posait sur Ma Tomasa et même... sur mon père. Elle portait en elle une haine froide, lovée dans les régions les plus ténébreuses de son cœur. Soudain j'avais eu une sorte de flash. Dix, quinze ans auparavant, la « méduse » n'était certainement pas un canon, mais on pouvait l'imaginer avec quelques kilos de moins, un visage frais, un corps plantureux, des cheveux naturels, moins aigrie, souriante et sans lunettes... Elle correspondait d'assez près au genre de femmes que mon père aimait. En étudiant les changements que Mariquita proposait à ma mère (c'était elle qui avait tout supervisé : le coiffeur, la modiste, le maquillage...), je soupçonnais une sombre vengeance aux relents de vendetta sicilienne. Mariquita se servait de ma mère pour faire du mal à l'Autre, leur ennemie commune, mais en même temps elle manipulait ma naïve de mère, la transformait en personnage négatif, une femme dure, hommasse et – si possible – maigre que mon père ne pourrait pas aimer.

Tous mes sens en alerte, j'écoute les projets de ma mère, en train d'essayer d'imaginer une stratégie (pilotée par Mariquita, j'en suis sûr) pour que Don Pepe limoge le bâtard. J'ai aussi un allié de poids au journal : Nelson Mendès. Grâce à lui, je pourrai me renseigner sur les véritables intentions de Mariquita et neutraliser son influence néfaste sur ma mère, éviter qu'un choc violent ne se produise entre mes parents. Et, en plus, sans être le moins du monde attiré par mon demi-frère – je le trouve un rien pédant –, je n'ai aucune animosité contre lui.

– Quand l'amitié ne suffit plus, il existe des moyens plus puissants pour lutter contre l'adversité, lâche mystérieusement ma mère en quittant la chambre, sans que je puisse traduire en termes clairs ce que ces menaces recouvrent.

Elle affectionne particulièrement ce genre de déclaration qui laisse présager le pire et le meilleur. Cette phrase, jetée ainsi, me rappelle une visite chez les Wong.

Quelques jours après la métamorphose de ma mère, j'ai reçu une longue lettre de Gipsie, fraîchement arrivée à New York. Lettre chaotique où le langage cru et pornographique côtoie les tendres serments, passant de la description exhaustive d'une séance de divan avec un psychanalyste autrichien – qu'elle décrit comme « un brave docteur avec l'accent d'un épicier boche », mais plein d'anecdotes croustillantes sur la Vienne d'avant l'arrivée des nazis – à d'alléchantes propositions de travail pour moi. « ... Figure-toi que des amis bourrés aux as veulent créer une revue un peu snob avec un arrière-goût européen, un peu de philosophie par-ci, un peu d'exotisme par-là. Et c'est là que tu pourrais intervenir... »

Si j'ai bien compris les propos confus de Gipsie, le propriétaire de la revue en question veut faire une série de reportages sur les Chinois aux États-Unis. Gipsie l'a convaincu que Cuba fait partie des États-Unis, que La Havane est le Miami, le Las Vegas des Caraïbes, et que le Chinatown cubain est un des plus pittoresques et hauts en couleur de la région. Mon travail consistera donc, grâce aux Wong, à pénétrer les secrets du quartier chinois, à entrer en contact avec les personnalités marquantes de la communauté, à évoquer les « guerres intérieures » entre les divers clans et bandes de Chinatown.

Quand je leur raconte mes projets, les Wong me reçoivent avec leur gentillesse habituelle, me forçant à rester à déjeuner. Pendant que Senta s'occupe de la cuisine, je fais marcher pour Œillet une énorme toupie musicale que je viens de lui acheter. C'est en apportant les amuse-gueule chinois que Senta me demande :

– Tu viens aussi au Toque, n'est-ce pas Niño ?

– Toque ? Quel Toque ?

– Celui que je prépare pour ta mère. (Senta semble étonnée de mon air ahuri.) Je croyais que tu étais au courant.

– Elle ne m'a rien dit. Comment se fait-il que tu acceptes de préparer un Toque alors que tu as juré à Luis de ne plus jamais revoir tes compagnons de Santeria ?

Elle joint les mains, les lève et regarde vers le ciel – geste qu'elle emprunte à ma mère – et, d'une voix de lamento, adoptée pour la circonstance :

– Mes promesses à Luis s'arrêtent quand je dois rendre un service à Doña Soledad.

Voilà donc le fin mot de l'histoire, le Toque... les airs mystérieux de ma mère n'ont plus de secret pour moi. Idiot que je suis, j'aurais dû m'en douter. Intuitive,

Senta a deviné mon trouble. Son mariage avec Luis Wong et les naissances successives de ses enfants ont un peu coupé les liens qui nous unissaient depuis mon enfance. Quand les drames entre mes parents éclataient, quand les fantaisies ou les délires de ma mère me laissaient désemparé et confus, c'est toujours vers Senta que je me tournais. Durant ma toute première enfance, elle avait été ma vraie mère, celle qui éduque, qui sévit, qui apporte le réconfort et calme les peurs.

Quand Senta quitta notre maison pour aller vivre avec son mari du côté de Chinatown, je fus saisi d'un désespoir insurmontable. Puis la vie a repris le dessus et j'ai grandi. A la naissance d'Œillet, j'ai revécu mes relations avec Senta mais dans le sens inverse, car pour Œillet je suis devenu celui sur lequel on peut toujours compter quand l'existence, aux yeux d'un petit être, devient noire et confuse. Et si, depuis lors, j'ai appris à dialoguer avec Senta « d'adulte à adulte », je regrette toujours notre complicité d'antan.

Avec ce Toque, Senta me redevient familière. Elle s'est assise par terre entre sa fille et moi. Soucieuse, elle évoque la mauvaise passe que traverse ma mère et comment nous devons l'aider.

– Elle a su que ton père avait un fils de ton âge. Ça a été un choc terrible.

– Il a un an de moins que moi.

– C'est encore plus grave. Pour la première fois depuis que je la connais, j'ai cru qu'elle allait faire une bêtise irréparable. J'en ai même parlé au Docteur, moi qui me suis toujours juré de ne jamais intervenir dans leurs drames.

– Comment a-t-il réagi?

– Il a pris son visage de joueur de poker et changé de conversation, me demandant des nouvelles de Luis, des enfants. Mais, depuis ce jour, il est resté davantage à la maison. C'était toujours ça de gagné et j'ai cru que Soledad était consolée. Jusqu'à hier...

Déguisée en Barbara Stanwick, maquillée comme Lucille Ball, ma mère était venue la voir pour la supplier de faire un Toque afin d'éloigner l'Autre de son homme et le retenir une fois pour toutes à la maison.

– Ta mère n'a jamais rien compris à la religion noire, comme beaucoup de gens sur cette maudite île. Ils prennent ça pour un échange donnant-donnant. O Yemaya, Obatala! Donne-moi la santé, la richesse, l'amour et je ferai le plus beau des Toque en ton honneur, je couvrirai ton autel de fleurs et d'offrandes pour te prouver ma reconnaissance. Ça, mon petit, c'est bon pour les touristes. Notre religion est secrète, souterraine. Ma grand-mère était esclave. Et je me souviens encore d'elle ne cessant de me dire : « Tu deviendras prêtresse, Senta, non pas pour être riche et belle ou te gagner les faveurs d'un homme, mais pour aider les autres. La religion est notre salut, un moyen de ne pas sombrer dans la folie, la seule chose qui nous appartienne! »

– Et qu'est-ce que tu vas offrir à ma mère, Senta, un show pour les touristes ou un petit bout d'initiation?

Senta me régale d'un de ses sourires qui ont fait le bonheur de mon enfance :

– Un mélange des deux, Niño. Mais, tu peux en être sûr, elle aura les meilleurs tambours batas de l'île.

– Les meilleurs tambours batas de l'île? Coño, Chino, il faut que tu m'emmènes à ce Toque!

Je suis tombé dans le piège, j'ai voulu faire le malin, je me suis vanté et maintenant je m'en mords les doigts. Pour faire valoir « mes contacts avec le peuple » (oubliant de préciser, bien sûr, que Senta est mon ancienne nourrice), j'ai eu la mauvaise idée de raconter à Manu qu'une « distinguée mambo d'une secte haïtienne » préparait une séance de Santeria pour ma mère.

– Je t'en prie, Chino, fais-moi cette fleur.

– Tu es marxiste, Manu. Comment peux-tu t'intéresser à ces choses-là?

Manu lève ses sourcils broussailleux et soupire comme s'il avait reçu un coup dans le plexus, puis il m'offre son plus touchant sourire.

– Nous sommes à Cuba, vieux, pas à Moscou ni à Pékin. Ici on peut croire au marxisme et vénérer Yemaya. Regarde...

Il sort de la poche de sa guayabera un étrange objet, une sorte de bonhomme en pierre au corps recouvert d'écailles.

– Ce gri-gri ne me quitte pas. Ça fait sourire les camarades quand ils voient ça. Mais je sais qu'une fois que j'ai le dos tourné, ils font un signe de croix car ils savent que cette amulette contre le mauvais œil a des pouvoirs redoutables.

Je promets à Manu de faire mon possible pour l'inviter au Toque et cours dire mon étonnement à Lohengrin.

Pendant le cours d'histoire de l'art, dans la pénombre de l'amphithéâtre, je lui demande :

– A ton avis, Manu est-il vraiment croyant ou fait-il semblant pour épater les autres ?

Sur un grand écran les diapositives des plans du Panthéon se succèdent. Le professeur, un petit homme à la voix nasillarde, commente chaque image, l'accompagnant d'anecdotes de son dernier voyage à Athènes. Nous avons baptisé ce cours « En Grèce, comme si vous y étiez », et le professeur « Pédé-comme-un-phoque ».

Faisant virevolter ses mains grassouillettes parfaitement manucurées, jouant de sa chevelure blanche et ondulée, Pédé-comme-un-phoque mélange discours esthético-historiques à des récits de la vie nocturne à Plaka, ce quartier populaire d'Athènes où, dit-il, « l'art affleure à chaque coin de rue », à vous en faire tourner la tête. Lohengrin, qui connaît très bien Athènes et déteste la surenchère fantaisiste du professeur, a glissé une question insidieuse pour le déstabiliser en plein milieu d'une de ses grandes envolées lyriques.

– Pardon, monsieur...

– Dites ?

La petite main blanche, volatile, glisse sur la chevelure enneigée.

– Pourriez-vous nous parler de vos promenades nocturnes dans le parc du Pirée ?

Question perfide car une rumeur circule dans la faculté à propos de photos de Pédé-comme-un-phoque surpris dans une situation compromettante avec un jeune marin grec sur la pelouse du parc du Pirée. Le professeur se dresse sur la pointe des pieds et agite sa crinière blanche en signe de défi.

— Vous êtes idiot, monsieur, ou désespérément ignare. Le Pirée ne se visite pas, on s'y rend pour embarquer vers les îles.

Pour manifester son mépris ou rendu muet par la rage, le professeur laisse tourner la série de photographies suivantes sans le moindre commentaire. Des rires gênés et comme un bourdonnement d'abeilles parcourent l'ampithéâtre. C'est le moment que je choisis pour interroger Lohengrin sur Manu :

— Si Manu croit que...

Lohengrin prend son temps pour réfléchir. C'est un côté de lui que j'admire beaucoup, il ne répond jamais directement. Moi je réponds sans réfléchir et je m'en veux ensuite de ma maudite spontanéité que d'autres considèrent comme de l'étourderie.

— Je n'en sais rien. Sous son apparence solide, tout d'un bloc, Manu est un être assez complexe. Il m'a raconté que, petit, il fréquentait le quartier noir et qu'il avait eu lorsqu'il était adolescent une passion destructrice pour une négresse santera. Ça a dû laisser des traces. Il se peut aussi qu'il joue de cette prétendue croyance pour mieux s'introduire dans les milieux populaires, ou comme un camouflage de plus. Qui croirait, en le voyant dans un Toque, que c'est un communiste convaincu? Bluff, protection contre les mouchards de la police, croyance sincère... tout est possible. Voilà pourquoi je suis convaincu que Manu a un avenir politique, qu'il sera peut-être un des futurs dirigeants du Parti. Et qu'on risque de le trouver là où on l'attend le moins.

Le cours tire à sa fin. Dans un geste solennel notre aimable professeur attrape son attaché-case et lance un « mesdemoiselles... messieurs... » qui se veut empreint d'ironie et d'insinuations secrètes. Lohengrin pointe son doigt vers moi tel un professeur posant une colle à son élève :

— Si le Toque a lieu... évidemment, n'est-ce pas, je serai des vôtres?

228

Spontanément, j'aurais dû lui donner une réponse négative : c'est évident, Senta n'apprécie pas du tout la présence d'étrangers à son Toque et il me faudra user de persuasion pour la convaincre. Mais au fond de moi je suis tenté de voir Manu et Lohengrin participer à cette cérémonie, je brûle d'observer leurs réactions. La réaction de Senta est sans surprise.

– Je fais ce Toque pour ta mère. Les tambours de Regla et de Guanabacoa seront là. Et tu voudrais que j'invite tes copains? Pourquoi ne pas mettre une annonce dans les journaux tant que tu y es? On pourrait aussi faire venir quelques cars de touristes, pour la couleur locale.

Senta prend ma proposition comme un affront et j'ai le plus grand mal à la convaincre. Mais j'insiste, sans complexe. Après tout, je suis son Niño et, bien qu'elle se plaigne souvent de la mauvaise éducation que m'a donnée ma mère, elle non plus ne sait rien me refuser. Voilà pourquoi, contre son gré, Senta finit par accepter.

La nuit a mal commencé. Quand elle arrive, ma mère est reçue avec les honneurs d'une reine. On la conduit à une sorte de trône que Senta lui a destiné. Une atmosphère empruntée plane sur l'assistance. Malgré les enfants qui piaillent et courent dans le patio, les adultes ont du mal, semble-t-il, à oublier notre présence. Plutôt à l'aise, ma mère – amie et sœur de la mambo – accueille avec condescendance les manifestations d'amitié et de respect dont on l'entoure. Parlant aux uns et aux autres, elle mange et boit les verres de rhum qu'on lui offre sans discontinuer, ce qui ne me dit rien de bon. Manu, quant à lui, commence déjà à m'énerver. Il en fait un peu trop. La guayabera grande ouverte sur son torse poilu pour mettre bien en évidence son gri-gri suspendu pour l'occasion à une chaînette dorée, il passe le bras autour de toutes les épaules, légèrement paternaliste, donnant du « frère » et du « sœur » à tous ceux qui l'approchent, mais personne ne s'y trompe. Digne et réservé, Lohengrin, lui, cherche à se fondre dans l'assistance. Mais il ne passe pas inaperçu. Les enfants l'entourent, le touchent, lui posent des questions.

Cela vient à peine de commencer que déjà je m'ennuie ferme. Le patio s'est transformé en piste de cirque. D'un côté on a placé des chaises en rond pour les personnes âgées et le trône de ma mère, de l'autre, l'autel de la Vierge de la Charité avec les fruits et la nourriture sacrée. De part et d'autre de l'autel sont disposés les tambours. Au centre on a laissé un grand cercle où les gens se promènent, passent des plateaux de nourriture, palabrent par petits groupes, se regardent. Les plus gais sont les enfants. Au début, quand Senta m'emmenait avec elle, c'est cette ambiance de fête familiale qui m'a toujours ennuyé. « On attend », me disait-elle. Pendant ce temps les tambours se chauffent. Ils entrent progressivement dans le corps, se glissent sournoisement dans le sang et les nerfs, poussent un homme par-ci, une femme par-là à se lancer dans un solo de danse discrète, comme avant le bal. C'est seulement après des heures de cette sorte d'attente, quand la cérémonie est prête, que la séance commence véritablement.

Alors la piste ronde se vide et les nouvelles initiées défilent, celles qui porteront pendant un an les couleurs de la sainte. Elles ont été isolées de tout contact impur, elles ont reçu les enseignements secrets de la secte, transmis de l'Afrique lointaine en Haïti, puis via Santiago de Cuba aux descendants des Noirs haïtiens regroupés dans ce quartier de La Havane. Les jeunes filles et leur famille ont fait d'énormes sacrifices pour payer les robes de cérémonie. Tout en soie, en satin, en dentelle de coton. Un voile sur leur tête rasée, un cierge à la main, elles défilent sous l'œil attentif de leur marraine, la mambo qui s'est chargée de leur instruction. Les grands tambours sacrés résonnent, redoublent de puissance, font monter la tension. A présent ce sont eux qui donnent le ton. Et peu à peu l'ambiance bascule, l'atmosphère est chargée d'électricité, un frisson parcourt l'assistance et certains se lancent sur la piste.

Les chants font écho aux tambours, quelques femmes commencent à frapper des mains et leur corps ondule imperceptiblement, comme un roulis, comme des vagues qui gonflent. Quelques-unes d'entre elles seront les premières à tomber dans la transe. L'attitude des hommes aussi a changé : ils se déplacent d'un point à l'autre, avec des mouvements sinueux de loups aux abois. La nourriture épicée, l'alcool ont déjà fait leur œuvre. Mais surtout ce défilé de jeunes filles pubères toutes vêtues de blanc, mélange de jeune mariée et de première communiante catholique, réveille leur instinct, les excite.

Une des filles se détache du reste de ses compagnes. Sous le voile on découvre un visage qui rappelle certaines statuettes africaines : un front bombé, l'arcade sourcilière haute et les paupières lisses sur des yeux d'amande fendue, le nez fin aux ailes palpitantes et des lèvres gonflées, une bouche pulpeuse et recueillie. Les autres ne peuvent s'empêcher de lancer des œillades affolées ou de sourire, intimidées par autant d'yeux posés sur elles et par la présence des mâles. Pas celle-ci. Le regard baissé, une concentration totale imprègne chacun de ses mouvements. Elle vit intensément, dans la profondeur de sa chair, ce moment de dévotion. Et cette impression qu'elle est coupée du monde extérieur, absorbée par sa foi, me fascine et me fait oublier à mon tour la nuit, les gens, la chaleur humide et lourde et l'objet de cette cérémonie.

Je m'éloigne du siège royal où est assise ma mère pour mieux suivre le défilé des jeunes initiées. Guidées par leur mambo, elles s'arrêtent devant ceux qui doivent être les hauts dignitaires de la secte à en juger par l'attitude déférente qui les entoure. Près des tambours un groupe de femmes bat des mains, accompagnant d'un mouvement de tout le corps un chant réitéré aux accents aigus. Puis, une fois accomplies les présentations rituelles, le groupe de jeunes filles et la mambo traversent l'allée entre deux rangées de chaises et quittent le patio. A cet instant précis, je m'en veux de n'avoir pas mieux étudié la religion de ma nourrice.

Corrompu par le snobisme et le mépris des étudiants, j'ai fini par adhérer à l'idée qui fait de la Santeria à Cuba une des causes du sous-développement. Seul le vaillant pionnier Don Fernando Ortiz a consacré sa vie à l'étude des religions africaines. Mais ces recherches ethnologiques très sérieuses qui ont donné lieu à d'éminents travaux littéraires, comme *Les Contes noirs* de Lydia Cabrera, ne satisfont pas non plus ma curiosité : quel est l'ordre suivi par ce rituel, que vont faire les jeunes filles à présent ? Vont-elles se changer et revenir pour participer à la veillée ? Le souvenir d'autres défilés auxquels j'ai assisté dans mon enfance me portent à craindre qu'elles ne restent enfermées quelques jours à l'abri des regards, éloignées de toute tentation.

Si tel était le cas, je ne reverrais plus cette jeune fille dont la foi m'a bouleversé. J'ai rencontré beaucoup de gens qui se disent croyants et qui se bornent à respecter les rituels et les formes extérieures de la religion, d'autres qui font de la surenchère avec un fanatisme borné. Mais cette question est pour moi du plus haut intérêt. Peut-on vivre sans croire à quelque chose ? Un dieu, un parti, un art, l'Autre ? A considérer mes proches, le tableau est confondant : mon père qui se dit agnostique maintient à distance tout ce qui pourrait l'engager au-delà du raisonnement. En politique, il se veut « l'homme du juste milieu », et tout tend à prouver que jamais il ne fera un pas au-delà de ses limites. D'un autre côté j'ai fini par comprendre que l'amour passionnel que ma mère lui voue porte en lui une grande dose de méfiance. Elle aime tout en se sachant trahie et cette méfiance ronge l'image idéale de l'amour qu'elle s'est construite. Pour Senta, la religion n'a été qu'une prolongation naturelle de son existence. Et sa croyance ne l'empêche pas de considérer les rites et les croyances de sa secte avec un certain humour. Aussi après son mariage a-t-elle accepté sans trop de douleur de s'éloigner de sa confrérie. Les racines de sa foi n'étaient pas aussi profondes qu'elle le pensait.

Quant à moi, j'ai eu mes crises mystiques au moment de la puberté. Le résultat a été plus théâtral que convaincant. A treize ans je prétendais parler directement avec Dieu, sans intermédiaires.

Un jour je m'en étais confié à Gipsie. Gipsie, la lucide, qui gardait la tête froide en toute occasion. Elle m'avait écouté avec attention, malgré le scepticisme qu'elle nourrissait à l'égard « des grandes questions », puis m'avait dit :

– Tu prends les choses à l'envers. Tu cherches un objet à ta foi pour pouvoir te lancer ensuite à corps perdu dans la quête de l'absolu. Mais la foi est comme un virus. J'espère pour toi que tu passeras à côté car la foi isole, rend aveugle, te met sur de faux chemins.

Qui sait ? Peut-être avait-elle raison, mais ce soir je brûlais de rencontrer au moins une fois une personne qui ne mettait pas d'obstacle entre elle et sa foi. Cette jeune fille remplissait mon attente. Je voulais lui parler, essayer de comprendre, toucher de près ce mystère, cette grâce, une foi qui paraissait inaccessible et qui n'avait rien à voir avec la médiocrité que je voyais autour de moi.

Le rythme lancinant des tambours est monté d'un cran. Secousse tellurique, appel des profondeurs. Des cris stridents s'élèvent çà et là signalant que les transes ont commencé. Des gens du voisinage sont entrés dans le patio. Tous veulent être témoins des possessions. Je suis refoulé en arrière. A contre-courant, j'ai du mal à me faufiler sur les traces des jeunes filles. Pour mieux organiser l'espace de la cérémonie, les palissades qui s'élèvent généralement entre les maisons et baraques ont été enlevées ou déplacées. Les maisonnettes de bois et les cabanes rudimentaires forment un labyrinthe où il est difficile de se repérer. J'erre dans ce dédale et, en désespoir de cause, me résigne à regagner le patio pour demander à Senta de m'indiquer un chemin.

Lohengrin, pâle, dépeigné, les vêtements en désordre, vient à ma rencontre.

– Où étais-tu ? Je t'ai cherché partout !

Je bredouille.

– Ta mère...

Je pense qu'il va m'annoncer une catastrophe, lui serre le bras, le secoue.

– Quoi, ma mère? Qu'est-ce qui se passe?

D'une manière désordonnée, hurlant pour couvrir les tambours et les chants arrivés à leur paroxysme, il me raconte :

– Pour voir de près les mains des batteurs frappant les tambours, je me suis approché de l'autel. Quelles mains! Des mains d'acier qui frappent sans discontinuer, et les dos et les bras aux muscles saillants ruisselant de sueur. Le plus impressionnant ce ne sont pas les plus costauds, mais les plus petits, juchés sur un tas de briques pour être à la bonne hauteur, des mains frêles et délicates, des corps de lianes, et pourtant aucune différence dans le son, la même puissance. Les visages immobiles, les regards tournés vers l'intérieur, possédés par le rythme. Je me laisse envahir par l'ambiance de suggestion qui m'entoure. J'imagine ces tam-tams grondant et roulant dans les nuages, survolant les déserts, les océans, les forêts. Et soudain je me dis : « Voilà que tu délires à ton tour, tu es ivre, Lohengrin, tu ne crois pas aux djinns, ni aux dieux noirs, ni aux âmes errantes... » Et pourtant quelque chose de plus fort que moi me prend, tout mon corps vibre au son des tam-tams. Et je suis en train de rire de moi, de la situation, « toi le Blanc, le blond, es-tu en train de tomber en transe, possédé par un dieu germanique? », et je ris... quand un mouvement de panique saisit l'assistance. J'entends un hurlement de bête qu'on égorge. Et je vois... ta mère... par terre... les yeux révulsés... agitant ses bras en l'air... comme appelant au secours... le corps secoué de convulsions... Elle, si douce, à la voix chaude et ronde, hurle d'une voix profonde et basse les mots les plus orduriers et les plus obscènes. Senta ordonne à quelques hommes de la soutenir pour qu'elle ne se fasse pas mal. « La Señora Soledad est possédée par Ochoun, c'est la colère d'Ochoun », disent-ils. Et tandis que Senta décapite un coq et verse le sang sur ta mère pour apaiser la colère du dieu, six hommes arrivent à peine à tenir ses jambes, ses bras qui cognent, griffent, étranglent. Puis soudain Manu entre en scène. Il fait des passes, dit des formules en ñañigo, serre les tempes de ta mère entre ses doigts. Peu à peu, il parvient à la calmer. « Ochoun s'éloigne, chante le cœur. Ochoun est satisfait. »

On a allongé ma mère dans une des pièces qui donnent sur le patio. Ses vêtements trempés, souillés de terre et du sang du coq, gisent sur une chaise. Elle est recouverte d'un drap blanc. Ce que l'on aperçoit de son corps – haut des épaules, bras, mains – est couvert d'égratignures, de bleus, de cendres. Je n'ose pas faire un geste. On dirait qu'elle dort. Je ne lui ai pas vu depuis longtemps de visage aussi serein ni de regard aussi paisible, quand, sentant ma présence, elle lève les yeux vers moi et dit dans un demi-sourire :
– J'ai réussi, Niño. J'ai obtenu que ton père reste lié à moi pour la vie.

Un jour de Bar-Mitzvah

Évidemment, nous avons réussi à cacher à mon père la séance de Santeria, mais nous n'avons pu éviter qu'il nous trouve, à quatre heures du matin, encore réveillés.

A peine rentrée à la maison, ma mère dut s'aliter, une serviette bourrée de glaçons sur le front. En plus des bleus et des égratignures, elle s'était fait deux bosses impressionnantes sur le crâne. La confusion qui a suivi sa transe et les péripéties du retour – la vieille bagnole de Manu qui s'était offert à nous raccompagner était tombée en panne – font que ma mère et moi n'avons pas eu le temps d'accorder nos violons.

– Pourvu qu'il n'arrive pas avant l'aube...

Connaissant les habitudes de mon père, ce n'était pas un hasard si Senta avait choisi un samedi soir.

– Vous serez rentrés bien avant le Docteur, Señora.

Car le samedi soir, mon père recevait au journal les responsables politiques et culturels du pays. Il soutenait que boire un verre aux heures tardives de la nuit était le meilleur moyen de prendre le pouls de la nation. Or, ce soir-là, contre toute attente, mon père rentre, ma mère à peine installée au lit.

– Qu'est-ce qui t'arrive?

Il ne sait pas s'il doit avancer ou reculer tandis que ma mère lève vers lui un regard éploré.

– Rien. Ce n'est rien.

– Comment, rien? Tu est blanche comme un linge, couverte de bleus et d'ecchymoses... Et qu'est-ce que tu as à la tête?

– Des bosses, je suis tombée.

Je crains que la scène ne dégénère. Je vois mon père se raidir, signe annonciateur de colère.

– Repose-toi, maman. Je vais préparer un café à papa.

Et, en passant près de mon père, je lui lance un « s'il te plaît, suis-moi », pour essayer de gagner du temps.

Il me suit à la cuisine et sans prendre la peine de s'asseoir :

– Peux-tu m'expliquer ce qui se passe ?

Je le laisse patienter, tout absorbé que je suis à exécuter le rituel du café qu'il a lui-même imposé. N'ayant pas besoin de beaucoup de sommeil, mon père considère qu'un café avant d'aller au lit ne peut pas lui faire de mal. Je mets la poudre de café moulu dans un capuchon renversé et fais filtrer l'eau bouillante. Selon la bonne vieille habitude de ma mère, j'y verse aussi le café refroidi de la veille, pour le rendre plus corsé. Et c'est cette mixture épaisse et forte à réveiller un mort que mon père prend « pour mieux dormir ». Quand je verse le liquide fumant et noir dans sa tasse, j'ai eu le temps de préparer ma version des événements.

– Je travaillais dans ma chambre quand j'ai entendu des bruits venant du séjour.

– Quelle sorte de bruits ?

– Comme quelque chose de lourd qui tombe par terre... puis des râles, des gémissements... J'avais laissé maman en train d'écouter son programme de radio préféré, *Poésies et romances dans la nuit*. Elle avait l'air calme, presque heureuse. Et je la retrouve roulant par terre, bavant, se débattant, se griffant les bras et le visage.

– Pourquoi ne m'as-tu pas appelé au journal ?

– Généralement quand on t'appelle le samedi soir, on est sûr de ne pas pouvoir te joindre, non ?

Devant son silence, j'en rajoute :

– Tu ne diras pas le contraire.

C'est mon premier affrontement avec mon père et je ne suis pas mécontent de lui tenir tête tout en gardant ma sérénité. Ma fierté est à son comble quand je constate que le Docteur a encaissé le coup. Il s'assoit devant sa tasse et commence à remuer la petite cuillère dans le liquide.

– Une crise d'épilepsie. Elle n'a jamais eu aucun symptôme, c'est curieux. Je vais la traîner chez mon médecin aujourd'hui même.

Il ne la traînera nulle part, je le sais, car ma mère voue une haine irrationnelle aux médecins. « Le jour où on laisse entrer un médecin à la maison, c'est la mort qu'on invite », a-t-elle coutume de dire. C'est sa devise et peut-être aussi le secret de sa santé de fer. « Le seul médicament qui vaille, dit-elle encore, c'est de faire l'amour. »

Cela seul, en effet, peut la guérir des tourments de l'amour dont elle souffre.

Était-ce l'effet du remords, la conscience d'avoir trop abusé de la patience et de la tendresse d'une femme ou la crainte d'une crise plus grave ? Toujours est-il que depuis ce jour mon père resta de plus en plus souvent à la maison, sacrifiant même parfois son rendez-vous du samedi soir. Ma mère jubilait.

– Je te l'ai dit, Niño, je te l'ai dit ! Ochoun l'a promis ! Ochoun a tenu parole !

Ce fameux Toque devait aussi apporter dans ma vie d'autres changements spectaculaires.

Lohengrin qui avait été très remué par la cérémonie de Santeria déclara :

– Je comprends Manu. Son instinct politique ne le trompe pas. Il est très important de tenir compte du syncrétisme religieux qui fait le tissu de cette île. J'espère que la direction du Parti saura faire preuve d'autant d'intelligence que lui. Car la Santeria, ce n'est pas l'opium du peuple contrairement à ce que dit Lénine, c'est une fraternité véritable qui pourrait devenir une force positive dans ce pays, un véritable ciment.

– Marx et Yemaya ?

– Pourquoi pas ? Les prêtres révolutionnaires du Mexique chargeaient bien les armées ennemies sous la bannière du Christ Roi.

238

Et pour me remercier de l'avoir invité à ce Toque mémorable, Lohengrin, cérémonieusement, me fait une proposition dont il sait qu'elle me ravira.

– Veux-tu m'accompagner à une Bar-Mitzvah? C'est un rituel de passage à l'âge adulte, si tu veux. Après sa Bar-Mitzvah, le jeune garçon est considéré comme un homme. La cérémonie se déroule à la synagogue le samedi qui précède l'anniversaire de ses treize ans.

– Tu as fait ta Bar-Mitzvah, toi?

– Bien sûr. J'ai remercié mon père et ma mère de m'avoir mis au monde. Mais tout ça est bien loin.

– Loin? Ça ne fait jamais que quatre ans.

Lohengrin me fait signe de me taire. Nous sommes venus entendre au Théâtre Auditorium *La Neuvième Symphonie* de Beethoven, interprétée par l'Orchestre philharmonique de La Havane sous la direction d'Erich Kleiber. L'entracte est fini et l'orchestre s'apprête à attaquer la seconde partie, la plus attendue, la plus spectaculaire.

J'avais eu cette invitation par le journal où je me débrouillais très bien. Généralement je demandais d'assister aux dernières répétitions d'une pièce ou d'un concert, quelques jours avant la générale. Ainsi, au lieu de me borner à la simple description technique et à l'annonce du spectacle, je faisais de véritables synthèses accompagnées de quelques mots où j'exprimais mon opinion personnelle. Conseillé par Nelson Mendès, j'avais mis en application la devise du journal : « la vérité, toujours la vérité, même au prix du scandale ».

– Tu ne connais pas beaucoup de monde dans le milieu artistique mais tu as la chance de bénéficier de l'appui de la direction. Profites-en, toi au moins tu n'es pas trop soumis aux contraintes de la publicité.

Et quand je m'étais étonné de ces soi-disant contraintes, Nelson avait souri de ma naïveté.

– Mets-toi à la place du distributeur qui dépense une fortune pour passer une annonce de film à la page spectacles et qu'ensuite un critique descend à boulets rouges! Notre rubrique vit de la publicité, tu saisis? Dis-toi bien que La Havane ce n'est pas Londres, ni New York ou Paris. Ici, tôt ou tard on finit par connaître tous les gens du spectacle. Des amitiés se nouent, des haines aussi. Tu comprendras mieux pourquoi tu t'insurges devant le niveau artistique de certains articles que tu trouves illisibles. C'est que la plupart du temps, même s'il trouve le spectacle mauvais, notre critique noie le poisson pour ne pas déplaire à un ami ou à une maîtresse. Ou alors, quand il attaque un jeune auteur prometteur avec la hargne d'un Torquemada, c'est pour se défouler ou marquer son autorité, car il faut faire ses preuves pour entrer dans le sérail. Les dés sont pipés et tout le monde se fout pas mal de ce que la critique écrit. Profite de ta situation pour balayer devant la porte.

Fort de cet appui stratégique et moral, je ne me privais pas. Disposant de peu d'espace, je ne pouvais pas me perdre dans les nuances, mais en quelques phrases j'arrivais à transmettre mon enthousiasme, mon ennui ou ma déception. Le critique officiel chargé de la culture au journal me vit arriver d'un mauvais œil car mon bloc-notes nerveux, incisif, fit rapidement sensation. Bien souvent je descendais un spectacle qu'il venait d'encenser ou vice versa. Le fait est que nous étions rarement d'accord. La situation s'envenima au point que le monsieur protesta avec véhémence et se plaignit à Fran Marcial, menaçant de démissionner ou de me casser la gueule pour finalement s'adoucir, allant même – à court d'arguments – jusqu'à me courtiser. Tout juste se vengeait-il en me dénigrant dans les bars et les cocktails mondains, insinuant que j'étais un fils à papa, un excentrique, un bon à rien.

Un moment j'avais proposé de le défier en duel – la légende disait que c'était une spécialité de mon père dans sa jeunesse – mais Fran Marcial m'en dissuada.

– Je ne peux pas vider Tomas, c'est un vieux pote. En plus, il a été un excellent critique à son heure. Mais avec le temps... à force de vouloir ménager les uns et les autres, il a perdu toute crédibilité et l'alcool a fait le reste. En général les directeurs de théâtre lui réservent une place un peu loin de la scène car il ronfle comme un malotru. Ne t'inquiète pas. Continue à bien faire ton travail, la suite viendra naturellement.

Avec le temps, en effet, je n'ai plus eu besoin de me déplacer aux avant-premières. Imprésarios, administrateurs, metteurs en scène commencèrent à m'ouvrir leurs portes. J'étais invité à tous les grands événements de la saison et bientôt j'écrivis à Gipsie qu'à son retour, je pourrais l'inviter et dérouler un tapis rouge devant ses pieds.

J'avais donc emmené Lohengrin à l'Auditorium. L'anti-germanisme forcené de mon ami fléchissait lorsqu'il s'agissait de Goethe et de Beethoven. Il avait aussi une grande admiration pour Kleiber, en tant qu'artiste et en tant qu'homme. Entendre le texte de Schiller sur la musique de Beethoven conduite par la rigoureuse baguette de Kleiber serait mon cadeau de Noël. La qualité du concert nous fit même oublier le smoking que nous avions dû arborer pour assister à un tel événement artistique et mondain et, pour me remercier de mon invitation, Lohengrin avait réservé une table au Carmelo, un lieu fréquenté par le public de l'Auditorium.

En traversant la rue pour nous rendre au fameux restaurant-bar, nous avons une vision d'horreur. Si les smokings et robes longues s'adaptent tant bien que mal à l'intérieur d'un théâtre à l'italienne, parfaitement traditionnel, tous ces gens entassés à la terrasse du café, attendant qu'une table se libère, transpirant sous leurs lourds maquillages et leurs vestes épaisses dans la moiteur des tropiques nous paraissent si grotesques et si prétentieux qu'écœurés et d'un commun accord nous décidons d'aller souper ailleurs.

Nous longeons la rue Paseo pour nous rendre à pied jusqu'à l'hôtel Nacional où l'on peut dîner jusque tard dans la nuit. Nos smokings ne manquent pas d'attirer l'attention et les blagues fusent dans la nuit, accompagnées de crissements de pneus qui démarrent en quatrième et nous narguent.

– Au zoo les pingouins!

– Eh, les petits cons, on ne met pas un smoking quand on ne peut pas se payer un taxi!

Sans compter les « maricas », « maricó » et autres insultes.

Notre déconvenue est tempérée par l'arôme des jasmins qui embaument l'air. C'est dans cette magie nocturne, écoutant nos pas résonner sur le large trottoir bordé de grilles protégeant jardins et résidences, que Lohengrin poursuit notre conversation de l'entracte.

– Au moment de ma Bar-Mitzvah, je ne jugeais pas mes parents comme je le fais aujourd'hui. Quand je les ai remerciés de m'avoir élevé et éduqué dans le respect de la tradition, je ne faisais que répéter une formule vieille de plusieurs siècles. On remercie nos parents de nous avoir donné la vie, de nous avoir nourris, logés, d'avoir pris soin de nous et de nous avoir guidés jusqu'à l'aube de l'âge adulte. Je les revois encore, me serrant dans leurs bras, tremblant de peur à l'approche de la frontière au-delà de laquelle nous serions libérés de l'Allemagne nazie! C'est curieux, mais pour moi jusqu'à ma Bar-Mitzvah, mes parents étaient sacrés. Puis j'ai commencé à les observer, à les juger. Ils s'en sont rendu compte en feignant de ne rien voir. Crise passagère, crise d'adolescence, pensaient-ils. Aujourd'hui cette crise dure encore. Elle vient de ce que je constate chez eux comme une sorte de démission. Grâce à la vie paradisiaque que nous menons sur cette île, les blessures se sont refermées, mais je le sais, ils n'ont pas oublié l'holocauste. Seulement, se disent-ils, laissons le passé derrière nous, il faut vivre. Moi, je n'ai rien oublié. Rien, tu peux me croire. Je me souviens encore, à cinq ans, de la maison qui se vidait de ses employés et de ses visiteurs, de Berlin, notre ville chérie subitement devenue territoire hostile, des vitrines des magasins avec « mort aux Juifs » inscrit en toutes lettres, de la peur que je sentais monter chez mes grands-parents, une peur sournoise qui s'est infiltrée en moi et me poursuit encore dans mes cauchemars. Mes parents pensent qu'avec la création de l'État d'Israël, il est impossible qu'un nouvel holocauste se reproduise. Moi, je crois que pour que l'anti-sémitisme cesse, il faut changer le monde. Voilà pourquoi je me suis inscrit au Parti. Stalingrad a été défendu par les Juifs luttant coude à coude avec les citoyens de l'Union soviétique. J'y vois un symbole. C'est cette idée que je défends et contre laquelle mes parents s'insurgent. Pour eux la religion, c'est l'identité d'une race. Je pense, moi, qu'il sera toujours temps de redevenir juif quand seront instaurés sur la terre la fraternité et l'égalité.

Trois jours plus tard, je me rends chez Lohengrin pour aller avec lui et ses parents à la Bar-Mitzvah de David, leur petit voisin.

– Tiens, mets ça sur ta tête, me dit-il en me passant une kipa, un rond de feutre noir que je place sur le haut de mon crâne. C'est le chapeau de ma Bar-Mitzvah. Je te préviens, nos cérémonies ne sont pas aussi hautes en couleur que la Santeria, tu risques de t'emmerder.

La Cadillac de la famille nous dépose devant la synagogue. La mère de Lohengrin nous quitte pour monter au balcon où sont regroupées les femmes. Les hommes entrent dans le chœur central. Ne connaissant pas l'hébreu ni la liturgie, j'ai tout le temps d'observer l'assemblée d'hommes de tous âges. Est-ce l'effet de mon imagination mais, avec leurs kipas et yomulkas sur la tête, je leur trouve des visages d'illuminés. Sauf Lohengrin qui ne s'est pas départi de son sourire ironique et qui, avant que j'aie eu le temps de dévier mon regard, me fait une grimace complice provoquant chez moi un atroce fou rire nerveux que j'essaie de réprimer en me mordant les joues jusqu'au sang. Je me laisse envahir par cette langue inconnue, par la nostalgie des chants et, soudain, sans que je sache pourquoi et sans que je puisse les retenir, de grosses larmes coulent sur mes joues. Je baisse encore un peu plus la tête et me contorsionne pour essayer d'attraper un mouchoir dans la poche arrière de mon pantalon. Il ne faut surtout pas que Lohengrin se rende compte de ce qui m'arrive car je crains plus que tout ses moqueries. Comment lui expliquer ce chagrin irrationnel qui m'envahit tout à coup ? Nous sommes à deux pôles extrêmes : lui descend d'une longue lignée de Juifs d'Europe centrale. Tout petit, il a vécu l'exode, les persécutions et aujourd'hui il conteste la sagesse ancestrale de son peuple, le poids de la religion, des traditions qui lui paraissent autant de pièges pour l'avenir. J'ai vécu en dehors de tout cadre religieux, je n'ai pas connu la douloureuse histoire des Juifs séfarades et voici que, dans cette assemblée réunie par des liens spirituels, par une liturgie et un langage communs, j'en ressens toute la richesse sécurisante. Et je me trouve tout à coup terriblement perdu, vide comme une feuille ballottée par le vent.

La cérémonie terminée, je profite de la confusion pour aller féliciter David et me faufiler vers la sortie. Je veux récupérer mes esprits avant d'affronter Lohengrin.

Il s'approche, s'éventant avec son chapeau.

– Ouf, c'est fini, une bonne chose de faite. Maintenant, à nous le buffet, l'alcool, les femmes !

J'essaie de m'esquiver mais il insiste pour que j'accepte l'invitation des parents de David.

– Je ne connais personne, je vais m'ennuyer.

– Je serai là, non ?

– Oui, mais après trois whiskies, tu commences à déconner et tu m'oublies dans un coin.

– Oui mais quel coin ! Ce qu'il y a de formidable, vois-tu, dans la communauté juive de La Havane, c'est que tout y est représenté : les riches de Miramar et les pauvres de la calle Obispo y Empredrado. Entre parenthèses, je te ferai remarquer que pour le Cubain, les Juifs de Miramar ne sont pas des Juifs mais des riches, et les propriétaires des boutiques de la vieille Havane ne sont pas des Juifs non plus mais des « Polaks ». Ce qui revient à dire qu'il n'y a pas de Juifs à Cuba.

Avec son perron à colonnades, ses coursives en

244

étage, patios intérieurs et fontaines, la maison des parents de David est aussi fastueuse que la description que Lohengrin m'en avait faite. Dans le jardin, une piscine, éclairée de l'intérieur, brille comme une luciole turquoise. Des projecteurs dissimulés dans les feuillages créent de délicieuses alcôves de lumière sous lesquelles, ici et là, des groupes d'invités boivent et devisent gaiement, comme des papillons de nuit attirés par une lampe. Quelques couples enlacés ont préféré les zones d'ombre et les transats bas. Des haut-parleurs diffusent les chansons d'un crooner américain à la mode, un certain Frank Sinatra.

Dans différents coins du jardin sont dressés des buffets croulant sous une nourriture exquise et l'alcool coule à flots, plus que généreusement distribué. Je marche au Coca-Cola, mais, comme prévu, Lohengrin s'est déjà enfilé plusieurs « Cuba Libre ». D'un seul coup il est devenu détendu, rayonnant. Et il me présente à la famille de David en faisant par-derrière toutes sortes de commentaires scatologiques.

Raide comme un piquet, fier de sa nouvelle condition d'adulte, David est entouré de ses trois sœurs plus âgées que lui. L'aînée a dix-neuf ans, la dernière quatorze. Judith est déjà mariée et enceinte de cinq mois. Toutes les trois sont blondes et roses, bien en chair, avec des yeux pervenche. La rumba les met dans un état d'excitation extraordinaire : elles se déhanchent avec une fougue qui ferait pâlir de jalousie les mulâtresses des cabarets du port de La Havane.

– C'est la nouvelle génération. Nées à Cuba, elles se foutent pas mal de la guerre, du génocide, des camps. Un abîme s'est creusé entre les vieux et les jeunes. Regarde leurs parents. Ils se saoulent, racontent des blagues, rient comme des soudards mais leur regard les trahit. Putain de regard triste ! Ils auront beau faire, ils ne le changeront pas ! On voit la mort au fond de leurs pupilles, tandis que les trois grassouillettes, elles croquent la vie à pleines dents !

Lohengrin s'appuie à mon bras, en signe d'affection, certes, mais aussi pour se tenir car il ne marche plus droit.

– Pourquoi te moques-tu des sœurs de David? Elles ont l'air gentilles et en plus elles semblent t'apprécier.

– Et pour cause, je me les suis faites toutes les trois.

– Tu es ivre, connard!

– Oui, oui... Je te le jure, je ne mens pas. Judith, tiens, celle qui est en cloque, elle m'a fait ma première pipe. Le jour de ma Bar-Mitzvah, pour tout te dire! Ses sœurs ont respecté la tradition. Même celle qui a quatorze ans. Pas plus tard qu'hier, tiens, au yacht-club, nous avons fait un long et splendide soixante-neuf dans ma cabine pendant que sa mère pensait qu'elle jouait à la canasta. Comme ses sœurs, elle a le corps flasque, mais le clito sensible. Bonjour les orgasmes! Incroyable! J'ai été obligé de lui fourrer un mouchoir dans la bouche, tellement elle hurlait!

– Tu n'as pas peur qu'elle tombe enceinte?

Il me regarde comme s'il venait de voir un martien débarquer.

– Tu n'a pas compris?

– Compris quoi?

– Elle est vierge.

– Comment?

– Vierge. Comme sa sœur Myriam avec qui j'ai aussi pratiqué le cunnilingus. Ces filles-là ne donnent leur hymen qu'à l'homme qui les épouse. Plus tard elles seront de bonnes mères et peut-être des épouses fidèles. En attendant... je plains le mari de Judith, la moitié des gars qui sont ici ont dû mettre leur queue dans la bouche de sa femme...

Des amis de Lohengrin nous rejoignent et il s'éloigne avec eux pour faire un billard. J'ai décliné leur invitation car je préfère continuer tranquillement mon tour du propriétaire. Ce n'est pas tous les jours qu'on peut visiter une demeure digne de celles que j'ai vues sur les écrans en Technicolor. Je déambule dans les salons puis m'enfonce dans le jardin quand une mélodie m'attire vers une gloriette de verre que je viens de remarquer sous les feuillages. Passer des rengaines américaines et des rumbas endiablées à Ravel procure un merveilleux dépaysement.

Cinq jeunes filles, assises sur des poufs et des coussins autour d'une chaîne hi-fi, écoutent religieusement la *Pavane pour une infante défunte*. Une sixième se lève pour augmenter le volume car même jusqu'ici, dans ce havre de paix, il est couvert par le boléro qui fait fureur sur la pelouse. *El cuartito está egualito... como tu lo dejaste...*

J'aperçois la jeune fille de dos, vêtue d'une robe blanche toute simple qui découvre une épaule ronde et dorée. Sa jupe souligne la cambrure des reins et donne à son corps une grâce adolescente. Ses cheveux bruns, retenus en arrière par une broche ouvragée, font une masse sombre dans son dos. Elle est menue, plus petite que moi, sans aucun doute. Quand elle se retourne pour parler à ses compagnes, je découvre son visage parfaitement ovale, comme une vierge de Botticelli. Elle est belle, bien sûr, mais ce n'est pas l'étrange couleur de ses yeux – ni verts ni bleus ni bruns, mais un mélange des trois tirant sur le doré – ni le contour tendre et pulpeux de ses lèvres qui me frappe mais sa douceur. Ceux qui connaissent bien l'Amérique latine ou l'Espagne savent comme on y trouve des femmes splendides, mais la plupart sont conscientes du pouvoir qu'elles exercent sur les hommes. Je suis habitué à mes voisines, à mes camarades d'école, aux filles de la rue, qui se ressemblent toutes, même les plus jeunes ; dès qu'elles se sentent « buenas hembras », autrement dit de belles femmes, elles n'ont plus qu'une idée en tête : mettre un mâle à leurs genoux. Ce macho mythique qui tombera sous leur charme par la force élémentaire du sexe et deviendra, fût-il sénateur, bandit, général ou maquereau, un pauvre chien, enchaîné à la femelle par ce désir qui le réduit à l'état de chiffe molle.

La gloriette baigne dans la lumière et, figé sur le seuil de la porte, je me trouve dans la pénombre, pouvant observer sans être vu. La douceur qui se dégage de cette jeune fille me fascine, m'envoûte. Elle ne ressemble en rien à ces femelles. Elle a une manière particulière de se mouvoir, en complète harmonie avec l'espace, comme si elle avait conscience de ses gestes, de l'image juste qu'ils lui renvoient d'elle-même et dont elle tire une sorte d'humilité. Sa robe danse autour de ses chevilles, caresse légère et spontanée. Chacun de ses gestes semble surgir et s'évanouir au même instant pour renaître, ne laissant derrière lui que sa trace vibrante.

Je suis cloué sur place, le souffle coupé, immobile, de peur de rompre le fragile émerveillement. « Le coup de foudre », me dis-je.

Mille fois déjà j'ai pensé que j'étais amoureux, mais jusque-là cela venait toujours d'un long travail d'approche, comme pour Gipsie, par exemple. Il fallait apprendre à connaître la fille qui me plaisait, m'assurer qu'elle avait les mêmes goûts que moi – littérature, nourriture, cinéma, musique – et seulement alors je me mettais à aimer.

Ce soir, c'est différent, je suis possédé par quelque chose sans l'avoir vraiment souhaité : un vrai cyclone. Je perds pied, je me noie, je ne comprends pas ce qui m'arrive.

Un groupe qui s'approche me fait sortir de ma cachette et je m'enfonce dans le jardin et ses ombrages, à la recherche de Lohengrin. Tout le reste de la soirée, l'image de cette jeune fille en blanc ne me quittera plus. Par hasard, je tombe sur Lohengrin dans le hall d'entrée. Il tient à peine sur ses jambes. Je le prends sous le bras quand, au même moment, j'aperçois l'adolescente en compagnie d'un couple qui salue David, un David plus raide que jamais. La jeune fille et ceux qui doivent être ses parents s'en vont. Je vois Lohengrin leur faire un signe de la main.

– Tu connais cette fille ?

– Hanna Illescu. Avec un h aspiré et deux n. Pour vous les goyim, les cuban boys, Anita.

Il rit bêtement puis il enchaîne :

– Elle a quinze ans. Je suis allé à sa Bar-Mitzvah il y a deux ans. Fille unique. Parents riches d'origine roumaine et moitié italienne. Éducation de « little princess » : danse classique, peinture, langues... mais sa passion, c'est le piano. Pendant longtemps elle a suivi les cours du Maestro Borbon et maintenant elle travaille avec le compositeur et pianiste Joaquin Nin. Elle a tout pour faire une carrière de concertiste comme la petite Cubaine... comment s'appelle-t-elle déjà? Yvette Hernandez. Mais ses parents ne veulent pas qu'elle se lance trop tôt dans le monde professionnel. Elle est pourrie-gâtée.

– Est-ce que... elle aussi... Tu l'as...?

Ma voix trahit l'angoisse, la gêne, l'émotion. Malgré son ivresse, Lohengrin me lance son meilleur regard, franc, direct, intelligent. Il fait un geste que je ne lui connaissais pas, lui qui déteste le contact physique entre les hommes, ces accolades et « abrazos » dont se gratifient à tout propos les machos cubains. Il passe légèrement sa main sur le dos de ma tête, comme pour effacer la pensée qui vient de naître en moi.

– Non, jamais. C'est un cas rare, Hanna est un joyau intouchable. Autant te dire, mon cher, que c'est une fille qu'il vaut mieux oublier.

Lohengrin croit qu'il me connaît par cœur. Il veut me protéger, m'éviter les embûches, les déceptions d'une passion naissante qu'il n'approuve pas.

– Je te rendrais un mauvais service en te présentant Hanna et ses parents. D'ailleurs, tu as une superbe maîtresse. Gipsie rentre bientôt, non?

Des gens viennent et l'entraînent, laissant ma réponse en suspens.

Hanna

Malgré mes appels du pied et les liens secrets de notre amitié, Lohengrin s'acharne à refuser de me présenter Hanna.

Je suppose qu'il pense que le temps fera son œuvre et qu'à la longue je finirai par oublier cette jeune fille aperçue dans une gloriette un soir au fond d'un jardin. Mais c'est précisément la brièveté de cette image qui a frappé mon imagination et je ne suis pas sûr qu'une fois en face d'Hanna, ma fièvre et mon enthousiasme ne retomberaient pas. Le refus de mon ami continue à maintenir le feu vivant. Face à mon insistance, Lohengrin perd soudain patience.

– C'est par amitié que je réagis comme ça, imbécile! Suppose qu'un jour tu me surprennes avec un couteau dirigé vers ma poitrine, que ferais-tu? Me dirais-tu : vas-y, enfonce-le dans ton cœur? Non, tu ferais tout ton possible pour m'en dissuader.

– C'est une comparaison stupide, absurde, Hanna ne menace en rien ma vie, elle me fait vivre.

– Figure-toi que je pense, moi, qu'une rencontre avec Hanna pourrait être aussi dévastatrice.

Nous effectuons le « parcours de sécurité » avant de nous rendre à notre rendez-vous avec Manu. L'endroit ne peut être plus exotique : nous devons nous retrouver au pied du mémorial des étudiants fusillés par les Espagnols à l'époque de la colonisation. Fréquenter les cimetières n'est pas dans mes habitudes et quand Manu nous en avait parlé, j'avais protesté car cette idée me semblait morbide et injustifiée. Manu avait repoussé mes réticences avec des arguments d'une logique inébranlable :

– Le cimetière est en plein Vedado, Chino. Plusieurs entrées y donnent accès. Et, une fois dedans, il est très facile de contrôler la situation. Nous avons une affaire sérieuse à traiter, mieux vaut qu'on se sente à l'aise. Toi qui es poète, tu n'aimes pas les cimetières qui ont tant inspiré Heine, Musset, Rilke...

C'est après une course en taxi, deux aller et retour en guagua du Vedado à Marianao et de Marianao au Vedado, que nous faisons halte, Lohengrin et moi, au comptoir d'un troquet au coin de la calle 23 et de la calle 12, d'où l'on accède à l'entrée principale du cimetière. Je suis reparti dans mon couplet sur Hanna et les mille et une ruses à inventer pour la rencontrer, quand, n'en pouvant plus, Lohengrin explose :

– Laisse-moi te dire que pour toi la famille Illescu est un terrain miné. Il faut que tu comprennes la situation car, crois-moi, je sais de quoi je parle. Le père Illescu est en relation d'affaires avec mon père. Tu connais mes parents, un couple, pourrait-on dire, qui représente bien les valeurs traditionnelles. Imagine ma surprise quand j'ai entendu un jour mon père parler d'Illescu comme si c'était le diable en personne. Il m'a raconté que les Illescu vivaient à Milan au moment de la montée du nazisme. Mussolini, ce n'était pas Hitler, et en Italie – on ne s'en rend pas bien compte aujourd'hui – certains hommes d'affaires juifs voyaient d'un bon œil l'ascension du Duce. Le Duce luttait contre les communistes, il imposait ordre et discipline dans la très remuante botte italienne. Puis peu à peu le pacte Rome-Berlin et les rumeurs venant d'Allemagne commencèrent à gâter leur idylle. Mieux renseigné que d'autres ou plus malin, Pedro Illescu se souvint alors de ses intérêts aux Caraïbes. Quelques semaines avant la déclaration de guerre, Pedro Illescu, sa femme, son valet de chambre, sa petite fille, sa cuisinière, sa gouvernante et toute sa cour au grand complet débarquèrent à La Havane où il possédait une flottille de bateaux de plaisance fort luxueux qui naviguaient entre Cuba et les Bahamas, la Floride et la Jamaïque. Jusque-là rien de bien méchant. Si ce n'est qu'Illescu, au fond de lui-même, continue de penser que les pays sous l'emprise d'hommes forts et d'une politique réactionnaire sont propices aux affaires. Hier, il était l'ami de Salazar, Franco et Mussolini. Il remet ça du côté des Caraïbes. Les liens qu'il entretient avec Somoza, Trujillo et les autres sont connus de tous, au point, je te dis, qu'ils écœurent mon père.

– Supposons que ce que tu dis est vrai, quel rapport avec sa fille? Le fascisme, comme le cancer, se transmet-il par les gènes?

L'entrée du cimetière est un vrai souk, encombré de carrioles et étalages improvisés, de charrettes croulant sous les fruits, de petits chars sur deux roues qui vendent de la glace, des hot dogs, des frites, du jus de canne à sucre.

Tout en se frayant un passage, Lohengrin continue :

– Il ne s'agit pas de la fille, mais des parents, pauvre cloche! Chez lui, Illescu se conduit comme un dictateur. Il est content que sa fille fasse du piano pour donner des concerts gratuits à ses invités, mais il ne la laissera jamais, j'en suis sûr, faire une carrière de concertiste. Cette enfant vaut de l'or, mais je parie qu'il rêve de la marier à un millionnaire, goy si possible. Car il faut que tu saches que la mère d'Hanna est de confession catholique, apostolique et romaine. Illescu joue de sa judéité quand ça l'arrange, pour certaines affaires, dans d'autres cas il est très content que sa femme appartienne à l'aristocratie, ruinée certes, mais ô combien sélecte, de la cité éternelle. Il ne te laissera jamais épouser ni même fréquenter sa fille.

J'aperçois la silhouette trapue de Manu derrière une tombe. Il porte à la main un bouquet de fleurs et fait mine de chercher la dernière demeure d'un parent tout en nous surveillant du coin de l'œil.

Manu nous a amenés à l'autre bout du cimetière dans un coin protégé d'où, à travers les arbres, les pierres tombales et caveaux de famille, on peut observer sans être vu.

– Un groupe de fascistes, paraît-il, va faire du grabuge à la cinémathèque pour la projection d'*Ivan le Terrible.*

Comme Lohengrin et Manu, et tous les étudiants progressistes, j'assiste religieusement aux séances de la cinémathèque dirigée par J.J. Chema, professeur et journaliste, critique dans un journal à gros tirage et une station de radio. Possédant une mémoire exceptionnelle et compulsant les archives mises à sa disposition par les majors américaines, J.J. est considéré à Cuba comme une encyclopédie vivante du cinéma. C'est aussi un homme capricieux et atrabilaire, d'une jalousie maladive pour toutes les autres initiatives cinéphiliques à La Havane. Le cinéma, c'est son affaire et personne d'autre que lui n'a le droit d'y toucher.

Or il y a quelques mois, une guerre sournoise a éclaté entre Chema et un groupe de jeunes qui vient d'ouvrir un ciné-club, défendant une programmation différente de celle de la cinémathèque. Tout en collaborant – moyennant un bon salaire – à des stations de radio et des journaux ultra-conservateurs, J.J. Chema a depuis toujours axé sa programmation à l'université sous le signe des « luttes sociales ». Ainsi, Nelson Mendès, qui le déteste, l'accuse-t-il de dédoublement de la personnalité. Pour obtenir des pubs pour sa page cinéma, Chema défend souvent le pire de la production américaine, argentine ou mexicaine, tandis qu'il ne présente à l'université que des films à fort contenu social. Débonnaire et éclectique là où les intérêts commerciaux font loi, il se transforme en Robespierre à peine a-t-il grimpé les marches de l'estrade de l'amphithéâtre où se déroulent les projections. Il n'a pas peur du ridicule et divise la carrière de John Ford en deux : le « bon », celui des *Raisins de la colère* et autres films « sociaux », et le « mauvais », celui qui glorifie l'impérialisme américain. Pris dans cet engrenage, il n'a pas hésité à cataloguer *La Chevauchée fantastique* de « western social ».

Pour le groupe de jeunes cinéphiles, le cinéma se doit d'être avant tout un divertissement. Leur engagement idéologique se manifeste à travers le choix de leurs films. Pour Chema, il y a un seul comique, Chaplin, parce que « social ». L'autre clan privilégie Laurel et Hardy et les Marx Brothers. Michael Curtiz et Raoul Walsh sont leurs dieux.

Ils pourraient continuer à faire tourner leur salle minable dans la vieille Havane s'ils n'avaient eu l'imprudence d'entrer en contact avec Henri Langlois, le directeur de la cinémathèque française. Fort de son appui, ils ont organisé une séance mémorable avec des films de Méliès et des films surréalistes. Chema, furieux, s'est vengé d'une manière perfide. Il a essayé de convaincre Langlois de retirer son aide au groupe, à quoi le directeur de la cinémathèque française répondit qu'à son avis, plus il y aurait de ciné-clubs à Cuba, meilleur ce serait pour le développement de la culture et de la jeune industrie cinématographique cubaine. Irrité, Chema employa alors les grands moyens : d'un côté il força les distributeurs américains à ne plus prêter ni louer de films au ciné-club rival et, jouant de ses contacts avec l'ambassade française, il manœuvra tant et si bien qu'en peu de temps la source Langlois fut tarie. Du jour au lendemain les jeunes animateurs du ciné-club virent toutes les portes se refermer.

Ils ont donc décidé de dénoncer publiquement Chema. Mais c'est compter sans l'appui des communistes qui le soutiennent. Car J.J. Chema a assisté au tristement célèbre Congrès de la culture organisé à Moscou par Gorki et Jdanov, les chiens fidèles de Staline, et d'où est sorti le « réalisme socialiste ». Toute œuvre se classant dans cette catégorie se trouve encensée, celle qui ne s'y conforme pas doit être brûlée. Ce sceau d'ignominie ou d'angélisme lancé par Moscou et repris par tous les partis frères et leurs compagnons de route sert en fait à identifier les « amis » ou les « ennemis » de l'URSS.

Ce qui m'étonne dans cette réunion clandestine du cimetière de Colon destinée à empêcher les actions de la droite contre Chema, c'est que les jeunes du ciné-club sont aussi des sympathisants du Parti. Mais ils n'ont pas la puissance de Chema, ses contacts, sa réputation. Ils pèsent peu dans la balance. Ulcéré par cette injustice, je fais remarquer à mes camarades :

254

– Qu'est-ce que c'est que cette histoire? Les types du ciné-club ne sont pas fascistes. Tu fréquentais leurs projections, Manu, tu les a même aidés au début.

– C'est pourquoi je sais de quoi je parle, Chino. Leur haine de Chema les pousse à faire une connerie.

– Mais enfin, hier c'étaient nos amis!

– Hier, comme tu dis. J'ai essayé de t'ouvrir les yeux, Chino. Un scandale à la cinémathèque ferait le jeu des forces réactionnaires. Vont-ils m'écouter ou non? Je n'en sais rien, mais s'ils mettent leur plan à exécution, ils se conduiront en fascistes. C'est là qu'il faut être ferme, Chino, savoir qui sont nos vrais amis!

Son éternel cigare aux lèvres, il me fixe droit dans les yeux. Le message est clair : soit je suis avec lui pour soutenir Chema contre nos anciens amis, soit je suis contre lui, c'est-à-dire contre le Parti. Je me tourne vers Lohengrin, tout en sachant que je ne risque pas de trouver d'appui de son côté. Mon intuition me dit qu'à cet instant précis tout pourrait basculer. Il suffirait que je refuse de soutenir leur action pour que d'un seul coup Manu et Lohengrin m'excluent de leur « cercle d'amitiés ». La situation me paraît grotesque. Pourtant, je préfère ne pas risquer de perdre l'amitié de ceux que je considère comme de vrais compagnons pour une histoire qui semble comporter sa propre logique : dans un pays soi-disant libre, un monsieur tout-puissant peut empêcher un groupe de jeunes de s'exprimer. Et ce monsieur peut se vanter de bénéficier de l'appui des ambassades américaine et française d'un côté, des institutions gouvernementales de l'autre et, pour comble, du parti communiste. Et, devant Manu qui attend que je me prononce, je lève les mains en signe d'acquiescement muet, tel Ponce Pilate.

Manu et Lohengrin élaborent ensuite une tactique de contre-attaque. A l'aide d'un branchage, Manu dessine sur la terre humide un plan de l'amphithéâtre.

– On va diviser notre équipe en trois. Un groupe dirigé par Lohengrin occupera le premier rang pour protéger Chema si nécessaire. Chino, tu superviseras le groupe du centre. Si on chahute dans les rangs de nos ennemis, vous vous mettrez à scander « A bas le fascisme! » et surtout « No pasarán! ». Moi, je resterai au fond. Comme j'ai une voix qui porte, je pourrai mieux engueuler cette bande de cons si elle se manifeste.

Manu et Lohengrin commencent ensuite à préparer la liste de ceux qui, communistes déclarés, compagnons de route discrets ou sympathisants clandestins, viendront nous prêter main-forte pendant la séance. Je fais quelques pas à l'écart, attiré par une stèle différente des autres. Il faut dire qu'au cimetière de La Havane, les familles des défunts dépensent sans compter. C'est à qui aura le plus de marbres, de dorures, de fioritures, d'angelots joufflus aux fesses rebondies, de madones en larmes, de déclarations d'amour et d'objets kitsch. Sans compter les mausolées richement décorés de certaines grandes familles qui expriment dans ces chapelles baroques leur rang et leur fortune. Et voici qu'au milieu de cette forêt de pièces montées, symboles de la vanité humaine, se dresse une stèle blanche avec une simple inscription :

A Laurita
notre petite fille
2 mai 1915
5 novembre 1920

Dans un médaillon, la photo un peu passée d'une gamine riant de toutes ses dents. Morte à cinq ans, il y a trente ans de cela. Fugacité de son passage sur terre. Est-ce un bien, un mal? Son sourire laisse penser qu'elle a connu la joie.

Et c'est près du tombeau de cette ange que trois tordus, autour d'une discussion byzantine, complotent pour organiser la défense d'une attaque improbable! Bataille minable autour de l'éternelle intransigeance de la lutte pour le pouvoir. Nous savons d'avance que Chema sortira victorieux de ce groupe d'adolescents enthousiastes, sincères et amoureux du cinéma, et qui se souviendra d'eux? Qui se souviendra d'enjeux si dérisoires, de victoires si factices? D'autres enfants mourront avec le sourire de Laurita, des tombes seront creusées, et d'autres continueront de discuter ou de s'entre-déchirer pour d'absurdes ou d'obscures raisons.

La séance à la cinémathèque se déroule finalement sans esclandre. Les jeunes du ciné-club rival ont choisi de ne pas y assister. Ont-ils compris que la lutte était inégale ou Manu a-t-il réussi à les convaincre qu'être contre Chema c'était s'opposer aux intérêts du Parti? Ou bien encore ont-ils eu peur des policiers en civil que Chema a cordialement invités à sa projection? La question m'importe peu. Chema est écœurant. Se sentant en sécurité, il exulte. Non content de faire ses commentaires, nous avons droit à une présentation fleuve sur les derniers développements du cinéma soviétique, la biographie de Sergueï Eisenstein, une analyse de l'importance de son rôle dans le cinéma soviétique, son apport à l'art de la photographie et du montage, son influence sur les cinéastes occidentaux, à commencer par Orson Welles.

Après la projection d'*Ivan le Terrible*, le débat qui suit est également sans surprise. Il y règne l'ambiance habituelle dans ce genre de réunion : d'un côté les adeptes du message social défendu par le professeur et de l'autre les esthètes. L'art d'Eisenstein puise sa force et son lyrisme dans la révolution en marche, son profond amour du peuple, soutien le premier groupe, le monde entier admire le cinéma d'Eisenstein qui, par ses qualités d'humanisme, a la faculté de toucher le plus grand nombre. Quant aux esthètes, ils ne voient dans *Ivan le Terrible* que la perfection de la forme, se lamentant de ce que le grand artiste ait dû s'exprimer dans un pays totalitaire. Quelques-uns, pour défendre la mémoire de Sa Majesté Eisenstein, rappellent la légende selon laquelle le film aurait été une critique voilée de Staline. Staline, qui s'en serait aperçu, aurait essayé de l'interdire et seul le prestige d'Eisenstein à l'étranger aurait empêché que son film finisse au fond d'un tiroir.

C'est à ce point de la discussion que se lève une sorte de géant roux. J'ai croisé plusieurs fois ce garçon au cours de la dernière année sans jamais oser l'approcher. Lohengrin, avec sa précision habituelle, m'avait fait le portrait de l'individu :

— C'est Elias Lévy Stern. Sa famille est originaire de Salonique. Tous les siens ont été exterminés par les nazis. Il a parcouru la terre d'une association d'entraide juive à une autre, avant d'atterrir à Cuba chez des cousins de cousins. Ce type est une tête brûlée et un bagarreur-né. Ceinture noire de judo et de karaté, je crois. C'est son côté sympathique. Ce qui est moins sympathique, à mes yeux, c'est qu'il est sioniste. Il s'entraîne dans une salle de sport, de manière plus ou moins confidentielle, aux techniques de tueurs et aux actions de commandos. Il veut rejoindre l'armée israélienne. Il soutient qu'Israël, en tant que nation, pourra résoudre le problème de la question juive. Il ne se rend pas compte que, grâce à la bonne volonté des pays capitalistes et surtout des États-Unis, Israël devra avant tout défendre les intérêts des pays qui le subventionnent.

Voilà pourquoi je n'ai jamais adressé la parole à Lévy Stern depuis cette discussion sur Israël. Lohengrin et lui se regardaient comme deux tigres prêts à bondir au moindre prétexte. Codirecteur d'un gymnase non loin de l'université, Elias s'était mis à fréquenter les étudiants que Lohengrin tentait de gagner à sa cause. La rivalité entre eux ne fit qu'augmenter.

Aussi, lorsqu'il voit que Lohengrin soutient Chema, Elias Lévy Stern se fait un devoir de porter la contradiction :

— Un jour à Athènes, un directeur de salle de cinéma proche des communistes programme une rétrospective de l'œuvre d'Eisenstein. On y passe tout, de *La Grève* à *Alexandre Nevski*. Et qu'est-ce que je vois, mes amis ? Une technique éblouissante au service d'un message très clair : avant la révolution bolchevique, c'est l'exploitation de l'homme par l'homme, un monde sombre, cruel, sordide ; après, le monde sera meilleur, l'homme, nouveau. En attendant, camarades, travaillons à la construction de ce paradis terrestre. Discipline, effort, esprit de sacrifice et foi dans le sacro-saint

Parti. D'*Octobre* à *La Ligne générale*, en passant par *Le Cuirassé Potemkine*, le message est le même. Reste la question de l'attitude personnelle d'Eisenstein en tant qu'artiste. Qu'a fait ce monsieur quand il a voulu travailler en Occident ? Son projet de film raté sur *Une tragédie américaine*, le roman de Dreiser, s'est réduit à une analyse marxiste de la société américaine, un film contre les horreurs physiques et morales du capitalisme. *Que viva Mexico ?* Un mélodrame bon marché racontant la triste histoire d'une paysanne violée par son patron. Encore une fois, le message d'Eisenstein est très primaire. Alors, permettez-moi de le répéter à ceux qui ne veulent pas l'entendre, *Ivan le Terrible* n'a rien d'une critique larvée de Staline. C'est un chant, un hymne à la gloire de Staline. Une œuvre pleine de chauvinisme qui évoque le rêve de la Grande Russie de voir s'étendre son hégémonie sur toute la terre. Le voilà, votre Serguéï le Terrible, mes frères !

La carrure d'Elias Lévy Stern et sa réputation de champion en arts martiaux maintiennent à distance ses opposant les plus acharnés. J.J. Chema s'empresse de clore la séance, invitant les participants à une prochaine séance pour voir *Le Mur invisible* d'Elia Kazan, un film contre le racisme et sur le néo-fascisme américain. Je me lance à la poursuite d'Elias Lévy Stern, bien décidé cette fois-ci à l'aborder.

– Je ne connais pas l'œuvre entière d'Eisenstein, Elias, mais j'ai vu une copie 8 mm de *La Ligne générale* et je suis de ton avis : ce n'est pas du cinéma, c'est de la vulgaire propagande politique. Cela dit, il y a une qualité formelle indéniable.

– Que veux-tu ? Eisenstein était communiste mais également juif. Les enfants d'Ismaël sont des génies. Tous. Même les plus bêtes.

Il me donne une grande bourrade dans le dos à vous décoller les poumons et accepte sans hésiter mon invitation à boire un verre au Carmelo pour sceller notre amitié naissante.

Le récital de violon de Nathan Milstein au Théâtre Auditorium vient de se terminer et le Carmelo est bondé. Elias et moi attendons, debout, qu'une table se libère. Nous continuons à parler cinéma et l'étendue de ses connaissances me surprend. Ce n'est pas un ciné-phile, comme Nelson Mendès par exemple. Elias s'inté-resse surtout à la technique, la prise de vues, le cadrage, le style de montage. Il finit par m'avouer que, depuis deux ans, il suit des cours de prise de vues.

– La caméra et le fusil. Deux armes pour Israël. C'est pourquoi je me suis intéressé au cinéma soviétique. Mets-toi à une table de montage et étudie plan par plan les films de Dziga Vertov, Poudovkine, Eisenstein... leur rythme endiablé, l'alternance de gros plans et de plans larges... tous ont une conception complètement musicale de l'image. Suppose qu'à la place du proléta-riat et de Lénine, de la prise du Palais d'Hiver, on montre les pionniers d'un kibboutz, Jérusalem, la lutte contre nos ennemis, les enfants d'Israël... (Il s'inter-rompt subitement.) Tiens! Voilà la famille Illescu au grand complet!

J'ai un coup au cœur et je me retourne... Hanna est assise à une table avec ses parents.

– Tu les connais?

– Oui, très bien.

– Comment sont-ils?

– Cacher, ou à peu près.

Il rit en voyant ma tête. Qu'ai-je de si drôle?

– Ils cotisent pour Israël. Juste ce qu'il faut pour être en paix avec leurs consciences, ce qui ne leur coûte pas trop cher. Illescu est séfarade, si tu vois ce que je veux dire.

Ashkénazes et séfarades, des vieilles rancunes et rivalités entre les deux communautés. Lohengrin m'en a longuement parlé. Encore une chose qui l'empêche un peu plus de rejoindre le camp juif.

– Pas de religion, pas de race, pas de peuple élu, le vrai combat est ailleurs, aime-t-il dire.

Ces conflits ont plutôt l'air d'amuser Elias. Devant son sourire, je me sens en terrain ami.

– Présente-moi aux Illescu.

– En quoi peuvent-ils diable t'intéresser? Ils sont

braves mais ennuyeux. (Puis il éclate de rire.) Ça y est, j'y suis! La fille, c'est la fille qui t'intéresse. Ça tombe bien, j'ai une âme de maquereau. Allons-y! On va la faire s'asseoir sur tes genoux!

Elias Lévy Stern, dont je viens à peine de faire la connaissance, me présente aux Illescu en termes si élogieux que le sang me monte à la tête, mes oreilles se mettent à chauffer et je rougis. Royal, le père d'Hanna se comporte au Carmelo comme s'il était propriétaire des lieux. Il fait ajouter des chaises à sa table bien que l'espace soit exigu. Elias s'arrange pour me placer entre Hanna et lui. A chaque mouvement, je frôle tantôt le bras d'Hanna, tantôt sa cuisse et je m'en excuse. Elle me renvoie un sourire angélique. Elias monopolise la conversation. Il raconte aux parents Illescu notre houleuse séance de projection à l'université tandis qu'à leur tour les Illescu commentent le récital de Milstein.

— Je vous ai déjà vue, dis-je à Hanna.

— Ah bon!

— A la Bar-Mitzvah de David.

— Oh, mon Dieu, c'est qu'il y avait tellement de monde...

— Ravel.

— Pardon?

— Pour fuir *El cuartito esta igualito*, je m'étais réfugié au fond du jardin, près de la gloriette.

Et je me mets à fredonner la rengaine populaire et la *Pavane*, sur un rythme de boléro. Elle m'accompagne un instant puis nous éclatons de rire. Et notre conversation enchaîne naturellement sur Ravel, la musique. Elle évoque ses études, ses difficultés, son appréhension du public.

— Jouer à heure fixe devant des inconnus, voilà qui me paraît le plus barbare au monde. Je ne sais pas comment font les Milstein, Rubinstein, Braïlowsky et autres... j'assiste à tous les concerts de l'Auditorium. Par quel miracle se sentent-ils inspirés à vingt et une heure dix pile pour jouer Beethoven ou Chopin, ça me dépasse. Je ne pourrai jamais devenir concertiste, sans doute.

Car pour bien jouer, m'explique-t-elle, il lui faut certaines conditions : un endroit qu'elle connaisse et qu'elle aime, un piano sur lequel elle a l'habitude de travailler, des amis autour... et seulement si l'ambiance l'inspire, alors elle se mettra au piano.

– Certains jours je ne peux jouer que du Scarlatti ou du Bach... d'autres fois Schumann s'impose...

– La météo y est pour quelque chose, dis-je.

– C'est vrai, tiens... Maintenant que vous le dites, il me semble que je joue volontiers du Chopin quand il pleut.

De nouveau, nous éclatons de rire, mais le rire s'étrangle dans ma gorge quand je croise le regard de Mme Illescu. Je crains d'avoir été trop loin pour une première rencontre. Le sourire de la femme me rassure. Elle se penche vers moi et me dit de son accent chantant :

– Joaquin Nin, son professeur, dit que ma fille a un vrai tempérament d'interprète : capricieuse, excessive et sensible. Comme sa fille Anaïs qui habite aujourd'hui Paris et dont le Maestro nous parle souvent. Un jour elle veut peindre, chanter, le lendemain elle veut être écrivain... Pour en revenir à Hanna, Nin dit qu'il fera d'elle une grande artiste, mais qu'avant, il faut qu'elle apprenne à contrôler ses émotions.

Svelte, se tenant raide sur sa chaise, avec un nez long et des yeux immenses, Mme Illescu a le profil étrusque. Elle fait rouler un long fume-cigarette dans ses doigts fins, couverts de bagues. Lohengrin trouve son snobisme exaspérant. Moi, je lui reconnais toutes les qualités d'une femme du monde, ce qui n'est pas pour me déplaire.

– Venez nous rendre visite, Hanna jouera pour vous.

Hanna rougit. Je balbutie des remerciements.

– Fixons tout de suite une date, intervient Elias qui a le sens du concret. Mon ami est un poète. Il n'osera jamais vous téléphoner pour se rappeler à votre souvenir.

Nous fixons une date. Puis le garçon nous annonce qu'une table vient de se libérer et nous en profitons pour quitter la famille Illescu après mille politesses.

– Elias, tu es un vrai frère, dis-je en m'asseyant.
Et je le serre dans mes bras.

– Je te dis, je suis prêt à ouvrir un bordel dans le
désert du Sinaï. En attendant, tiens-moi au courant.

Ayant hérité du fatalisme de ma mère, je m'attends à
ce que les Illescu trouvent moyen de décommander le
goûter prévu. Et jusqu'à la veille de la date fixée au
Carmelo, chaque fois que le téléphone sonne, je suis
persuadé que c'est Mme Illescu. Mais rien de tel ne se
produit et le jour de notre rendez-vous est enfin arrivé.
Dès le réveil, je suis obsédé par le choix de ma tenue.
Pour ma première visite chez les parents d'Hanna, il
faut être présentable et se montrer sous son meilleur
jour. Dois-je m'habiller à l'européenne, à la cubaine?
Cette question me torture : chaussures à deux tons,
pantalons blancs et guayabera immaculée agrémentée
d'un nœud papillon – petite touche d'élégance caractéristique des créoles. Cette tenue me donnerait une évi-
dente décontraction. Cependant j'hésite. Avec le style
européen directement inspiré des films français qui
nous arrivent à Cuba – costume deux-pièces classique
et chemise claire –, je ferais preuve d'une certaine
recherche. Mais je risque aussi de paraître emprunté et
de transpirer comme un bœuf. Car il s'agit avant tout
d'être bien dans sa peau, à l'aise devant Hanna.

Perdu dans cet affreux dilemme et devant mes costumes étalés sur mon lit, les propos de Lohengrin me
reviennent à l'esprit : « Avec ce que les Illescu
dépensent en air climatisé pour une journée on pourrait nourrir une famille d'ouvriers pendant six mois. »
Il ne s'agit pas non plus de trembler de froid ni de me
ridiculiser comme cela m'est déjà arrivé au cinéma.
Alors, le costume à l'européenne sera le plus approprié. Et je plonge dans les affres de l'angoisse quand je
constate que je n'ai que trois tenues de sortie, ce qui,
d'après ma mère, est « un luxe pour un jeune homme
de mon âge ». La veste croisée à quatre boutons, ma
préférée, est trop chaude pour la saison. Faite sur
mesure par un tailleur espagnol de la calle Empedrado
dans un lainage importé de la Coruña, elle a le mal-

heur d'être doublée. Or, même en plein hiver à Cuba, il ne fait jamais aussi froid qu'en Galice espagnole. Restent les deux autres : un costume d'alpaga gris clair et un autre bleu cobalt en toile légère. Je me sentirai plus à l'aise dans ce dernier. Souple et infroissable, il donne à tout le corps une silhouette américaine, alliant agréablement l'élégance à la décontraction. Puis me souvenant d'une phrase d'un livre d'école, « à Paris le ciel est gris », je me dis finalement que la famille Illescu pourrait, après tout, être sensible au costume en alpaga gris comme à un hommage subtil au ciel de France, et je me décide enfin pour celui-ci. Il faut maintenant lui assortir chemise, cravate et chaussettes.

Je renverse tous mes tiroirs par terre. Les unes après les autres, j'enfile mes chemises, repasse trois fois la même, avec une cravate et des chaussettes différentes. Cette séance me met dans une agitation telle que je me glisse trois fois de suite sous la douche pour me rafraîchir et calmer mon esprit tourmenté.

C'est en costume d'alpaga gris avec une chemise bleu clair et une cravate de soie bleu foncé striée de fines rayures rouges que je me présenterai chez mes amis. Se pose ensuite le problème délicat de la coiffure. Faut-il laisser mes cheveux onduler naturellement à la Tyrone Power ou les plaquer en arrière avec de la gomina à la George Raft, mon gangster favori ? Ce n'est pas la même chose. Ou encore, je pourrais les laisser libres, la mèche de devant me tombant négligemment sur le front, à la manière de Jean Marais ou de Gérard Philipe : un style un peu insolent, décidément néo-romantique et qui fait fureur chez les adolescents cubains. Dans un cérémonial fébrile, je m'essaie différents visages, terrifié à l'idée de ne pas plaire. Et je me regarde dans la glace : je suis l'ombre de moi-même, un robot, le regard éteint, l'air complètement abattu. Alors, une idée me traverse l'esprit : si, à mon tour, je me décommandais à la dernière minute ? A Cuba, c'est pratique courante, mais d'après ce que Lohengrin m'a raconté, en Europe, un tel comportement serait taxé d'impolitesse ; or Mme Illescu, je le sais, ne jure que par l'Europe. Et les parents Illescu choqués, c'en serait fini d'Hanna et moi. Chassant de mon esprit ces sombres pensées, je me passe un peigne dans les cheveux et me rue dehors, à la recherche d'un taxi, priant pour ne croiser personne en chemin.

Énergie inutile, précipitation absurde : Hanna m'a convié à quatre heures et demie et comme le taxi approche de Miramar, je m'aperçois que je suis en avance de vingt minutes. Par précaution, je demande au taxi de me déposer à quelques rues de chez les Illescu. La zone résidentielle du quartier de Miramar, comme son nom l'indique, regarde vers la mer. De chaque côté de la vaste avenue plantée d'hévéas et de palmiers, des jardins à l'abri de hauts murs voisinent avec d'autres jardins dans une désolante succesion. Bien sûr, pas le moindre bistrot où se poser, pas une cabine téléphonique où se réfugier pour faire semblant d'être occupé. Les abris de bus sont rares et espacés. Symbole de la classe dominante, Miramar a été construit par les riches et pour les riches et n'a aucun complexe à s'afficher comme tel. On y trouve des immigrés de fraîche date arrivés avec leur fortune personnelle, la vieille aristocratie cubaine, de douteux marquis et comtesses qui jurent sur la tête de leur mère que leurs titres de noblesse viennent de leurs ancêtres castillans ou aragonais, des créoles qui se sont enrichis dans la politique ou des affaires plus ou moins louches, quelques millionnaires américains pour qui les plages de Miramar, semblables en tout point aux plages de Miami, offrent un zeste d'exotisme en plus, quelques personnalités comme le docteur Grau San Martin et des propriétaires terriens dont la fortune remonte à l'époque de la colonisation, ce qui, de fait, est une marque d'aristocratie plus sûre que celle de l'ex-couronne d'Espagne passée au filtre des Caraïbes. Tout ce beau monde a fait construire de somptueuses demeures où s'expriment ses goûts et ses caprices. Des « châteaux médiévaux » côtoient des maisons de pur style colonial anglais ou espagnol. On y trouve parfois de belles maisons modernes, des constructions mieux adaptées au climat. Ici, les gens riches poussent le snobisme jusqu'à prêter leur limousine à leurs domestiques qui s'approvisionnent dans des épiceries de luxe où même le sel, pourtant produit en grande quantité à Cuba, vient de l'étranger.

La veste soigneusement repliée sur mon avant-bras, les *Lettres à un jeune poète* de Rainer Maria Rilke dépassant de ma poche, appuyé à un arbre, j'attends et me mets à lire pour passer le temps. (J'ai pensé en effet qu'il serait intéressant, pour me donner une contenance, d'arriver chez les Illescu avec cette plaquette à la main, d'autant plus que les parents d'Hanna doivent forcément connaître le poète des *Élégies de Duino*.) Mais comment faire pour lire quand les voitures défilent à toute vitesse sur le macadam brûlant, quand le soleil de cet après-midi d'été fait monter de la chaussée des ondes fumantes, des odeurs de gazoline et de goudron chauffé à blanc ? Comment lire surtout quand deux molosses effrayants menacent de sauter par-dessus la grille du jardin devant lequel j'ai eu la malencontreuse idée de m'arrêter ?

Curieux après-midi. La musique de Mahler aurait certes accompagné mon entrée chez les Illescu ! J'ai enfilé ma veste, rajusté ma cravate, glissé Rilke dans ma poche, prenant soin de laisser apparaître le titre et le nom de l'auteur, lissé mes cheveux en arrière afin de dégager mon front que je veux noble et pensif et j'ai sonné à leur porte. Un maître d'hôtel tout de blanc vêtu et ganté est venu m'ouvrir. Il est seize heures trente pile.

– Miss Hanna ? Yes, please, follow me, sir.

Il est jamaïcain, je le reconnais à son accent chantant qui me donne chaud au cœur. Je marche derrière lui dans les allées du jardin entre les buissons de roses, jasmins et géraniums. Des jets d'eau et les fontaines discrètes aux céramiques bleutées dégagent un parfum d'Andalousie. La maison sur deux étages, avec des terrasses et un porche à colonnades, se distingue par son élégance de toutes celles que j'ai vues à Miramar. « On peut être bourgeois, pourri et avoir bon goût, m'a dit un jour Lohengrin qui en sait quelque chose... Les Illescu n'ont pas la richesse ostentatoire, ils ont plutôt de la classe et savent vivre. S'il est discret et raffiné, crois-moi, leur palace vaut son pesant d'or. La mère Illescu a mis à contribution les meilleurs architectes, décorateurs et jardiniers de l'île. »

Suivant le Jamaïcain, je traverse un vaste hall d'entrée bordé de part et d'autre de portes vitrées qui donnent tantôt sur une enfilade de salons, tantôt sur un boudoir plus intime, une bibliothèque ou un bureau. Puis nous montons un escalier en volutes. Le « salon de musique » de Miss Hanna se trouve à l'étage. Un air de Granados nous arrive, assourdi par les lourdes portes capitonnées. Sans même frapper – car je suis attendu – le Jamaïcain ouvre les deux portes devant moi, libérant un flot de musique, et s'efface pour me laisser entrer.

L'endroit a été aménagé sur une terrasse. De grandes parois de verre soutenues par des poutrelles métalliques peintes en blanc où s'accrochent lianes et plantes vertes font un angle lumineux. Trois épaisseurs de rideaux superposés en voile de coton, soie et mousseline atténuent le passage de la lumière selon les heures. Dans un coin plus ombragé, sur un fond de tenture de velours vert jade, des chaises longues en rotin, tables basses et guéridons en marbre aux arabesques de fer forgé invitent au repos. C'est dans ce coin qu'Hanna reçoit ses visiteurs, offre le thé, du chocolat et des pâtisseries. A l'autre bout, un piano à queue blanc trône au milieu de ce monde vaporeux et verdoyant comme une nef dans un aquarium.

Hanna est au piano. Quand elle se rend compte de ma présence, interrompant son morceau, elle se lève et vient à ma rencontre. Des gestes quotidiens, une situation banale : se lever, marcher vers quelqu'un, lui tendre la main, sourire, et pourtant quelle différence entre les êtres humains !

Comme je l'avais été en l'observant dans la gloriette le soir de la Bar-Mitzvah de David, je suis frappé par sa grâce singulière. Hanna est transparente, spontanée, sans fard. Peu lui importe d'attirer ou non l'attention des autres. Elle vit dans son monde, entièrement dévouée à la musique. C'est, je crois, ce qui lui donne cette force. Je me souviens, la nuit de la Bar-Mitzvah de David, d'avoir remarqué comment ses amies étaient partagées entre l'envie d'écouter Ravel et le désir de retourner danser et flirter avec les garçons. Leurs rires un peu faux, un léger rictus d'impatience au coin de la bouche, leurs regards obliques dénonçaient l'agacement qu'elles éprouvaient à être tenues éloignées de la fête. Hanna, elle, était tout entière dans sa musique, elle en était le cœur vibrant, en dégageait toute l'harmonie.

Nous sommes seuls. Il y a un moment de silence gêné que j'attribue à ma tension, au souci un peu ridicule de vouloir donner la meilleure image de moi-même. Puis un délicieux chocolat servi avec de la glace à la vanille au rhum vient à bout de notre timidité. Et quand le mot magique de « musique » survient entre nous, alors Hanna retrouve sa flamme, ce doux rayonnement qui me fait voyager dans les sphères.

– D'où me vient cette passion du piano ? s'interroge-t-elle, reprenant ma question... Pour mes six ans, mes parents m'ont offert un petit piano sur lequel on pouvait jouer des mélodies simples, *London bridge is falling down*, *Mon ami Pierrot*, *White Christmas*, des rengaines comme ça. Délaissant mes autres jouets, je ne l'ai plus quitté. Mes parents ont alors décidé de me faire étudier le piano avec un professeur. On leur avait parlé de Miss Morrisson, une vieille Anglaise, élève d'Alfred Cortot, qui, par amour pour un trompettiste cubain de passage à Londres, avait abandonné sa carrière de soliste. Elle avait ouvert à La Havane une académie de musique, sélectionnant rigoureusement ses élèves. C'est Miss Morrisson qui, jusqu'à sa mort, s'est chargée de mon éducation musicale. Sa qualité principale, c'est qu'elle n'était absolument pas dogmatique. Elle préférait Bach aux romantiques, et Bartók à Debussy chez les modernes, mais elle évoquait toujours l'héritage – avec un grand H. « Ce sont les critiques qui découent l'histoire de la musique en tranches, disait-elle, avec les classiques d'un côté, les romantiques de l'autre. » Partitions à l'appui, elle me faisait découvrir ce que devait Beethoven à Bach, Bartók à Beethoven, Stravinski à Wagner. Elle me faisait travailler ensemble une phrase baroque et un morceau d'Erik Satie. « Un compositeur, disait Miss Morrisson, est avant tout un homme doué d'oreille. La mémoire y joue un grand rôle. Une note entendue dans l'enfance peut déclencher un instant créateur. Le folklore a beaucoup influencé les compositeurs russes, espagnols. La musique populaire intervient aussi dans les œuvres dites sérieuses. Voyez comme Stravinski ou les compositions de Gershwin s'inspirent de la musique noire américaine et influencent à leur tour les compositeurs européens. »

Quand je lui demande si elle veut bien jouer quelque chose pour moi, Hanna ne se fait pas prier.

— Qu'aimerais-tu entendre?

— Schumann? Chopin? dis-je en hésitant.

Je veux établir entre nous un climat de romantisme. Dehors, un orage inespéré vient d'éclater. Et je me souviens qu'au Carmelo, Hanna avait dit que la pluie l'inspirait pour jouer Chopin.

Je n'existe plus. Hanna m'a oublié, tout entière dans sa musique. L'orage s'est éloigné aussi vite qu'il est arrivé. Et la pièce baigne dans le soleil déclinant. Ses derniers feux dorés et mauves à travers la superposition de voiles des rideaux créent une pénombre lumineuse qui noie le contour des objets et des meubles. Assis sur le sofa, je ne quitte pas Hanna des yeux. Et j'ai conscience de vivre un moment exceptionnel. Je me dis : « De tels instants sont rares. Avec le temps Hanna changera et moi aussi. Qui sait ce que l'avenir nous réserve? » Peu importe car ici et maintenant, jamais plus nous ne revivrons cet instant. Se rend-elle compte que la nuit est presque tombée, que je suis là, que je l'écoute? Je m'efforce de fixer chaque détail dans ma mémoire. Ses doigts courant sur le clavier, ses gestes éthérés, ses cheveux qui tombent sur ses joues et que d'un mouvement de tête elle repousse en arrière. J'ai l'impression de devenir moi-même plus léger. Je perds la sensation de la réalité ou plutôt, je suis au cœur d'une intense présence, jamais encore éprouvée. C'est le corps d'Hanna qui devient tout entier musique. Certaines nuits de pleine lune, disent les légendes, il y a des hommes qui se transforment en loups-garous. Dans cette nuit d'été qui monte avec un étincelant croissant de lune, le corps d'Hanna se transforme en musique, s'envole par la fenêtre, au-delà des murs, vers la plage, se fondant au murmure du ressac. « Elle est éternelle », me dis-je. Il se peut qu'un jour, me promenant sur une autre plage, étranger et solitaire, elle vienne jusqu'à moi, portée par la brise du crépuscule. Et j'acquiers la certitude que plus jamais désormais je ne serai seul. Quoi qu'il arrive, la musique d'Hanna me suivra partout.

Et voilà que je parle à Hanna comme je n'ai jamais parlé à personne. Blotti contre elle sur le sofa Récamier, sa main dans les miennes – sa main que, dans un premier temps, elle m'a refusée –, je lui raconte mon enfance, mon père absent, le monde fantastique et pittoresque de ma mère, le gynécée tropical ou j'ai grandi, l'insécurité dans laquelle nous avons vécu, nos constants déplacements et déménagements. Les confidences de ma mère aussi, sa saga familiale, le silence et le rejet des siens en Espagne, leur mépris pour le bâtard que je suis. Je lui décris les années de solitude où j'errais dans les rues pour ne pas rentrer à la maison et trouver ma mère en pleurs, en train d'épier derrière les persiennes le retour improbable de mon père.

A quel moment ai-je cherché la bouche d'Hanna ? Jamais je n'aurais eu le courage de l'embrasser si sa main n'avait commencé à effleurer ma joue avec le geste de consolation d'une sœur cherchant à chasser les pensées noires du frère qu'elle chérit. Je l'ai serrée contre moi, j'ai entendu battre son cœur qui cognait aussi fort que le mien et, quand j'ai vu qu'elle répondait à mes baisers, j'ai su que ce long passé de solitude était à jamais révolu. J'ai trouvé ce que j'avais toujours attendu, quelqu'un avec qui je n'étais plus sur mes gardes. Elle m'avait totalement désarmé. En aimant Hanna, je me trouvais moi-même. Ève, sortie de la côte d'Adam dont je m'étais toujours moqué, prenait sa force symbolique. La Bible avait raison : nous étions le fruit d'un même arbre. Le prodige avait eu lieu. Hanna m'aimait.

Par un heureux hasard, les parents d'Hanna avaient été retenus en ville et je lui jurai de ne rien faire qui puisse éveiller leurs soupçons.

– Je n'ai pas été élevée à l'américaine, comme beaucoup de mes amies. A treize ans, leurs parents acceptent l'idée qu'elle peuvent avoir un boy-friend. Mes parents me traitent encore comme un bébé.

Par la fenêtre, je vois la longue limousine des Illescu franchir le portail. Et les propos de Lohengrin me reviennent à l'esprit. Ce n'est pas seulement une question d'âge. Les Illescu n'accepteront jamais l'idée qu'Hanna et moi puissions nous marier. Je ne suis pas riche. Mes parents forment un couple asocial. Soudain je réalise l'étendue du désastre. Lohengrin a raison, il a parfaitement évalué la situation. Jamais les Illescu ne me laisseront la moindre chance d'épouser leur fille. Hanna elle-même pourra-t-elle supporter une situation qui va à l'encontre de son caractère entier ? Car nous allons être obligés de dissimuler nos sentiments devant les autres, de ruser pour nous voir, de mentir à tous.

Sur le chemin du retour, je m'attarde et marche dans La Havane, du Vedado à la vieille ville. J'ai la certitude, je ne sais pourquoi, que mon père est absent. Comme chaque fois lorsqu'il arrive le lendemain matin, pas rasé, les yeux cernés, il trouvera une bonne excuse. Il invoquera un coup d'État raté, un quelconque événement qui a exigé sa présence au journal. Personne n'aura pu le joindre, bien entendu, car il s'est isolé pour écrire son éditorial. Des mensonges qui seront immédiatement dénoncés par Mariquita, l'informatrice de ma mère.

– Le Docteur hier soir ? Il est passé au journal en coup de vent.

Comme chaque fois que j'ai ce genre de pressentiment, il se vérifie. Mon père n'est pas là. Les lumières du salon sont éteintes. Près de la fenêtre, le fauteuil de ma mère est vide. Elle s'est couchée sans doute, terrassée par la fatigue, et cette idée me soulage. Je m'apprête à regagner ma chambre sans faire de bruit quand j'entends de la musique qui provient de mon bureau et vois un rai de lumière sous la porte.

... Last night when we were young...

D'un seul coup les événements de la journée me montent à la tête : la valse-hésitation pour me composer une apparence, l'attente humiliante dans les allées de Miramar, les heures passées avec Hanna, le goût de ses baisers, la quasi-certitude du rejet de ses parents – comme une douche froide –, mon errance dans la ville endormie... Pourquoi ne suis-je pas comme les Illescu, pourquoi ne suis-je pas comme eux ?

Dans un mouvement de colère froide j'ouvre brusquement la porte qui cogne et claque contre le mur.

– Qu'est-ce que tu fais là ?

Ma mère n'a pas un sursaut. Tel le bouddha de la résignation, assise droite, les mains croisées posées sur les cuisses, les genoux réunis, elle se prend pour une sainte.

– Qu'est-ce que tu fais là ?

Ses yeux sont secs. Ce soir, elle n'a pas pleuré. Son regard est empli de tendresse, d'une douceur infinie. Je ne veux pas me laisser envahir par l'émotion, ni courir me jeter dans ses bras, ni demander pardon et pleurer comme un enfant. Alors, je me mords les lèvres, j'affiche un air dur.

– J'avais envie d'écouter ce disque de Judy, dit-elle.

C'en est trop. Absurde, ridicule. Sa réponse m'horripile. Je ne supporte pas l'idée que ma mère idéalise à ce point une femme qu'elle ne connaît pas, qu'elle élève au rang de divinité la voix d'une actrice sur un microsillon.

– Tu sais bien que personne n'a le droit d'entrer dans mon cagibi. Ni toi. Ni lui. Ni personne. C'était convenu entre nous. En plus, tu m'espionnes !

Dans « mon sanctuaire », j'ai très peu de choses et

chaque objet a sa place : les livres, les disques, les cahiers où je consigne notes, journal et projets littéraires. J'ai aussi glissé dans certains cahiers des lettres d'amour de mes anciennes conquêtes, les mots ardents et cyniques de Gipsie. Tout de suite, je remarque qu'elle a farfouillé dans mes affaires.

– J'ai voulu mettre un peu d'ordre, Niño.

Encore une erreur, cette phrase malencontreuse, ce ton mélodramatique insupportable, mélange de pitié, d'excuse et de reproche. Le ton qu'elle prend pour répondre à mon père lorsqu'il la surprend en flagrant délit de mensonge. Mille fois je l'ai entendu dans mon enfance, mille fois j'ai souffert de la voir s'abaisser devant lui. Et voilà qu'à présent elle emploie les mêmes ruses avec moi, ce qui ne fait qu'augmenter mon ressentiment.

– J'ai honte de toi! Combien de fois tu m'as fait honte!

Suit un déferlement de paroles incohérentes. Tout ce que j'ai refoulé en moi depuis si longtemps se déverse en mots durs, tranchants, implacables. Des éclats de voix, des gestes de noyé.

– Je n'ai fait que t'aimer, Niño! Comme j'ai pu!

– C'est faux! Ce n'est pas moi que tu aimes, c'est ton chagrin, ta douleur que tu as fini par chérir et qui est devenu ta raison d'être. Il n'y a pas de vrai amour en toi!

– Tais-toi, tu vas me tuer!

Elle a bondi comme un diable hors de sa boîte. Je lui ai déjà connu de tels sursauts d'énergie. Douée d'une nature flegmatique, ma mère est souvent couchée, et se plaint qu'elle n'a « pas la force de lever le petit doigt », puis elle se réveille subitement. Un événement imprévu, un mot gentil de mon père, un rayon de soleil par la fenêtre, et la voilà qui se met à revivre. Elle se lance alors dans un ménage à fond, rit, chante, court les magasins et revient les bras chargés de paquets. Elle se lève et se plante devant moi.

– Tu es mon fils, mon enfant et qu'importe ton âge. A cent ans, tu seras encore mon enfant!

Elle fait un geste pour prendre mon visage dans ses mains. Je recule.

— Je voudrais être mort! Je voudrais n'être pas né!

Terrorisée par ce qu'elle vient d'entendre, elle tend les bras en avant pour éloigner le mauvais œil. Dans ce geste incontrôlé, elle me frappe la bouche du revers de la main.

— Pardon, mon fils, pardon!

Et, comme si j'allais la frapper, elle se protège la tête de ses bras. Nous restons immobiles. Puis elle s'assoit, le dos voûté, défaite. Les larmes ruissellent sur son visage.

— Que Dieu te pardonne, tu blasphèmes!

— Dieu n'a rien à voir dans cette histoire!

De nouveau, comme un tigre en cage, je marche de long en large dans la petite pièce, je me cogne aux murs en hurlant :

— Tu aurais dû me dire, tu aurais dû me dire que nous avions du sang juif! Depuis mon enfance tu me le caches!

— Je voulais te protéger!

— Me protéger de quoi?

— De cette malédiction.

— Vas-y, continue! Tu vas encore me ressortir ces vieilles querelles d'il y a cinq siècles. Les Juifs d'Espagne, Torquemada, la nuit de la Saint-Barthélemy. Nous n'avons pas le privilège des massacres et de l'horreur. D'autres aussi ont souffert, d'autres ont été brûlés, massacrés, écartelés, décapités. Chaque religion compte ses milliers de martyrs!

Ma mère reste tétanisée, muette. Lentement elle bouge la tête dans un sens et dans l'autre.

— Il y a des vérités qu'on n'ose pas dire, des choses que personne n'a jamais écrites. Parce qu'ils ne se doutaient pas que nous étions des marranes, nos voisins de Malaga, d'honnêtes et pieux catholiques, n'hésitaient pas à parler des Juifs devant nous. « Ceux qui ont tué le Christ », disaient-ils. Ici, là-bas, c'est pareil. Les Juifs, même riches, n'éviteront pas qu'on les méprise. Ton ami Lohengrin vit dans un ghetto doré mais cela ne change rien. Quand on pense qu'il est allemand, tout le monde lui sourit, mais dès qu'il tourne le dos... qu'il soit beau, brillant et riche, pour la plupart, ce n'est qu'un Juif...

– Lohengrin s'en fout. Quant à ses parents, ils sont protégés par leur argent. On les méprise peut-être, mais tout le monde s'incline devant eux.

Elle fait les yeux blancs, lève les mains au ciel.

– Tu te trompes, mon fils. Dieu n'a pas chassé Adam et Ève du paradis parce qu'ils avaient péché mais parce qu'ils avaient commis l'erreur de manger la pomme et qu'ils ont donné naissance à la race juive!

– Maman!

C'en est trop. Je ne peux refréner mon fou rire. Ses propos absurdes m'ont vaincu, mes nerfs lâchent. Je me laisse tomber sur une chaise et je ris, je n'en peux plus de rire, je suffoque, je m'étouffe, je hurle. Ma mère, exaspérée, continue :

– Je me demande par quelle malédiction nous continuons de porter sur nos épaules toute la misère du monde. Quoi qu'on fasse, bien ou mal, il faut toujours qu'on paye. Crois-tu que ton père me traiterait comme il le fait si je n'étais pas juive?

Je ne ris plus, mais je refuse de la suivre sur des chemins aussi tortueux. Je ne veux pas non plus lui rappeler la longue liste des femmes non juives que mon père a séduites et abandonnées.

– Tu te souviens de cette histoire que je te racontais quand tu étais petit? Que tu étais le fils d'un prince recueilli par des Gitans et déposé devant ma porte? Comme j'aurais aimé que cette fable fût vraie! Toi, mon fils, libéré de tout péché!

Je n'en peux plus. Elle remarque ma fatigue et s'approche de moi. Comme elle le fait avec mon père, elle se met à genoux et enlève mes chaussures, me masse les pieds.

– Je n'ai plus de famille, plus de pays, plus droit à mes souvenirs d'enfance. Je ne veux pas que tu hérites de ce passé trop lourd à porter. Tu as la chance d'être né dans un pays jeune, sans histoire ou presque. Une

275

page blanche avant l'arrivée des Espagnols en 1492. Imagine un peu : d'un côté la découverte de l'Amérique, de l'autre l'expulsion des Juifs d'Espagne. Tu n'as pas à supporter ce destin malheureux, mon fils. Prince cubain, indien, espagnol, peu importe, mais libéré de ces stigmates.

– J'aime une jeune fille juive, maman. Ce soir, j'ai compris que sa famille ne m'accepterait jamais. Je n'y peux rien, je l'aime. Sans elle, je me sens mourir.

– Ne dis pas ça.

Elle se relève et pose sa main sur mes lèvres, puis elle me serre dans ses bras, les yeux emplis de larmes.

– Ne t'inquiète pas, Niño, je vais aller les voir. Je leur parlerai à ces Hébreux, ils ne peuvent pas rejeter un prince comme toi !

Dans la chaleur de ses bras je m'effondre, je fonds, je mêle mes larmes aux siennes. Toutes les épreuves de la journée sont balayées.

Troisième partie

L'été 1950...

A la tombée du jour

Dix-huit heures et sept minutes. Pourtant, Manu nous a bien dit : « Soyez ponctuels », lui qui se vante toujours de son exactitude. C'est vrai, Manu est la précision même. Pas une minute d'avance, pas une minute de retard. L'heure exacte.

– Le Parti, Chino, me dit-il. Avant d'entrer au Parti j'étais comme tous les Cubains, toujours en retard. Regarde cette putain de merde d'île, toujours en retard sur tout : l'économie, la culture, la politique, la philosophie. Et tout ça pourquoi, hein? Parce que, dans ce pays, on n'a pas le sens du temps. Un camarade du Parti m'a dit un jour que c'était la faute à la canne à sucre. Quand je lui ai demandé : « Comment ça? », il s'est exclamé – crois-moi, Chino, je ne l'oublierai jamais – il s'est exclamé : « La melaza, compay. La pulpe de canne à sucre, mi-miel, mi-poisse. Voilà ce qu'ont les illustres membres de la bourgeoisie cubaine, de la mélasse à la place du cerveau. » Voilà pourquoi il leur manque ce qui est fondamental à la conduite du progrès, au développement : la conscience du temps. Les jours, les heures, les minutes qui défilent, s'étirent et foutent le camp pour ne plus revenir! De la mélasse dans le crâne, voilà ce qu'ils ont!

Rallumant son éternel cigare pour la énième fois, Manu plisse les yeux comme s'il savourait encore la trouvaille de son copain, puis il lève un doigt en l'air, geste typique du politicien cubain pour indiquer à son auditoire que son discours n'est pas fini.

– Et le sexe. Les femmes ont une pine dans le cerveau, les hommes, un vagin. L'obsession du sexe gangrène cette île, sape le moral des travailleurs. Nuit et jour, on ne pense qu'à s'accoupler, une manière comme une autre de défier le temps.

C'est encore un cheval de bataille de Manu : il est persuadé qu'en pervertissant le langage bourgeois et en usant abondamment de gros mots il fait œuvre de révolutionnaire et de subversif. Ça m'a toujours fait sourire.

– Un communiste n'a pas peur de chier, de gueuler, de baiser, d'enculer, poursuit-il. Car la société bourgeoise est malade, Chino. Pourrie, cancéreuse. Ils auront beau se frotter les couilles au parfum, se laver le cul à la fleur d'oranger, elle restera toujours sale, la bourgeoisie. Quand le monde sera devenu communiste, alors nous n'aurons plus besoin de gros mots.

Dix-huit heures onze. Je fais mon entrée au Floridita avec quatre minutes de retard. Ça me met hors de moi, ce retard. Manu m'a confié une mission importante. C'est aussi la première fois que je mets les pieds au Floridita et, pour l'occasion, j'inaugure mon nouveau costume en peau de requin.

Quelques jours auparavant ma mère m'a demandé :
– Qu'est-ce que tu veux pour tes dix-sept ans?
J'ai répliqué sans hésiter :
– Un complet blanc en peau de requin.
Découpant des patates douces en petits dés, elle s'est arrêtée, a levé le nez et a fini par dire :
– Pourquoi en peau de requin? C'est un peu voyant, tu ne trouves pas?
J'ai rappelé à ma mère un film de Robert Taylor que nous avions vu ensemble. L'action se déroulait dans une île des Caraïbes et ma mère s'était extasiée devant l'acteur principal, vêtu d'un superbe costume en peau de requin.

Et, quand je pénètre dans le Floridita, qu'est-ce que je vois dans les grands miroirs qui me saute à la figure, blanc, brillant, ridicule? Mon costume en peau de requin. Pour compléter le tout, je porte une chemise en nylon, blanche également. La cravate est en soie jaune à pois bleu marine.

280

– Un dessin de Kandinsky, avait commenté ma mère qui avait dépensé une fortune pour me faire plaisir.

Et voilà que ces implacables miroirs me renvoient une image grotesque et déprimante. Baissant les yeux comme un moine surpris en flagrant délit de prévarication, je me faufile entre les tables à la recherche de Lohengrin. A cette heure de la nuit, l'ambiance bat son plein. C'est la fameuse « happy hour » où commence à affluer tout ce que La Havane compte de beaux esprits dans les lettres, la musique, le sport, la politique. Je sais – pour l'avoir lu dans une foisrevue – où se trouvent la table d'Hemingway, le tabouret sur lequel s'asseyait toujours Maria Felix. J'aperçois Lohengrin au fond du restaurant. Selon sa bonne habitude, il est assis dos au mur, planté dans un angle, contrôlant ainsi les entrées et les sorties de la salle.

Lohengrin a l'air d'un prince en villégiature. Détendu, élégant, lui aussi est tout en blanc, pantalon et guayabera immaculée. Seul un nœud papillon rouge avec des filets d'or donne à sa tenue une note d'insolence.

Cette rencontre au Floridita avait été prévue de longue date par Manu. Il s'agissait de faire un saut à la plage de Varadero. Le voyage avait duré des plombes à cause de sa voiture poussive et de détours sans fin, sécurité oblige. J'avais accepté ce rendez-vous parce que je me sentais un peu coupable vis-à-vis de mes amis. Depuis ma visite chez les Illescu, j'étais devenu moins disponible. Il nous fallait, à Hanna et à moi, faire preuve d'imagination pour nous voir. Hanna avait proposé un plan : je me trouvais, comme par hasard, dans des endroits qu'elle fréquentait avec ses parents. Ainsi, ils s'habituaient à me voir, et m'invitaient chez eux plus facilement. Et pour nos rendez-vous clandestins, Hanna avait des intermédiaires, une amie de confiance et une jeune domestique qui semblait ravie de jouer un mauvais tour à Mme Illescu. Je passais donc le plus clair de mon temps à attendre des coups de fil pour fixer un rendez-vous ou le décommander si les conditions ne s'y prêtaient pas.

Plusieurs fois au cours de ces derniers mois je m'étais fait tirer les oreilles par Manu :

– Chino, tu nous négliges. On ne te voit plus et, quand on te voit, tu es toujours pressé!

Pour me disculper, j'avais pretexté que mes études me prenaient de plus en plus de temps, qu'au journal on exigeait davantage de moi chaque jour car on venait de me confier la critique de cinéma et les interviews de personnalités de passage et de comédiens à la mode. Mais, pour Lohengrin, ces excuses ne marchaient pas. Dans mon enthousiasme, j'avais commis l'erreur de lui raconter ma première visite chez les Illescu. Et quand, plus tard, j'essayais de dissimuler mes relations avec Hanna, il ne fut pas dupe. Chaque fois que je manquais un cours ou que je refusais une invitation, Lohengrin arborait un fin sourire et se plaisait à me demander :

– Les amours sont toujours au beau fixe?

Voilà pourquoi, quand Manu lança l'idée de ce voyage à Varadero, joignant l'utile à l'agréable, je me sentis obligé d'accepter.

Royal, Manu nous invite dans un restaurant de fruits de mer, puis il propose de faire une « promenade digestive » sur la plage, une des plus belles plages de sable fin du monde. En maillot de bain, son ventre de gros buveur de bière et sa poitrine velue étalés au soleil, un cigare à la main, Manu nous explique enfin le motif de cette promenade.

– Marsac, la docteur Guillermo Marsac. Vous voyez qui c'est, non?

Il emploie ce vous collectif sans se préoccuper de la réaction que pourrait avoir Lohengrin. Plissant ses yeux porcins, Manu me scrute.

– Qui ne connaît pas Marsac à Cuba? dis-je. C'est un ami de mon père. Je sais qu'il écrit pour le *Diario*. Ce qu'il écrit et ce qu'il pense ne m'intéressent pas du tout. C'est un réactionnaire.

– Tu as tort, Chino. Marsac est beaucoup plus intéressant que tu ne le penses.

En ce début d'après-midi, les gens prolongent leur déjeuner ou font la sieste. L'air est tremblant de chaleur et l'immense plage blanche presque déserte. Nous marchons au bord de l'eau car le sable est brûlant. Les vagues tièdes qui viennent mourir sur le rivage nous lèchent les pieds.

– Guillermo Marsac, professeur à la faculté de droit, est aussi un journaliste réputé et l'auteur de plusieurs essais politico-économiques qui lui ont valu une réputation d'intellectuel, voire de philosophe. Espèce rare dans le paysage des lettres cubaines. Les cinq premières décennies de ce siècle abondent en romanciers, poètes, mais les philosophes, les penseurs se comptent sur les doigts de la main. Qui plus est, Marsac ne fait pas de politique à la manière traditionnelle. Il n'a jamais aspiré à être sénateur, député ou ministre. Non, Marsac met un point d'orgueil à exercer un pouvoir occulte, il est l'homme de l'ombre, celui qui se porte garant de la conscience républicaine et démocratique, comme il écrit dans ses éditoriaux. Derrière cette façade d'homme sage, on trouve chez lui d'autres activités beaucoup plus inquiétantes. Viscéralement anticommuniste, derrière les décisions de Grau San Martin et Prio Socarras de limiter ou du moins contrôler les activités de notre Parti, c'est Marsac qui agit. Voilà l'homme que nous devons rencontrer.

– Nous?

Ma surprise amuse Manu et, d'un geste de la main, il passe la parole à Lohengrin qui prend le relais.

– Cette année j'ai suivi les cours de Marsac. Si tu n'avais pas laissé tomber la faculté de droit, nous serions deux à être déjà en contact avec Marsac... Quoi qu'il en soit, poursuit Lohengrin, je lui ai parlé de toi. Il a lu tes articles, il apprécie beaucoup ton père et, bien sûr, il est ravi à l'idée de dîner avec nous.

– Dîner? Où? Quand?

– Samedi en huit. Au Floridita. J'ai tout arrangé.

Lohengrin ne me laisse pas le choix : il me donne une semaine pour que je puisse me rendre disponible. Je respire, ça me laisse en effet le temps de m'organiser. Ça ne me laisse aucune échappatoire non plus. Mais aurais-je pu imaginer que cette conversation anodine, cette journée à Varadero et tous les changements qui s'ensuivirent allaient transformer le cours de mon existence? Sur cette place somptueuse, dans ce paysage paradisiaque, tout semblait si simple, si naturel que l'idée d'une soirée en compagnie de Lohengrin et de Marsac finit par gagner mon adhésion.

Quand il me voit m'approcher, Lohengrin pousse une chaise vers moi.

– Excuse-moi, je suis en retard.

– Pas grave.

– Si, si, tu sais comme je suis ponctuel, mais j'ai attendu un taxi qui a mis des plombes à arriver. Dans ce costume je n'ai pas osé prendre l'omnibus.

– Peau de requin?

– Gagné! Comment tu trouves?

– Pas mal. Un peu voyant.

Je détourne les yeux pour qu'il ne remarque pas ma déception. Lohengrin réagit comme ma mère et je suis très vexé.

– Qu'est-ce que tu veux boire?

– Je prendrai comme toi.

– Alors, un daïquiri pour le jeune homme.

Lohengrin m'a souvent vanté les vertus de sa boisson préférée.

– Tout l'art est dans les proportions : rhum Bacardi blanc sur un lit de glaçons auquel on ajoute quelques gouttes de citron vert et du marasquin, avec un soupçon de sucre. Un peu trop de citron et c'est acide, un peu trop de sucre et c'est de la liqueur. C'est comme pour tout, il y a des proportions justes. Au Floridita, les daïquiris sont inégalables, c'est vraiment là qu'il faut en boire.

Il suffit de quelques minutes pour que le garçon dépose devant moi une coupe fine et large, avec une paille piquée dans de la glace pilée.

– Le daïquiri se boit avec une paille, sinon le contact des lèvres avec la glace tue le parfum... Au fait, tu as pensé à apporter ton livre?

– Oui... Mais... bon, j'ai un peu honte.

Lohengrin avait beaucoup ri quand je lui avais

raconté la réaction de Gipsie à mes poèmes et les généreux conseils qu'elle m'avait prodigués. Je trouvais par conséquent louche que Lohengrin ait tant insisté pour que j'en dédicace un exemplaire à Marsac.

– Ne t'inquiète pas. C'est juste pour marquer le coup. Une question de courtoisie. Il ne les lira pas, j'en suis sûr, mais il sera flatté qu'un jeune poète lui dédie ses premiers vers. N'oublie pas que nous sommes là pour lui faire plaisir. Il faut se le mettre dans la poche et tous les moyens sont bons.

Gagner l'amitié et la confiance d'une personnalité très en vue dans le monde intellectuel et la vie publique était un enjeu qui ne me déplaisait pas, mais pour une autre raison que Manu ou Lohengrin : mon père connaissait bien Marsac, il l'estimait. Ma mère admirait ses éditoriaux dans le *Diario*. Elle qui se disait anarchiste appréciait l'ironie de Marsac, son talent politique, sa façon d'attaquer ses ennemis idéologiques sans jamais les insulter.

Je n'avais pas pu tenir ma langue et j'avais raconté à mes parents qu'invité par Lohengrin, j'allais dîner avec le docteur Marsac en personne au Floridita. Mon père qui mangeait en lisant son journal – habitude charmante pour les siens! – ne leva même pas la tête, ce qui agaça prodigieusement ma mère qui, elle, ne put contenir son enthousiasme.

– Tu devrais lui apporter tes poèmes, m'avait-elle dit.

Je savais qu'elle connaissait tout le recueil par cœur et j'en avais été très touché. Par contre j'appréciais moins les rencontres qu'elle organisait avec ses amies pour « divulguer mon œuvre » et je lui avais fait part de mes réticences.

– C'est ridicule, maman. Imagine un peu que les autres fassent pareil et qu'ils t'infligent les productions de leur progéniture, leurs dessins, leurs broderies, que sais-je?

– Ce n'est pas la question, avait-elle répondu dignement. Non seulement il est naturel qu'une mère soit fière des talents de son enfant, mais si j'aime lire tes vers, c'est parce qu'ils sont bons.

J'entame mon second daïquiri et souris. Et comme chaque fois que je me sens bien, que l'ambiance est détendue, je sifflote l'air des *Trois Gymnopédies* d'Erik Satie qu'Hanna me joue souvent. Lohengrin qui, lui, en est à son troisième verre, reprend le thème à voix basse avant de me demander :

— C'est toi que je dois remercier pour cette invitation inattendue chez les Illescu ?

— Quelle invitation ?

— A la fête d'Hanna.

— Une fête, chez Hanna ?

— Comment, tu ne sais pas ?

Il s'est penché vers moi et a baissé le ton comme au chevet d'un grand malade. Voulant sauver la situation, je pars d'un grand rire qui sonne si faux que j'en ai honte, balayant l'air d'une main dans un geste que je voudrais insouciant, spontané.

— J'avais oublié. Une réunion entre amis, ce n'est pas ce que j'appelle une fête.

— Ah bon, le mot signé de Mme Illescu précise pourtant qu'il faudra s'y rendre en tenue de soirée.

— Ce n'est pas une idée d'Hanna. Tu connais sa mère.

— Pour la connaître, oui, je la connais !

Lohengrin a la délicatesse de ne pas reprendre les avertissements qu'il m'a tant de fois répétés concernant ma relation avec Hanna. Son aversion pour les Illescu dépasse la simple question politique : il exècre tout en eux, jusqu'à leur manière de s'habiller, jusqu'à leur accent – que, d'après lui, ils cultivent.

— Tout en eux est faux. Que mes parents aient un léger accent, c'est normal. En arrivant ici ils ne parlaient que l'allemand et le yiddish. Illescu est roumain et elle est moitié italienne, ils parlent le français à la perfection. Alors, pourquoi insistent-ils à mal parler l'espagnol, je vais te le dire : par mépris. Ils veulent nous rappeler leur statut d'étrangers dans cette ville, ils ne veulent pas qu'on les identifie à des Cubains, ils tiennent à ce qu'on les considère comme des gens de passage qui retourneront un jour dans un pays plus civilisé, où la culture s'écrit avec un grand C.

286

A l'époque, ces accusations de Lohengrin m'avaient paru dogmatiques et de mauvaise foi, et j'avais défendu le couple que je considérais – sans qu'ils s'en doutent – comme faisant partie de ma famille.

Ce soir au Floridita, Lohengrin, sentant mon profond désarroi, s'empresse de changer de conversation.

Nous évoquons alors l'influence grandissante de groupes à l'université qui se conduisent comme les gangsters de Chicago des années trente : revolvers à la ceinture, agressions, menaces contre les professeurs, marchandage des diplômes... « La politique à l'université, dit Lohengrin, est devenue une eau marécageuse. »

Je ne l'écoute plus. Les événements de cette dernière semaine défilent dans ma tête comme un film en accéléré. Le lendemain de la promenade à Varadero avec Manu et Lohengrin s'était annoncé pour moi comme une journée riche de bonheur. Les parents d'Hanna s'absentaient toute la journée pour une partie de pêche en mer et nous avions le champ libre jusqu'au soir.

Hanna m'avait laissé des clefs qui ouvraient le portail du jardin par-derrière. Ce jardin faisait la fierté de Mme Illescu. Dans la partie de devant, tout n'était qu'ordre et symétrie, alors qu'à l'arrière de la maison, il avait été laissé à l'abandon. Planté de grands eucalyptus centenaires, cocotiers, bananiers, c'était une jungle tropicale où poussait un fouillis de mariposas et de bambous. Les Illescu y avaient fait construire un bungalow doté de tout le confort moderne – une kitchenette et une douche – pour les amis de passage. C'était aussi le deuxième salon de musique d'Hanna. Elle y faisait ses exercices au piano – les mêmes arpèges et phrases musicales mille et une fois répétés – sans importuner personne, surtout sa mère qui avait les nerfs fragiles. Un téléphone était relié à la maison. La veille d'un cours difficile ou d'un de ces récitals que ses parents offraient aux visiteurs, Hanna dormait dans le bungalow, sur le canapé-lit qui en constituait, avec le piano droit, une table et quelques chaises, le seul ameublement. C'est dans ce « nid d'amour » qu'Hanna et moi jouions au couple marié. Dans notre cabane au fond de la forêt, nous nous plaisions à nous imaginer dans différents endroits. Il suffisait de brancher l'air climatisé à son maximum et nous étions en Norvège. Mais le plus souvent nous préférions couper l'appareil et nous laisser écraser de chaleur. C'était notre cabane au cœur de l'Amazonie.

Pour mieux tenir son rôle d'épouse au foyer, Hanna, qui n'avait jamais mis la main aux fourneaux, apprit à faire quelques plats d'Europe centrale et des gâteaux aux graines de pavot, des roulés aux noix, raisins et amandes dont je raffolais.

Ce jour-là, disposant de plus de temps que d'habitude, nous avions oublié l'heure qui passait et nous envisagions de faire ce que nous n'avions osé jusqu'à présent : dormir ensemble. Nous nous étions assoupis dans les bras l'un de l'autre, quand le téléphone, comme une sirène d'alarme, nous fit sursauter. Hanna décrocha et je la vis pâlir. C'était Corina, sa femme de chambre complice qui la prévenait que ses parents seraient là dans un instant. Nous rhabillant en quatrième vitesse, nous avons mis de l'ordre dans la chambre, replié le canapé-lit et pris une attitude de circonstance. Hanna se mit au piano et je l'écoutai dans un silence religieux, en amoureux transi, au-delà de tout soupçon.

J'observais Hanna. Elle avait les joues en feu, les cheveux en bataille – elle avait oublié de se repeigner. Quelques minutes plus tard, les Illescu arrivaient.

Ils acceptèrent de bonne grâce ses explications.

– Comme le temps a passé! J'ai infligé à mon pauvre et patient ami un long récital qui a dû l'ennuyer terriblement, n'est-ce pas? me dit Hanna d'un air ingénu.

Son regard me fit pitié. Je lui répondis qu'au contraire, l'écouter m'inspirait pour écrire. J'avais eu la bonne idée d'apporter quelques livres et un gros cahier aux pages noircies que je montrai à ses parents.

Par un étrange renversement de situation, ce furent les parents d'Hanna qui se justifièrent : ils avaient dû rentrer plus tôt que prévu parce que l'associé de M. Illescu l'avait convoqué pour une réunion urgente.

Quant à elle, elle venait d'apprendre la venue d'une amie d'enfance.

– Cette idiote est descendue au Nacional pour ne pas nous déranger. Viens avec moi, Hanna, on va la chercher.

Pedro Illescu proposa de me raccompagner dans sa voiture et j'acceptai son offre, ravi et reconnaissant. Je n'avais jamais eu l'occasion de parler en tête à tête avec celui que je considérais déjà comme mon beau-père. Assis à côté du père d'Hanna dans sa grosse Cadillac, je me sentais intimidé et exalté à la fois. Par courtoisie, pour soutenir la conversation, je me mis à improviser un discours frénétique sur la mer, les poissons, la chasse sous-marine, répétant ce que m'avait raconté Elias Lévy Stern qui, comme Pedro Illescu, était un passionné de sports nautiques. Je ne sais pourquoi, mais j'imaginais mal cet homme cossu et bedonnant à bord d'un bateau, affrontant dauphins, requins et barracudas. Pedro Illescu m'écoutait dans la plus totale indifférence. Son profil un peu bouffi, brûlé par l'iode et le soleil, avec son œil parfaitement immobile, faisait penser à un vieux crocodile. Il avait le front dégarni, creusé de profondes rides. Le nez, légèrement écrasé, n'avait rien du traditionnel nez sémite. Une moustache entretenue et taillée avec soin dissimulait des lèvres charnues et épaisses qui lui donnaient une sensualité qui détonnait avec le redoutable portrait que m'en avait fait Lohengrin. J'essayais de voir en quoi Hanna pouvait bien lui ressembler. La couleur des yeux, peut-être, qui passait du gris-vert au doré puis au bleu foncé traversé de reflets d'ambre. Des yeux de chat. Surprenant ses yeux dans le rétroviseur, je ne les quittais plus, je m'y accrochais, j'y recherchais Hanna désespérément. Trop absorbé à se frayer un chemin dans les rues étroites de la vieille Havane, très encombrées à cette heure du soir, Illescu n'avait pas remarqué mon étrange comportement.

En montant dans la voiture, il m'avait proposé de m'emmener boire un verre. Son associé serait fatalement en retard : il cultivait cette habitude cubaine sans quoi l'on est pas tout à fait cubain.

– Pour moi, l'heure, c'est l'heure. Je n'ai jamais pu me défaire de mes vieilles habitudes. Mais, que voulez-vous, on ne change pas la mentalité des gens...

J'avais donc accepté son invitation au Sloppy's Joey Bar. Boire un verre dans cet endroit mythique en compagnie du père de ma bien-aimée était une aubaine inespérée. Déguster avec lui un de ces cocktails raffinés qui ont fait la joie de George Gershwin, Nat King Cole, Marlon Brando, Federico Garcia Lorca... Gipsie, qui détestait le Floridita, m'y avait souvent emmené. « Le Floridita est un endroit typiquement cubain qui imite le style américain. Le Sloppy est yankee à cent pour cent », avait-elle déclaré.

A mesure que l'imposante Cadillac se frayait un chemin dans le dédale tortueux de la vieille cité, mon impression d'euphorie commença à s'émousser. Que me voulait le père d'Hanna? Cette invitation intempestive ne lui ressemblait guère, lui si conventionnel, si distant. Et j'eus soudain comme un mauvais pressentiment.

Le Sloppy's Joey Bar était bondé. Illescu et moi nous sommes fait une petite place au bout du comptoir. Un serveur s'est alors précipité sur lui avec obséquiosité, donnant du « oui, monsieur Illescu ; bien, monsieur Illescu » à n'en plus finir. Pour susciter un tel empressement, les pourboires de l'homme d'affaires devaient être conséquents. Et nos deux Manhattans arrivèrent à la vitesse de l'éclair. Prenant sa coupe dans la main, Pedro Illescu la contempla d'un air inspiré comme s'il s'apprêtait à lire dans du marc de café. Puis, sirotant son cocktail à petites lampées, la conversation s'engagea sur cette vieille Europe qu'il chérissait tant et semblait si bien connaître. Paris et Rome, m'expliqua-t-il, étaient ses lieux de prédilection. Puis il évoqua la vie berlinoise d'avant guerre, si gaie, si passionnante, malgré la menace nazie.

– J'ai senti le vent venir, j'ai toujours pensé qu'ils seraient capables de faire ce qu'ils ont fait, dit-il, commandant sans transition un second Manhattan.

J'étais terriblement tendu. Ces « chez nous » dont il

émaillait sa conversation commencèrent à m'exaspérer. Si mon intuition était bonne, je crus y déceler un message du genre : « Mon petit, vous et moi, nous appartenons à des mondes différents... culture, religion, langue maternelle, tout nous sépare. » Et ce message ne me plaisait guère.

L'alcool aidant, Illescu abandonna peu à peu sa réserve. Il se pencha vers moi, me sourit, me tapa amicalement sur l'épaule. Pour mieux enfoncer le couteau dans la plaie, il se mettait à mon niveau.

– J'ai pris Cuba en amitié, poursuivit-il. Il suffirait d'un rien pour que cette île soit un paradis. Pourtant ma famille et moi, nous ne serons jamais vraiment d'ici. Un jour ou l'autre nous rentrerons chez nous. Pas en Roumanie bien sûr, mais à Milan où j'ai une succursale. Ou bien à Paris que ma femme adore. Ma fille pourrait y poursuivre ses études de piano...

Ça ne faisait pas l'ombre d'un doute, Illescu avait compris la nature de mes liens avec sa fille. Il préparait le terrain. Il était en train de me faire un cours de géographie, me décrivant les modestes attraits de sa propriété de Vallauris, dans le sud de la France, tout près de chez Picasso, quand l'arrivée de son associé coupa court à mes efforts pour le suivre.

Je suis sorti de Sloppy's Joey Bar complètement groggy. La chaleur était moite, pesante, chargée d'électricité. D'épais nuages bas et de lointains roulements de tonnerre annonçaient l'orage. Quelques éclairs aveuglants, puis des trombes d'eau diluviennes, et ce serait la fin du monde. Peu m'importait. Je voulais mourir.

Après une nuit d'insomnie et de fièvre, je fus réveillé tard dans la matinée par un coup de fil d'Hanna.

– Je n'ai pas le temps de te parler... Je t'appelle de l'aéroport de Boyeros... Papa part à New York pour un voyage d'affaires... Il m'a proposé de l'accompagner pour faire un peu de shopping... Non, tout va bien, je t'assure... Il est adorable avec moi... Je t'appelle dès mon retour...

Elle était rentrée deux jours plus tard et m'avait effectivement appelé, mais j'étais dehors. Ma mère avait déposé une note sur mon lit : « Janna a appelé trois fois. » Elle mettait un J à la place du H aspiré, ce qui, phonétiquement, revenait au même. Quand j'ai voulu joindre Hanna, j'ai reçu trois fois la même réponse : « Mademoiselle n'est pas là. » Tard dans la nuit, j'ai eu la chance de tomber sur Corina.

– Mlle Hanna est partie avec ses parents. Ils passent la nuit dans leur maison de Cojimar et ne rentreront que demain en fin d'après-midi. Il y a une grande réception à la maison et Mlle Hanna doit donner un récital. Heureuse ? Comment ça ? Oui, oui, Mlle Hanna a l'air heureuse. Elle est ravie de son voyage à Nova York. Et vous, monsieur, comment ça va ?

– Moi, Corina ?

– Oui, vous avez une petite voix, monsieur, ça va ?

– Tout va bien, merci, Corina.

Elle ne pouvait pas voir ma tête, heureusement. Une tête de naufragé, un regard de noyé. Cette conversation au téléphone m'avait achevé et je sentis mes forces m'abandonner. Le lendemain soir, pourtant, je devais être en forme pour le fameux dîner avec Marsac.

– Eh... Tu m'écoutes ou quoi ? dit Lohengrin en me secouant brutalement l'épaule.

– Pardon, excuse-moi, je suis un peu ailleurs...

– C'est peu dire. Je te demandais si tu as prévenu ta mère que tu risquais de rentrer tard ?

– Non, je ne lui ai rien dit. Je pensais qu'on serait sortis vers onze heures.

– Nos plans ont changé. Il se peut que nous soyons obligés de veiller très tard.

– Qu'est-ce qui a changé ?

– Je t'expliquerai... Pour le moment... (Il jette un œil sur sa montre.) Marsac devrait arriver d'un moment à l'autre. Il a déjà quinze minutes de retard. C'est normal, compte tenu de la situation. Un homme important qui a rendez-vous avec des jeunes morveux comme nous n'arrive jamais pile à l'heure. Il est question de prendre un apéro ici puis de manger vers dix-neuf heures trente. Notre ami a voulu dîner tôt car il écrit, nous a-t-il dit, ses éditoriaux entre dix et onze heures pour boucler avant minuit. Quelque chose me dit que ce soir, il devra faire une exception.

– Pourquoi m'as-tu donné rendez-vous une heure à l'avance?

– Une idée de Manu. Il a demandé à ce qu'on arrive avant Marsac et avant lui aussi.

– Parce qu'il va venir?

– Il va dîner à la table voisine. Fais-nous confiance, Chino.

Je n'aime pas quand Lohengrin m'appelle ainsi. C'est un surnom que Manu m'a donné. Dans la bouche du moustachu, je le supporte. Dans celle de Lohengrin, elle se teinte d'une nuance ironique qui ne me plaît pas du tout.

Une sorte de malaise m'envahit. De quoi s'agit-il exactement? Cette innocente rencontre avec Marsac destinée à nouer des liens d'amitié avec le professeur commence à prendre une tournure louche. A Varadero déjà, en entendant parler Manu, j'avais eu cette impression et voilà que les mots de Lohengrin viennent me le confirmer. J'accepte mal que Manu m'ait caché qu'il serait aussi au Floridita.

Sous prétexte de téléphoner à ma mère, je prends congé de Lohengrin. Je ne veux pas laisser transparaître mon malaise. Je suis blessé, déçu. Derrière ce rendez-vous anodin se cachent apparemment d'autres enjeux que j'ignore et dont ils n'ont pas cru bon de m'informer. Pour la première fois de ma vie, j'ai la désagréable sensation d'avoir été manipulé.

Ces dernières semaines, mon père a repris ses vieilles habitudes. Le samedi soir il ne rentre pas avant l'aube et je crains par-dessus tout d'avoir à affronter la voix triste de ma mère. D'autant plus qu'il va falloir lui annoncer que je vais revenir tard, que ce n'est pas la peine de m'attendre. A ma grande surprise, elle le prend bien.

– Senta et Luis sont passés me voir. Ne t'inquiète pas. Amuse-toi. Le docteur Marsac est là?

– Il vient juste d'arriver!

J'appelle du comptoir d'où j'ai une vue d'ensemble

sur l'entrée et la salle de restaurant et, en effet, Marsac vient d'entrer. Son apparition au Floridita provoque une petite révolution. Garçons, maîtres d'hôtel et barmen lui font des courbettes. Au bar, les couples se retournent sur lui. Il y a des remous dans la salle. On chuchote, on se parle à l'oreille. Ceux qui l'ont reconnu dévorent des yeux cet universitaire célèbre, éditorialiste du plus prestigieux journal du pays, conseiller et confident du président de la République. En homme poli, Marsac, silhouette mince et manières raffinées, serre les mains, accorde ici une virile accolade, là un petit signe, distribuant au passage des sourires de vedette en villégiature, de politicien en campagne. Il est très élégant. Je me souviens d'avoir lu dans la revue *Vanidades* un article sur sa garde-robe où il confiait à une journaliste qu'il faisait son shopping à l'étranger. Vêtu d'un costume en lin grège qui porte sans doute la griffe d'un grand couturier italien, il achète, dit l'article, ses chemises et ses cravates à Paris, ses chaussures en Angleterre. Marsac fait partie de cette élite cubaine qui voyage au moins une fois par an en Europe. « Pour voir les musées, faire une tournée gastronomique, écouter de la bonne musique, assister à des représentations de théâtre... » aurait dit Gipsie qui avait été habituée par sa famille, dès son plus jeune âge, à mépriser ces parvenus qui préféraient Miami et New York à la vieille Europe.

Marsac a le front haut, un nez droit, des moustaches fines et bien taillées. Il a quelque chose de José Marti, le Père de la Patrie, une ressemblance dont il est fier car il ne manque pas une occasion d'évoquer son admiration pour son héros et guide spirituel. D'ailleurs, ne dispute-t-il pas le titre de spécialiste de Marti au docteur Juan Marinello, président du Partido Socialista Popular, de tendance communiste ? L'un et l'autre, par un découpage tendancieux de l'œuvre du maître, arrivent à faire dire à José Marti ce qui les arrange et peut servir leur idéologie respective : d'après Marsac, Marti est le chantre du libéralisme et de la démocratie, tandis que pour Marinello il paraît évident que c'était un marxiste avant l'heure.

Lohengrin se lève pour accueillir son invité. Lui aussi a droit à une chaleureuse accolade. Du bar, je décris à ma mère la tenue du docteur. En lectrice assidue de *Vanidades* et de *Ellas,* elle se montre friande de détails.

– Costume beige. Cravate à impressions tirant sur le bleu-gris foncé et le châtain clair. Chemise bleu clair. Bien sûr, il porte ses célèbres lunettes à monture d'écaille. Classique, plutôt chic, oui. Tu sais quoi? Je trouve qu'il ressemble plus à William Powell qu'à José Marti.

– Tant mieux pour lui.

Je la fais rêver. Je sais qu'elle adore l'acteur américain qui a incarné Ziegfeld, le patron des Follies. Et comme je la sens plus gaie et détendue que d'habitude, j'en profite pour lui demander des nouvelles de mon père. La gaffe.

– Il a une réunion très importante au journal. C'est ce que je suis censée avaler.

Sa voix se brise et elle raccroche. Je n'ai pas le courage de la rappeler pour la consoler. « Plus tard, je me dis, plus tard. Je l'appellerai plus tard. »

Lohengrin a passé la commande et nous voyons arriver un impressionnant plateau de fruits de mer avec des langoustes, accompagné d'un petit vin blanc d'importation.

– Un vin du Rhin, annonce Lohengrin avec ce sourire empreint d'ironie qu'il arbore lorsqu'il vous rend un service ou vous fait un cadeau et qu'il ne veut pas être remercié.

Et il rajoute :

– Le vin préféré de Goethe.

De son côté Marsac a l'air parfaitement à l'aise, spontané comme un écolier en goguette.

Quand je m'étais inquiétée de savoir si le docteur Marsac ne risquait pas de s'ennuyer avec deux jeunes gens comme nous, Lohengrin m'avait expliqué qu'il avait la réputation d'être amoureux de la jeunesse.

– Même s'il s'emmerde, il ne le montrera pas. Il est tellement démagogue! Imagine-toi, surtout au Floridita! « Regardez Marsac, il est extraordinaire, il donne son précieux temps à ses élèves! » Il se prend pour Mister Chips. Je l'imagine bien quand il prendra sa retraite, faisant un discours d'adieu comme Robert Donat.

Lohengrin avait raison. Le docteur Marsac ne perd pas une occasion de nous instruire, d'étaler ses vastes connaissances, évoquant le dernier livre à la mode, le dernier disque ou le dernier livre d'Europe arrivé à Cuba. Mais il est aussi très attentif lorsque, pour faire le malin à mon tour, je mets sur le tapis *L'Être et le Temps*, d'un certain Martin Heidegger, que Gipsie m'a fait lire.

— Un philosophe? Aujourd'hui, n'importe qui se prend pour un penseur. Heidegger n'est pas plus philosophe que son maître Husserl, ou ce poète raté de Kierkegaard. Encore faut-il admettre que ce dernier a écrit de belles pages sur l'angoisse existentielle. Tout ça, ce sont des modes, des choses montées en épingle et qui nous viennent, savez-vous d'où?

Les yeux pétillants, très content de lui, il s'attend à ce qu'on embraye au quart de tour. Je suis furieux contre moi car je sens que j'ai rougi. J'avais lu Heidegger au lit avec Gipsie et cette lecture m'avait laissé un souvenir émerveillé, aussi je n'aime pas qu'on l'insulte ainsi. Lohengrin, fin diplomate, sourit poliment :

— D'où, docteur?

— Mais de Paris, bien sûr! Que ce soit dans le domaine de la culture ou de la couture, tout ce qui est à la mode ici nous vient de Paris. Comme ce Jean-Paul Sartre par exemple, ce petit professeur, autant par la taille que par la hauteur de sa pensée, qui se fait une publicité tapageuse en s'appropriant le mot d'existentialisme. Ils n'ont que ce mot à la bouche et tout le monde se fiche pas mal de savoir ce qu'il recouvre. Le Monsieur Sartre se dit philosophe. Excusez-moi, mes enfants, mais ça me met en colère. Des clowns, des piliers de bistrot à Saint-Germain-des-Prés, des Parisiens qui entretiennent le mythe de la bohème et qui sont en train de pourrir la jeunesse française. Qu'ils le fassent chez eux, pas chez nous! Le nouveau continent a besoin d'autre chose que de ce vent de décadence. Non, vraiment, je regrette, mais croyez-moi : après Kant, la philosophie en tant que telle est morte. C'est à nous qu'il revient de l'expliquer aux jeunes générations. En un mot, de défendre la vérité.

Par bonheur, la conversation glisse sur le cinéma, sujet inépuisable entre tous et où, avec un peu de bonne volonté, on peut toujours trouver un terrain d'entente. A ma grande surprise, Marsac se montre moins réactionnaire dans ce domaine qu'au chapitre de la philosophie.

– Avez-vous vu *Chaînes conjugales*? Voilà du grand art! J'ai souvent des discussions avec le critique de cinéma au journal. Il est convaincu que seul le cinéma européen – anglais, français, italien – est digne d'intérêt. Évidemment, il a descendu le film. C'est une forme de snobisme insupportable. Je suis le premier à critiquer certains aspects de la vie américaine, mais il ne faut pas exagérer! Ce Joseph Mankiewicz ouvre des portes. Le film est un tournant pour Hollywood.

Marsac enchaîne avec enthousiasme sur un film français qui vient d'être projeté à la cinémathèque de l'université :

– Il n'y a rien de plus casse-gueule que de vouloir adapter au cinéma une grande œuvre de la littérature, vous en conviendrez! Jean Renoir a relevé le défi. J'ai relu *La Bête humaine* après avoir vu le film. Renoir va même plus loin que le livre de Zola. Je ne sais pas à quoi c'est dû. Ou peut-être... oui... L'auteur a beau décrire le personnage de la femme adultère avec tout le naturalisme possible, l'écran vous en fout plein la vue... Pardonnez mon langage, mais cette femme, cette Simone Simon, est saisissante! Je ne sais pas ce que vous en pensez?

Il lève les mains et les yeux au ciel, comme si la Vierge était apparue au plafond.

– Femme-enfant, femme-chat, tout en nuances perverses, sans minauderies. Et sa manière féline de se déplacer, sa voix, ses murmures, son français qui

297

pétille comme du champagne... Tchin! Je lève ma coupe à cette actrice!

Et Lohengrin, profitant de l'occasion, lui emplit sa coupe pour la énième fois.

Stimulé par le souvenir de la divine Simone Simon et légèrement euphorisé par le vin que Lohengrin ne cesse de lui servir, Marsac commence à lancer des œillades à une superbe créature assez vulgaire qui se trouve à une table voisine. Malheureusement elle est flanquée d'un de ces mâles propres à décourager le plus vaillant des prétendants. Trapu, balèze, l'animal a un faciès féroce et primitif, le front bas et l'œil bovin. Je remarque, sous son aisselle gauche, la bosse caractéristique d'une arme à gros calibre. Sans doute un de ces flics en civil ou un membre d'une de ces polices parallèles qui pullulent en ce moment chez nous. Peut-être le garde du corps d'une personnalité importante? Ou tout simplement un mari jaloux, prêt à dégainer à la moindre contrariété? Quoi qu'il en soit, c'est le genre d'individu à qui il vaut mieux ne pas avoir affaire. Je n'en crois pas mes yeux : tous les ingrédients d'un fait divers sont en train de se mettre en place. Marsac sourit avec ostentation à la femme qui fait pigeonner sa poitrine débordante et lui lance des regards alanguis. Son orang-outan de compagnon a les poings crispés sur la table, son visage a pris un teint terreux qui laisse présager le pire. Je m'apprête à faire un signe discret à Lohengrin pour qu'il fasse comprendre à Marsac le côté délicat de la situation quand celui-ci, me devançant, me dit d'un ton neutre, mais suffisamment fort pour que Marsac l'entende :

– Tiens, voilà des amis à toi qui arrivent!

Je me retourne. Manu fait son entrée, accompagné d'une ravissante jeune femme. Sylvia Ruiz Flores. Je la connais. C'est la fiancée de Nelson Mendès. Avant de me la présenter, Nelson m'avait souvent parlé d'elle. Il m'avait raconté leur histoire d'amour. Quand il a connu Sylvia, elle avait à peine treize ans et lui dix-neuf. Il était tombé amoureux d'elle dès le premier instant et elle s'était promise à lui. « Promise, avait-il insisté, pas donnée. »

– Je sais que, dans un pays tropical, où fornication est synonyme de mode de vie, l'amour platonique passe pour une anomalie. Il attire les sarcasmes et vous ridiculise. Peu importe. J'attends, pour épouser Sylvia, d'avoir une situation correcte. Le journal de ton père et de Don Pepe est trop honnête pour pouvoir nous payer des salaires convenables. Je veux offrir à ma femme tout ce qu'elle mérite. En plus, Sylvia ne tient pas à se marier tout de suite. Elle a sa carrière de comédienne. Plus tard, elle aura des enfants de moi.

Bien sûr, j'avais eu vent des ragots qui couraient sur eux. Tout La Havane s'en moquait. Dernièrement j'avais pris l'habitude de fréquenter une très agréable maison de la calle San Lázaro, demeure du metteur en scène Andrès Castro et de sa très belle épouse, la merveilleuse actrice Antonia Rey, deux personnages mythiques pour une certaine jeunesse cubaine. Par eux, on était au courant de tout ce qui se passait dans la vie artistique et sur les scènes de Paris et de New York. Ils avaient ouvert un véritable salon littéraire « à la française ». Tout ce qui brillait à La Havane du côté de l'art ou du show biz passait un jour chez eux. C'est aussi là qu'on entendait les derniers potins. Un jour, le nom de Sylvia Ruiz Flores était tombé dans la conversation et quelqu'un avait demandé d'un air naïf :

– Quelle est la nouvelle conquête de la Vierge des rochers ?

C'est alors que j'avais appris la légende de Sylvia. Elle avait l'habitude, disait-on, d'emmener les hommes qu'elle draguait sur les rochers à la pointe du Malecon, car elle aimait faire l'amour en écoutant le bruit des vagues.

Un jour Nelson se décida finalement à me présenter sa fiancée.

– Sylvia en a marre des feuilletons de radio. Elle cherche une pièce pour le théâtre. Je lui ai parlé de toi. Quelqu'un lui a dit que tu pourrais lui écrire ce qu'elle cherche.

– Quelqu'un? Qui?

Il sourit, gêné. Je lui avais parlé, bien sûr, de ma rupture avec Gipsie et de ma passion pour Hanna.

– Ton ex-amie. Elles se sont rencontrées récemment.

J'avais eu vent de cette rencontre entre Gipsie et Sylvia mais ce désir de la « fiancée » de mon ami, m'étais-je dit, n'était peut-être pas si innocent que ça. Aussi c'est moi qui m'étais mis à différer sans fin ce rendez-vous. Devant l'insistance de Nelson, j'avais fini par céder.

Il nous avait invités dans le meilleur restaurant chinois de La Havane, El Pacifico, en plein cœur de Chinatown. Gauchère, névrosée à la manière d'un personnage de Hitchcock, Sylvia maniait avec dextérité les baguettes et, de l'autre main, sous la table, dessinait un paysage sur mon genou avec ses ongles. Elle s'attarda le temps d'un chop suey et d'un riz cantonais... Au dessert – douceur de coco et fromage blanc – elle s'attaqua à ma cuisse... Et, quand le patron du Pacifico vint nous offrir le saké de l'amitié, elle était sur mon sexe.

J'avais essayé à plusieurs reprises de dégager ma jambe, mais nous étions très serrés et je n'avais guère de champ de manœuvre. Terrorisé à l'idée que Nelson se rende compte du jeu de sa fiancée, cette situation me paralysait. Nelson, lui, était ailleurs. Sergio Castaño, un jeune Catalan fraîchement débarqué de sa Barcelone natale avec un extraordinaire fichier des films européens et des copies en 8 mm de films muets, venait de s'installer à une table près de la nôtre. Il était accompagné de Tito Aldea, celui qu'on appelait « le Rimbaud cubain » à cause de ses yeux clairs, de sa grâce juvénile et de ses poèmes sulfureux. Nelson passa la moitié du dîner tourné vers eux. Sylvia suivait la conversation comme si de rien n'était tout en me parlant de l'admiration qu'elle portait à Gipsie.

– Une femme libre, au vrai sens du terme. Comment as-tu pu la quitter pour une jeune idiote? murmurat-elle de sa voix feutrée de feuilleton radiophonique tout en jouant de ses doigts sur mon membre.

– Sylvia, s'il te plaît, dis-je dans un souffle.

J'étais rouge et congestionné, je transpirais malgré l'air climatisé.

– C'est bien... laisse... ça me plaît, chuchota-t-elle à mon oreille.

Au même moment Nelson se retourna vers moi, coupant court à mes protestations pendant que sa fiancée continuait sur mon sexe son travail acharné, tant et si bien qu'elle finit par obtenir ce qu'elle voulait : bien que j'aie tout essayé pour éviter de réagir à ses caresses, mon membre viril se dressa avec vigueur et je n'avais qu'une hantise, celle d'être obligé de me lever, déclenchant l'hilarité et la stupeur dans tout le restaurant.

Plus tard, Sergio et Tito, encouragés par Sylvia, insistèrent pour aller écouter Celia Cruz dans un cabaret où elle se produisait. Et Nelson, obligé de faire un saut au journal, me confia sa « précieuse », comme il l'appelait en toute candeur.

L'atmosphère était surchauffée et j'étais allé me rafraîchir aux toilettes quand Sylvia apparut derrière moi. Sans que je l'y aie invitée le moins du monde, elle passa son bras à mon cou et plaqua sa bouche contre la mienne. Cette fois-ci nous étions seuls et, serrant très fort ses poignets, je décrochai brutalement ses bras de mes épaules. Elle recula d'un pas et ferma les yeux pour mieux observer le phénomène qu'elle avait en face d'elle.

– Je ne te plais pas ? me demanda-t-elle.

– Oh, que si !

– Alors ?

– Nelson est un ami.

– Tu connais la formule : l'ami de mon ami est mon ami ? Je voudrais te connaître mieux.

Elle se rapprocha, tendant les mains vers mon visage et offrant ses lèvres. Je me détournai.

– Je n'ai pas l'habitude de faire la cour aux femmes de mes amis.

Elle sortit de son sac à main un peigne d'écaille et commença à peigner nonchalamment ses longs cheveux châtain clair.

– Nous avons une conception de la vie différente. Au contraire, moi, j'aime baiser avec les amis de mon fiancé et les maris ou les amants de mes meilleures amies. Ça crée des liens. Je suis certaine que, si nous couchions ensemble, ça renforcerait mes liens avec Gipsie. D'accord, vous n'êtes plus ensemble, mais nous aurions, elle et moi, de beaux souvenirs à partager.

– Moi, je ne pourrais plus regarder Nelson sans rougir.

Elle me faisait face, les reins cambrés, appuyée au lavabo, un bras autour de la taille et de l'autre lissant ses cheveux.

– Dis, tu ne serais pas un peu pédé, mon ange ?

Son sourire, son regard m'offensèrent plus encore que ses paroles. Je n'ai pas pu me contenir. La gifle est partie, la frappant en plein visage. Elle a perdu l'équilibre et s'est cognée contre le mur. De ma vie, je n'avais frappé une femme. Cela faisait partie du genre de tabou qui me tenait à cœur. Suffoqué par mon geste, je balbutiai des excuses. Le regard, le sourire de Sylvia arrêtèrent mon élan. Avec toute la tendresse dont elle était capable, elle me dit :

– J'ignorais que Nelson avait des amis si intéressants. Tu as gagné le premier round, mon petit chéri. Comme dirait Churchill : « J'ai perdu une bataille, pas la guerre ! »

Plus tard dans la soirée, Sylvia cueillit Tito et l'embarqua, nous laissant le soin, à Sergio et à moi, d'expliquer à Nelson que sa « précieuse » était rentrée chez elle, prise d'une violente migraine.

Et voilà que c'est avec cette Sylvia Ruiz Flores que Manu était venu.

Au mépris de toutes les conventions, Marsac détaille Sylvia de haut en bas, la déshabillant littéralement des yeux. Ses réflexes d'homme du monde s'évanouissent au fur et à mesure qu'il vide des coupes. « Je n'ai pas l'habitude de boire », avait-il dit à Lohengrin au début du repas.

Puis, d'un seul coup, il concentre son attention sur Manu.

– Vous connaissez ce type? nous demande-t-il.

– Vaguement.

Je me sens rougir. N'ayant pas prévu la situation, sa question m'a pris de court. Observant mon malaise, Lohengrin se tourne vers moi :

– Le connaître, c'est un bien grand mot, n'est-ce pas? Il nous est arrivé de bavarder ensemble, place Cadenas, entre deux cours. Vous savez, nous traînons pas mal à la faculté...

– Oui, je sais ce que c'est. J'ai été étudiant moi aussi, il n'y a pas si longtemps... Manuel Mas Fortin, c'est bien son nom, n'est-ce pas? Est-ce qu'il ne serait pas un peu coco?

Il plisse les yeux et sourit malicieusement pour se mettre à notre portée, briser la distance de l'âge et de la hiérarchie.

– Disons que c'est un de ces, comment dit-on?... Un de ces compagnons de route que les communistes utilisent et qui, tôt ou tard, quand ils ont compris qu'ils ont été manipulés, finissent par couper les ponts avec le Parti, comme Malraux, Dos Passos, Koestler et tant d'autres.

Je suis ravi de ma trouvaille. Astucieux. Je ne fais que reprendre les propos de Manu.

– Oui, continue Marsac. Mais vous parlez de grands écrivains. Ce Mas Fortin, il n'en finit pas d'étudier, ça fait plusieurs fois qu'il redouble. Une manière habile de s'incruster, d'infiltrer le milieu universitaire. Plusieurs fois j'ai proposé au président Grau, à Prio Socarras, de réglementer les inscriptions à l'université afin d'éviter ce genre de pratique. Mais la FEU est très puissante et même d'honnêtes présidents comme ces derniers n'ont pas osé affronter la masse des étudiants.

D'une main distraite, Marsac caresse la coupe qu'il tient à la main et sa voix se creuse pour dire :

– Ce Manuel est peut-être coco, mais sa compagne... Dio mio! Boccato di Cardinale! comme on dit en Italie.

Juste à ce moment, Manu fait semblant de découvrir notre présence.

– En voilà une surprise! Si je m'attendais à vous trouver là!

Il s'est levé et fait un geste de tête déférent en direction de Marsac. Lui aussi s'est mis sur son trente-et-un. Il porte un costume bleu foncé à rayures blanches qui souligne sa corpulence et accentue le style Wallace Beery qu'il cultive. La proximité de 'nos tables, la manière très subtile avec laquelle Manu s'introduit dans notre conversation, sans en avoir l'air, l'attitude distante, mystérieuse de Sylvia excitent Marsac au plus haut point. Elle tient son rôle à la perfection.

Puis Lohengrin se lève et s'excuse : il doit donner un coup de fil. Il se dirige vers les toilettes, son porte-documents sous le bras. Je suis intrigué par celui-ci qui a l'air plus volumineux que d'habitude. J'ai aussi noté le soin particulier avec lequel il l'a posé sur la chaise entre Marsac et lui. M'excusant à mon tour, je m'éclipse aux toilettes sur les traces de mon ami. Marsac ne quitte plus Sylvia des yeux, tout en remerciant Manu qui l'a félicité pour son dernier éditorial dans le *Diario*.

Mon sixième sens me dit qu'une manœuvre louche est en train de se tramer. Grâce à mes semelles de crêpe, Lohengrin ne m'a pas entendu approcher. Il a posé en équilibre sur le lavabo un magnétophone et il est en train de changer la bande. C'est un cadeau que ses parents lui ont rapporté de Chicago. Lohengrin enregistre les cours et les conférences qui l'intéressent et il est très fier de posséder cet appareil.

— On fait l'espion, on enregistre Marsac à son insu ? dis-je, essayant de mettre une pointe d'humour dans ma question.

— Et si c'était le cas ?

Il est blême de rage, de honte.

— C'est grotesque. Il n'a dit que des conneries toute la soirée.

— Oui, mais ces conneries, comme tu dis, contiennent parfois de précieux renseignements.

Il referme son cartable, laissant le micro dépasser légèrement, enveloppé dans un coin d'écharpe. Au moment où il s'apprête à franchir le pas de la porte, je lui barre le passage.

– Qu'est-ce qui te prend? me lance-t-il, furieux.

– Il était question de passer une soirée avec Marsac tous les deux. Non seulement Manu se pointe sans que j'aie été prévenu, mais en plus il se ramène avec Sylvia Ruiz Flores. Je commence à y voir clair, et ce que je vois ne me plaît pas.

– Si tu veux jouer au pur, à l'innocent, reste chez toi, mon vieux. Quand on prétend vouloir changer le monde, il faut être prêt à se plonger d'abord dans la merde et dans la fange.

– Et à tromper ses amis?

– On trahit ses amis s'il le faut, car le Parti passe avant tout.

Serrant son porte-documents sous le bras, il me repousse et s'enfuit. Le dos appuyé aux carreaux de céramique, glacé, le souffle coupé, je me sens incapable de prendre la moindre décision.

En réintégrant la salle de restaurant, un tableau surprenant m'attend. Marsac est debout, un bras sur l'épaule de Lohengrin, l'autre sur celle de Manu. Il s'appuie fraternellement sur les deux hommes, légèrement penché au-dessus de Sylvia, restée assise. De cette manière, le professeur a une vue plongeante sur le décolleté de l'actrice. Sylvia tourne la tête et nos regards se croisent. On dirait qu'elle vient de découvrir ma présence, elle me regarde et me sourit, comme si j'étais l'ange de l'Annonciation.

– Viens avec nous. On va voir le coucher de soleil à la Punta, me dit Lohengrin, radieux, ayant balayé d'un coup notre différend.

Et il ajoute avec un clin d'œil complice :

– Une bonne idée de Sylvita.

Sylvita se lève et se déroule dans un mouvement de liane grimpante. Elle n'a pas cessé de me regarder et murmure d'une voix de velours :

– Un instant magique. Tu connais, n'est-ce pas, ce plaisir physique et métaphysique qu'on peut éprouver à voir le globe flamboyant noyer ses braises dans la mer incandescente, sentir sur sa peau la caresse dorée de ses derniers rayons.

Aussitôt dit, aussitôt fait, la Vierge des rochers glisse son bras sous celui de Marsac qui, en parfait gentleman, s'est offert pour l'accompagner vers la sortie. Au passage, un couple retient Marsac qui leur présente ses jeunes amis. J'en profite pour m'approcher du téléphone, au bout du bar. Il faut que je parle à Hanna. Ce n'est pas une heure convenable, je le sais, ils doivent être à table avec leurs invités mais il faut que je lui parle, c'est plus fort que moi. Manque de chance, ce n'est pas Corina qui me répond mais le valet de chambre jamaïcain, froid et snob, que je me suis pris à haïr car Corina nous a dit qu'il mouchardait. De mon accent le plus british, je lui demande :

– Could I speak to Miss Hanna ?

– Please, wait, Sir, me répond le serpent qui a reconnu ma voix.

– Allô, comment allez-vous, cher jeune ami ?

Je la reconnais à sa voix rauque de grande fumeuse, à son accent mi-italien, mi-français. Le mouchard m'a passé la mère d'Hanna. Sa voix est suave, sans agressivité aucune. Ils sont à table, oui, ce n'est pas grave, bien sûr, elle va me passer sa fille.

– Hanna, chérie, le téléphone pour toi !

Je l'imagine comme je l'ai vue une semaine auparavant, mince, extrêmement soignée, maquillée avec discrétion, le geste un peu las, tendant le combiné à sa fille avec un sourire figé. Je me souviens aussi de la réaction de Lohengrin quand je lui avais dit, un jour, que je trouvais que Mme Illescu aurait pu être la grande sœur d'Hanna.

– Cette vieille peau doit en être à son troisième lifting.

– Qu'est-ce que tu racontes, elle n'a pas plus de quarante ans.

– Et après ? Elle porte les siècles sur ses épaules.

– Tu es de mauvaise foi, Lohengrin. J'imagine parfaitement cette dame faisant la couverture de *Vogue*.

– C'est la fille que tu veux te taper ou la mère ?

– Rien à dire. Tu ne comprendras jamais que l'amour puisse être pur et désintéressé.

– Luftmensch! Tu finiras mechuleh, comme diraient mes ancêtres. Simple d'esprit, voilà ce qui te guette.

– Hanna?

Le simple fait de prononcer son nom, avec un H aspiré, un son de jota un peu dur, à la castillane, me transporte, me plonge dans un état d'euphorie. L'espace d'une seconde, j'ai la tentation de lui faire une fougueuse déclaration d'amour et je suis pris de vertige. Heureusement les rires, les bruits de conversations du bar rendent notre échange laborieux. Je me borne à lui poser quelques questions sur son voyage, puis je lui explique que je dîne avec Lohengrin et je la remercie de l'avoir invité à sa fête.

– Quoi de plus naturel, c'est ton meilleur ami, non?

– Je n'étais pas au courant, tu ne m'avais rien dit, dis-je avec une pointe d'amertume que j'aurais voulu éviter.

– C'est un peu improvisé. Je t'ai appelé plusieurs fois hier pour te prévenir. C'est dans trois jours...

– Moi aussi je t'ai téléphoné.

– Corina me l'a dit. J'avais l'intention de t'appeler plus tard.

– C'est à quel sujet, cette fête?

Prise d'un fou rire intempestif, elle finit par dire :

– Un secret! Je te le dirai ce soir-là.

– On ne va pas se voir avant?

Un silence. La voix se fait chagrine, s'excuse.

– Je vais être très occupée. En plus, maman ne me lâche pas d'une semelle. Il faut tout préparer. Je préfère te faire la surprise. Nous nous verrons après.

Je reste muet, elle doit avoir dans les oreilles le brouhaha du bar.

– Tu viendras, bien sûr?

Cette fois la voix se fait inquiète. Je vois son menton volontaire, ce regard à la fois curieux et amusé qu'elle pose sur moi, ce sourire d'enfant à qui l'on ne refuse jamais rien, son assurance d'adolescente fière de sa beauté, cette façon très consciente qu'elle a de me faire danser sur la corde raide. Tout à coup, un sentiment d'amour-propre me pousse à faire le fier, à jouer

307

l'homme offensé, l'amant qui aime prendre les décisions. Son voyage imprévu, sa fête me sont restés sur le cœur. Et je cède à la rancœur plutôt qu'à mon amour.

– Bien, je t'appellerai. Je ne suis pas sûr de pouvoir venir. J'ai beaucoup de travail. Nous en reparlerons demain, je préfère.

Je suis content de moi. Le temps qu'Hanna met à se ressaisir me donne la mesure de sa surprise et de sa déception. Aussi je ne suis pas étonné de sa réponse brève et sèche :

– Comme tu voudras. Appelle-moi donc demain.

L'impression qu'elle est inquiète à l'idée de ne pas me voir me remplit de joie. Et pourtant, le doute m'assaille : pourquoi lui faire de la peine ? Elle m'a répondu avec sa spontanéité habituelle, et, avant que j'aie eu le temps de rattraper le coup, Hanna raccroche. Je ressors de cette épreuve plus meurtri que jamais et plus amoureux. Un pieu dans le cœur, comme le papillon sur sa planche. En proie aux pensées les plus contradictoires qui me rendent plein d'espoir et d'entrain et la seconde d'après me plongent dans le plus profond abattement. Lohengrin ne m'avait-il pas prévenu ? « Cette fille est pourrie-gâtée par ses parents, ses domestiques, ses chats, ses chiens, ses professeurs et maintenant par les gars qui lui tournent autour. Tout le monde est à ses pieds. Tu vas faire partie de sa galerie, mon pauvre vieux. »

Lohengrin et Sylvia grimpent dans la Cadillac de Marsac tandis que je monte avec Manu qui, pour l'occasion, s'est fait prêter un cabriolet décapotable.

– Tu as été surpris de me voir, pas vrai, Chino ? me dit-il.

Il part d'un rire à la Pancho Villa qui fait valser sa moustache, briller sa dentition de carnassier et trembler son ventre mou.

– Sylvia est une camarade. Pour des raisons stratégiques, elle ne fait pas étalage de son appartenance au Parti. Imagine si ton grand ami Nelson Mendès, son cocu d'amoureux transi et anti-communiste viscéral, l'apprenait ! Elle préfère cacher ses convictions politiques. Nous, ça nous arrange. Tu comprends mieux pourquoi elle est là ce soir.

– Tu veux dire qu'elle est en mission comme nous ?

Il part de nouveau d'un rire tonitruant. A croire que je lui ai sorti la blague du siècle.

– En quelque sorte, Chino, oui, en quelque sorte.

Bien qu'il soit neuf heures du soir, le soleil est haut dans le ciel. Le phare de la Punta, à la pointe extrême de l'avenue du Malecon, découpe sa silhouette en contre-jour sur le ciel encore bleu. C'est d'ici que les voyageurs arrivant par la mer aperçoivent la forteresse de la Cabaña et le château d'El Morro, construits sous la colonisation espagnole. Plus loin à l'horizon, les nuages commencent leur brassage de couleurs, comme la palette d'un peintre ivre. Des traînées de lueurs violettes où se fondent des jaunes et des ocres qui se coulent dans le rose. Ce désordre chromatique temporaire du ciel préfigure la chute du soleil dans les eaux du golfe du Mexique.

Tout petit, ma mère m'amenait souvent sur l'avenue du Malecon à la tombée du jour. Elle en profitait pour me donner ce qu'elle appelait « une leçon de géographie vivante ». Car elle avait de la géographie et des forces de la nature une conception assez personnelle.

– Tu vois, Niño, me disait-elle, cette île est merveilleuse, unique. Nous sommes juste en dessous du tropique du Cancer. Et pourtant cette vaste mer immobile est à la confluence de courants très divers. A l'ouest nous avons...

– L'ouest ?

– Oui, là, à gauche en se tenant face à la mer, à l'ouest nous avons le golfe du Mexique. A l'est, l'océan Atlantique. La mer et l'océan se mélangent dans le détroit de Floride. C'est ce qui explique les cyclones que nous connaissons. Les eaux mélangées se révoltent car en effet, qu'a donc à voir la mer du golfe du Mexique avec cet océan Atlantique qui nous vient d'Europe ? Dans un détroit dominé par les gringos, en plus. Ça n'explique pas seulement les ouragans, mais aussi les révolutions et la violence de ce pays. Madre de

Dios, Niño! Je ne connais pas de pays plus prédestiné que Cuba à servir d'éprouvette à ce cataclysme mondial, au choc des deux continents!

Comme j'aurais voulu alors changer sa vision des choses!

– Ça ne peut pas être si terrible, maman!

– Si, si, je t'assure, l'Atlantide, hein, je t'ai déjà parlé de l'Atlantide? Envolée, engloutie, disparue! Ça pourrait bien recommencer. L'Amérique du Nord contre l'Amérique du Sud, deux masses terrestres qui s'affrontent, se cognent. Les Andes et la sierra Madre contre les Appalaches et notre pauvre petite île de Cuba, ce joli lézard vert, prise dans les pinces de ces deux géants! J'espère que ni toi ni moi n'assisterons à ce désastre, Niño!

Je tremblais et ma mère me serrait contre elle en sanglotant, nos quatre jambes se balançant au-dessus des rochers avec les tourbillons rageurs de l'eau en dessous et les vagues qui se brisaient, nous arrosant d'écume fraîche.

Sylvia a escaladé le mur en surplomb qui tombe à pic dans la mer. Pieds nus, les cheveux au vent, une robe en latex gaine son corps de naïade. Marsac, courtois, émerveillé, a offert sa main à la jeune femme car Sylvia qui a un tempérament exalté s'approche parfois dangereusement du vide.

– Regarde-le, ce maître à penser de la bourgeoisie, l'écrivain fétiche de ces dames du Lawn Tennis Club et de Pro Arte Musical, regarde-le faire le con pour les beaux yeux de cette pute! me dit Manu, un peu à l'écart, la cravate dénouée, les mains dans les poches de sa veste.

Les jambes arquées comme le type devant un stand de tir en train de descendre un rang de petits canards, il mitraille Marsac des yeux. Nous suivons le couple à distance pour ne pas déranger leur complicité naissante. Les coudes sur le rebord du mur, le corps légèrement renversé en arrière, Lohengrin tourne le dos à la mer. Il a l'air absent, distrait. Quant à moi, je danse d'un pied sur l'autre pour me donner une contenance, nerveux, mal à l'aise, rageant d'être le témoin d'une manipulation qui ressemble au patient travail de l'araignée en train de tisser sa toile pour immobiliser une proie.

– Venez voir, les gars, c'est plus beau d'ici! lance Sylvia qui nous invite à les rejoindre.

Sur ses instances, Manu et Lohengrin ont fini par grimper sur le mur. Je n'ai pas bougé, je suis resté derrière. D'où je suis je peux aussi voir le soleil plonger dans la mer. Je veux goûter la solitude de cet instant, profiter des sensations – toutes fraîches encore – que j'ai éprouvées en quittant le Floridita, ressasser à loisir mes pensées.

Sylvia Ruiz Flores danse pieds nus sur le mur du Malecon. Tournant sur elle-même, ondulant telle une bayadère, elle rend hommage au soleil couchant. Le docteur Marsac a ôté sa veste et desserré sa cravate. Il dévore des yeux la jeune femme, frappe dans ses mains pour l'accompagner. Lohengrin et Manu regardent le couple avec bienveillance. Lohengrin tient son porte-documents serré contre lui. Pour se mettre au diapason, Manu a retiré sa veste et la porte pliée sur son avant-bras. Il a l'air content. Cette mission si bien orchestrée prend la tournure qui lui convient, exactement ce qu'il avait espéré.

A l'écart du groupe, je contemple la mer. Le soleil n'est plus qu'une grosse boule orange. Au-dessus, comme une couverture opaque, la nuit s'avance. Après un dernier rayon de lumière fugitif, nous basculerons dedans. « C'est un instant magique, disait ma mère. Les Incas, les Aztèques, les Égyptiens ont eu bien raison de vouer un culte au soleil. Avec la nuit viennent les ombres, les angoisses et les mauvais rêves. Et, pour ceux qui restent éveillés, la panique ou la mort. Fais un vœu, Niño, quand tu verras le rayon vert, fais immédiatement un vœu. Il te sera exaucé. »

– Hanna!... Hanna! Que la douceur de ton visage me guide, que ton image fasse fuir les ombres!

Le soleil a disparu derrière la ligne d'horizon. Une nuit claire, transparente car déjà, derrière la forteresse d'El Morro, le disque rond de la lune projette sa lumière blanche. La nuit, je le sais, sera longue et étrange. A mesure que le temps passe, Lohengrin, mon meilleur ami, s'éloigne de moi. A la maison, ma mère attend le retour de mon père, plus rien ne compte pour elle. Une angoisse sourde m'étreint.

– Hanna!

Ce simple mot m'illumine, me ranime. Je suis sûr que, même de loin, elle entend mon appel.

– Hanna!

La nuit

Le docteur Marsac exulte.

– Aucune honte à l'avouer, les enfants, je n'ai pas le souvenir d'une virée aussi amusante en ville depuis mes années d'étudiant. La vie que je mène est absurde, je ne m'en rends même plus compte. La faculté, le journal, les rendez-vous ininterrompus, je n'ai pas une minute à moi. Ce soir, je me sens rajeunir. Pour pousser encore plus loin que Pirandello, je dirais « ce soir on s'encanaille ! ».

Il lève les bras au ciel avec emphase. Le même geste, le même sourire que Grau San Martin lorsqu'il terminait un discours au temps de son mandat présidentiel. Manu se met à hurler :

– Ouaouahhh ! On s'encanaille, ce soir on s'encanaille !

Marsac entraîne alors Sylvia dans sa voiture. Manu retient Lohengrin.

– Laissons-les seuls. Il vend son âme au diable. Il signe son arrêt de mort, venez !

Profitant de la voiture prêtée par le Parti, Manu, très excité, conduit comme un cinglé. Son moteur gronde à cent quatre-vingts à l'heure, il prend les virages serrés, passe les vitesses dans un épouvantable crissement de pneus, et fait des queues-de-poisson spectaculaires. Nous autres Cubains avons hérité des États-Unis – et particulièrement de Miami – cette manière de brutaliser les automobiles. Vivant dans le berceau de la consommation, l'Américain, lui, peut se payer le luxe de changer de voiture tous les ans, s'il le veut. Pas le Cubain. Pourtant il l'imite. La chaleur et le caractère excessif de l'homme des Caraïbes poussent à cette forme de conduite insolente, synonyme de vitalité, à la limite de l'hystérie suicidaire. Cramponné à la portière et suant à grosses gouttes, je maudis l'énergumène. Une main sur le volant, il consulte de l'autre une feuille de papier dactylographiée où sont notés les noms et adresses des endroits où nous devons nous rendre.

– Si on brûlait quelques étapes? dit Lohengrin. Vu l'état de Marsac et l'effet que lui fait Sylvita, on pourrait économiser...

– Rien. On n'économise rien.

Frôlant une voiture, à quelques secondes d'une inévitable catastrophe qui aurait pu nous emporter tous dans l'autre monde, Manu double et poursuit sa conversation comme si de rien n'était, pendant que l'autre derrière essaye de nous rattraper en hurlant des jurons. Mais c'est peine perdue car Manu conduit comme si la chaussée lui appartenait.

– On n'économise rien, compay. Ni temps ni argent. Encore moins son énergie. L'enjeu de l'opération est bien trop important. L'expérience prouve que, lorsqu'on échafaude un plan, il vaut mieux s'y tenir dans les moindres détails. De nombreuses actions ont foiré par précipitation ou manque de rigueur.

Manu m'a complètement oublié. A l'amertume de me voir relégué au second rang s'ajoute la rage d'avoir à subir ses excentricités au volant. L'illusion de posséder une bagnole de riche lui tourne la tête. Le plus calmement du monde, je lâche :

– Puisque je suis aussi impliqué dans cette aventure, j'aimerais savoir où nous allons.

Manu lève les deux mains du volant, de quoi me retourner le cœur et les viscères.

– Tu as raison, Chino, parfaitement raison. Pour tout te dire nous allons, suivant une spirale ascendante, des night-clubs les plus huppés aux cabarets les plus crasseux. Autrement dit, du Tropicana au Chori. Au détour de la nuit, nous n'hésiterons pas à faire une halte au Bar Eva. Incontournable, n'est-ce pas?

– Le Bar Eva, le bar favori de ton copain Lévy Stern, le point de chute des marins grecs du port, là où, paraît-il, même les putes parlent la langue d'Aristophane, renchérit Lohengrin en m'accordant son plus charmant sourire d'enfant espiègle.

Tous les deux, ça ne fait pas de doute, veulent me rassurer, me prouver que je fais bien partie de cette mission.

A notre première halte – une boîte ou se produit un des princes de la nuit cubaine, José Antonio, dont Sylvia est une fervente admiratrice –, je trouve, par le plus curieux des hasards, Elias Lévy Stern dont Lohengrin vient de me parler. Il me tombe littéralement dessus :

– Je t'ai appelé plusieurs fois aujourd'hui !

Elias me retient, me serrant contre lui tandis que Manu et les autres vont s'asseoir au fond. Il a l'air passablement ivre. La salle est étroite, tout en longueur, flanquée d'un côté de cabines pullman, de l'autre d'un bar où se pressent les clients. Les serveurs se faufilent parmi une foule dense, faisant voltiger et tourner les plateaux à bout de bras, comme les numéros d'ombrelles dans le cirque de Pékin.

– Ça y est, Chino, dans trois jours je pars à Jérusalem !

Il me hurle dans les oreilles car le brouhaha est intense. Comme chacun sait, le Cubain ne parle pas, il braille.

– Je pars, mon frère, fusil et caméra au poing. J'ai repéré un kibboutz où je compte m'installer. Tu viendras, je t'inviterai. Cette île ne peut rien produire d'autre que la canne à sucre et le stupre. Seul Israël peut nous permettre de réaliser de grandes idées, l'histoire et les mythes sont la seule nourriture de l'homme de bien. Enlève Hanna, foutez le camp d'ici et venez faire des enfants en Israël !

Elias est au courant de mes origines que je n'ai jamais osé révéler à Lohengrin. Je n'aurais recueilli de sa part – mon intuition me le disait – que sarcasme et mépris. Pour Lohengrin, « la question juive » comme il l'appelait, était un fardeau qu'il fallait coltiner, une question sans réponse. Il ne pouvait pas comprendre mon problème d'identité et les angoisses qu'il soulevait. Elias, par contre, avait réagi avec enthousiasme.

– Rien à faire, ça passe par la mère. Qu'elle soit marrane, non pratiquante ou séfarade, ça ne change rien. Tu es des nôtres. Et jeune, comme l'État d'Israël. Être juif, ce n'est pas une question de race, de religion, de mémoire collective, c'est un état d'esprit. Ce que nous n'avons pas pu faire hier, nous le ferons aujourd'hui, maintenant que nous avons retrouvé notre terre.

– Silence, taisez-vous, José Antonio va démarrer !

Le volume sonore baisse d'un seul coup. Assis sur un tabouret trop haut pour ses jambes courtes qui se balancent dans le vide, tenant contre lui une guitare qui le cache presque, un mulâtre au visage vert et mélancolique, avec des yeux tombants et un sourire d'une infinie tristesse, chante d'une voix brûlée par l'alcool, le tabac, les nuits blanches :

Novia mia...
Desde aquel triste y cruel instante...

Sa voix est bouleversante, prenante. Les larmes me montent aux yeux. Est-ce sa sincérité désarmante ou l'alcool que j'ai bu ? Une folle impulsion me pousse jusqu'au téléphone. Tant pis, j'appelle Hanna. Pour rien. Juste pour appeler, car jamais je n'oserai la demander aux domestiques ou à ses parents. Juste composer le numéro, pour voir. Attendre qu'on décroche, couper.

– Oui ?

– Hanna ?

Un miracle, c'est elle qui répond.

– Oui ?

– C'est moi. Veux-tu partir avec moi à Jérusalem ?

– Où es-tu ? J'entends de la musique.

– Je suis avec Elias Lévy Stern. On fait la fête. Il part en Israël. Je veux faire comme lui, partir en Israël et je veux que tu viennes avec moi.

– Jérusalem, c'est pas tout près...

– Justement. Allons-nous-en loin, quittons tout, Cuba, nos familles, toi et moi, comme Adam et Ève... Nous créerons une famille sur les rives du Jourdain.

– Tu as bu ?

– Un peu. Mais ça n'est pas l'alcool. Si... c'est

l'alcool, sinon je n'aurais jamais eu le courage de te demander de partir avec moi. Il faut que je te parle.

– Pas maintenant. Il y a plein de monde à la maison. Voilà ma mère...

– Je peux te rappeler plus tard!

– Appelle-moi au bungalow. Je vais dire que je suis fatiguée et je vais aller me coucher.

La communication est coupée. Je me retrouve avec le combiné dans la main et l'envie de bondir de joie. J'applaudis à tout rompre, à l'unisson de la salle surchauffée qui fait une ovation à José Antonio. De mon coin j'observe mes amis.

Manu se dirige vers les toilettes tandis que Lohengrin s'éloigne en direction de la sortie, laissant Sylvia et Marsac en tête à tête. Comme si leurs deux départs correspondaient à un signal convenu d'avance, la jeune femme s'enroule autour du corps de l'homme. Ses bras agrippent son cou, glissent dans son dos et elle plaque sa bouche contre celle du professeur. L'ambiance générale est à l'intimité et le couple ne détonne pas. La climatisation, la pénombre protectrice, les libations et cocktails explosifs, les chansons langoureuses ne sont que les prémices d'une nuit qui finira immanquablement dans ces motels discrets que les Cubains appellent « posadas », ports d'attache des amours clandestines dans la chaude nuit cubaine.

Je me décide à suivre Lohengrin dehors. L'idée d'être relié à Hanna, de pouvoir lui parler plus tard dans son bungalow me donne des ailes. « Je vais tout dire à Lohengrin, c'est le moment, je vais lui parler de l'ascendance juive de ma mère, de mon projet de fuite avec Hanna, avec ou sans le consentement de nos parents, et d'autres rêves plus fous encore. » Mon allégresse est telle que j'éprouve l'irrépressible besoin de me confier à mon ami.

La nuit d'août coule sur moi, humide, insidieuse, gluante. Dedans, avec l'air conditionné, j'avais retiré ma veste, desserré ma cravate. En sortant, on est suffoqué par l'air chaud comme une grande haleine de chien qui vous souffle au visage.

J'aperçois un peu plus loin Lohengrin plonge dans une conversation animée avec un moustachu filiforme qui a le visage troué comme une passoire. Le type transpire à grosses gouttes. Déjà dans le night-club je l'avais remarqué. Appareil-photo à la main, il se glissait partout comme une fouine, photographiant ici et là les couples qui le désiraient, mais la plupart du temps il se faisait rabrouer car ce que les couples, ici, craignent le plus est le témoignage de leur présence dans ce lieu. Visiblement Lohengrin est en train d'expliquer au gars quelque chose, car, quand il me voit, il me fait signe de m'éloigner.

Ce geste coupe court à mon élan fraternel, mon besoin de confidences. Il me cloue sur place. Je réalise subitement qu'une vie nouvelle s'ouvre à moi : le déraciné que je suis appartient à quelque chose, il a une famille, une cause à défendre, au-delà des humiliations et des misères quotidiennes. Et je me dis tout bas, avec la même ferveur qu'on met à prier : « C'est vrai, Hanna, je ne t'ai pas menti. Je suis prêt à partir au bout du monde. La proposition d'Elias n'a rien de saugrenu. Aller dans un kibboutz, vivre une vie nouvelle, exaltante, généreuse, à tes côtés, Hanna. »

Les mains dans les poches Lohengrin s'approche, se plante devant moi :

– Qu'est-ce que tu veux ?

Son air arrogant me donne une bouffée de rage.

– Je me tire, voilà ce que je veux. Continuez votre jeu à la con avec Marsac. Je n'ai plus rien à faire dans cette histoire.

Il est livide, les traits de son visage se font durs et tranchants.

– Ah bon ? Pendant deux ans nous avons discuté, analysé ce que nous aimions et ce que nous ne supportions pas dans cette société. Nous avons partagé projets et illusions, rêvé d'un autre monde, meilleur. Nous étions d'accord sur tout sauf sur un point : dès qu'il s'agissait d'un geste concret ou symbolique qui t'aurait engagé vraiment – comme par exemple t'inscrire au Parti –, tu te défilais, tu détournais la conversation, tu

trouvais toujours des excuses. Peut-être que tu as raison, après tout. Tire-toi. J'ai eu tort d'insister auprès de
Manu pour que tu participes à cette opération, je me
suis trompé.

Il fait volte-face et se dirige à grandes enjambées vers
les lumières clignotantes du night-club. Je le poursuis.

– Insisté, comment tu as insisté? Dis plutôt que tu
t'es conduit comme si tu ne voulais pas de moi!

– Il faut tout t'expliquer! Je me demande à quoi te
sert ta fameuse imagination. Je voulais voir comment
tu te débrouillerais dans cette histoire, sans rien te dire
de ses enjeux, je voulais savoir une fois pour toutes si je
pouvais te faire confiance.

Il est revenu vers moi. A présent il me regarde droit
dans les yeux.

– J'ai mes raisons, dis-je, sentant la rage à nouveau
m'envahir. Primo, la confiance a manqué entre nous ;
secundo, Manu aurait préféré me laisser à l'écart,
n'est-ce pas?

Nous arpentons la calle G en direction de la mer. Un
impressionnant ballet de gigolos sillonne la rue de haut
en bas. Ils tapinent à la recherche d'une riche étrangère ou d'un homosexuel en mal d'aventure. Un
homme un peu gras avec de longs cheveux poivre et
sel – je crois reconnaître un des acteurs les plus populaires de la radio – nous croise en souriant. Sans doute
nous prend-il pour deux amants en train de se
déchirer.

– Manu est persuadé que tu ne prendras jamais la
carte du Parti. Il ne voulait pas t'intégrer à une mission
aussi délicate. J'ai insisté. Jusqu'ici tu n'as connu que
l'aspect théorique de la lutte. Maintenant c'est autre
chose.

Je comprends mieux à présent certaines réticences
de Manu, les regards que j'ai surpris entre lui et Lohengrin le jour de notre rencontre au cimetière de Colon.
Lohengrin lui avait forcé la main pour que je participe
à cette «mission Marsac» qui semblait si importante
pour le Parti. Sur un ton confidentiel, comme si des
micros étaient cachés tout autour, Lohengrin poursuit :

– La pression des États-Unis sur le gouvernement de Prio se fait de plus en plus lourde. Et entre l'Amérique et l'URSS le ton monte, surtout depuis l'arrivée au pouvoir de Mao en Chine. Nous sommes au bord de la troisième guerre mondiale. Cuba est le point névralgique de cette stratégie de guerre capitaliste...

Puis il évoque la stratégie que doivent développer les communistes cubains. Je me suis déjà rendu compte de leur double jeu : d'un côté, par son existence légale, le Parti s'affiche au grand jour, de l'autre il cultive le goût de la clandestinité, pour des choses apparemment anodines, comme notre promenade socratique le long du fleuve Almendares.

Or chacun sait aujourd'hui que Marsac se prépare à publier une série d'articles contre le Parti. Quelques dirigeants y seront traînés dans la boue. On dit que Marsac – sans doute avec le soutien des services secrets américains – est en possession de documents compromettants sur les relations et l'aide financière de Moscou que le parti communiste cubain ne tient pas à voir publier. Manu a eu vent de ces articles par une dactylo infiltrée qui travaille pour Marsac. C'est également lui qui a envisagé cette contre-attaque dont on a beaucoup discuté, semble-t-il, dans les hautes sphères du Parti. Il s'agit de neutraliser Marsac avant que le mal soit fait. Tous les moyens seront bons, même s'ils ne sont pas toujours au goût de certains, et Manu a finalement obtenu le feu vert pour agir seul.

Lohengrin a posé une main sur mon épaule, un geste amical qui ne lui est guère familier.

– Je me sens responsable de toi vis-à-vis de Manu. J'aurais préféré ne rien avoir à t'expliquer, j'espérais pouvoir compter sur ta confiance... Cette nuit, vois-tu, va être décisive. Soit tu t'intègres à notre groupe sans restriction, de tout ton cœur, soit tu te tires. Ici, on ne rêve pas, on se confronte au côté sordide de certains choix, on en assume les conséquences. C'est seulement en remuant la merde que toi et moi deviendrons, peut-être, de véritables camarades. A la vie, à la mort.

Une brise légère s'élève de la mer et nous avons

repris le chemin du night-club. Jamais je n'ai senti Lohengrin aussi proche, aussi ému. Soudain nos deux années d'amitié remontent à la surface. N'est-ce pas lui, mon ami Lohengrin, qui, avec Gipsie, m'a aidé à élargir mon univers, n'est-ce pas grâce à eux que j'ai pu rentrer dans ce que j'appelais l'âge adulte? Cette amitié-là, je ne peux l'oublier.

Le photographe nous attend devant le night-club. Avant de le rejoindre, Lohengrin s'arrête sur le bord du trottoir et me dit :

– Alors... ou tu t'embarques à fond avec Manu et moi, ou tu fous le camp, maintenant.

Il est redevenu froid, hautain, mais quelque chose dans son regard trahit ses sentiments. Je lui tends la main.

– Je reste, dis-je.

Lohengrin retient ma main dans la sienne un long moment. Puis il se retourne et entre dans la boîte de nuit, suivi du photographe.

Le portier, dans un uniforme fantaisiste, m'ouvre la porte capitonnée. Manu se tient à l'entrée, tout près. Il vient de téléphoner et il s'est fait accrocher par Elias Lévy Stern qui rit à gorge déployée.

– Mais qu'est-ce que tu as donc contre l'État d'Israël? dit-il, abattant sur lui son bras d'athlète et le bloquant contre le comptoir.

– Je n'ai rien contre, compay. C'est l'endroit qui est mal choisi. L'État d'Israël en Palestine, c'est les emmerdements assurés pour les siècles à venir.

– Tu te trompes. On finira par se rendre compte qu'Israël peut apporter la prospérité et la paix dans cette région du monde.

– Tu es con ou ivre, ou peut-être les deux à la fois.

Elias part à nouveau d'un grand rire, trop heureux de son départ imminent pour en vouloir à Manu de sa rudesse. Il commande deux mojitos, un pour lui, l'autre pour Manu qui observe à distance le photographe en train de mitrailler Marsac et Sylvia Ruiz Flores.

Quand le premier flash le surprend, le professeur a

un geste d'énervement. Mais Sylvia l'enveloppe de ses bras, lui fait tourner la tête et l'embrasse avec passion. Défi? Ébriété? Ou est-ce que le désir de posséder la jeune femme est plus fort que ses réflexes de prudence? Marsac, s'exposant de plein gré au flash du photographe, fait une sorte de mise en scène cinématographique de son baiser. Il l'embrasse avec humour, se prêtant de bonne grâce aux honneurs de la photographie. Lohengrin qui s'était prudemment éloigné arrive juste pour constater le succès de l'opération. Puis le photographe s'attaque à José Antonio et prend quelques clichés. Indifférent à tout, perdu dans sa mélancolie, le chanteur murmure :

Je parcours de mes mains
ton corps qui rappelle
le sable et les ondes,
ton ventre de miel...

Se produit ensuite un rapide chassé-croisé entre Sylvia, Manu et Lohengrin. La jeune femme quitte le professeur et se dirige vers les toilettes, glissant au passage quelques mots à mon ami. Celui-ci s'approche de Manu qui paye les consommations. Après un bref conciliabule entre les deux hommes, Lohengrin retourne vers moi.

— Changement de cap, dit-il. Le professeur devient un peu trop pressant. Si on le laisse seul avec Sylvia, ils vont finir dans une posada.

— Qu'est-ce qu'on fait?

— Sylvia va prétexter une tache sur sa robe et rentrer se changer. Pendant que Manu va la conduire chez elle, nous tiendrons compagnie à Marsac.

Puis Lohengrin va vers le professeur. J'en profite pour demander au barman un Alka-Seltzer — car les mélanges d'alcool ont commencé à faire leur travail de sape dans mon estomac — quand une grande claque s'abat dans mon dos, manquant de m'étouffer. C'est Elias qui revient à la charge.

— Respire un grand coup, mon bonhomme, dit-il en contrôlant ses élans et en me donnant des petites tapes dans la nuque.

– Quelle idée d'ingurgiter cette saloperie! C'est un whisky qu'il te faut!

– Ça t'arrive souvent de décoller les poumons des gens?

– Seulement ceux de mes amis. Les autres, je les cogne. Ton ami, le Pancho Villa, je ne sais pas ce qui me retient de lui démolir le portrait!

Il donne quelques coups de poing dans le vide en direction de Manu qui parlemente avec Marsac. Je vois à la tête du professeur que la proposition d'attendre Sylvia au Tropicana ne lui plaît guère. Elias appuie sur moi ses quatre-vingt-dix kilos de muscles. Puis il m'envoie son haleine empestant le rhum.

– J'ai comme l'impression que tu t'ennuies autant avec eux que moi avec les miens. Tu vois ce couple qui m'accompagne, ils m'ont nourri et logé quand j'ai débarqué à Cuba. Des braves gens. Le problème c'est qu'ils sont venus avec leurs neveux de Remanganagua [1], des vrais ploucs. Je n'en peux plus. Allons au Bar Eva. Je parie que tu n'as jamais mis les pieds dans ce paradis des malfrats!

L'espace d'une seconde, je suis tenté de laisser tomber la « mission Marsac » et de suivre Elias, mais deux choses me retiennent : la parole donnée à Lohengrin et mon insatiable curiosité. J'attribue ce penchant à la passion pour les feuilletons radio que ma mère m'a insufflée dès mon plus jeune âge : les coups de théâtre à la fin d'un épisode qui vous laissent sur votre faim, les phrases clés déclamées avec emphase par le narrateur qui vous invite à ne pas manquer le lendemain à la même heure la suite de ce drame palpitant, font partie de ma mythologie enfantine. J'ai tendance, d'ailleurs, à découper la réalité en tranches, à concevoir ma vie comme une suite d'épisodes, avec un certain goût du suspens, maintenant le secret sur le moindre de mes rendez-vous, entretenant le mystère autour de moi, imaginant sous le comportement de personnes tout ce qu'il y a de plus normales des trésors de complexité, des attitudes louches et perverses. C'est ma façon de

---

1. Village mythique représentatif du « Cuba profond ».

combattre l'ennui, de donner un coup de baguette magique à la vie quotidienne. Ainsi, très rapidement, j'imagine le scénario :

... Que va-t-il se passer au Tropicana ?

... Marsac va-t-il se rendre compte enfin qu'on se sert de la belle Sylvia pour le confondre et le manipuler ?

... Que cherche Manu ? Un succès personnel ? La reconnaissance du Parti ?

... Comment va réagir Nelson Mendès lorsqu'il apprendra à la une des journaux les coups de tête de sa bien-aimée ?

Autant de questions que j'aurais pu continuer à me poser si Elias ne m'avait sorti de ma méditation à grands coups de battoir dans le dos :

– Alors, c'est oui, tu viens ?

– Je te rejoindrai plus tard.

– Tu as raison. Il est un peu tôt. Là-bas, ça ne commence vraiment à chauffer qu'à partir de deux heures du matin. Mais viens, je te présenterai quelques putes magnifiques : Jocaste, Médée, Athéna... et nous boirons le verre de l'amitié !

Il me donne une accolade brusque et disparaît.

Le docteur Marsac a retrouvé ses esprits, son urbanité, son élégance. Il a remis sa veste, serré sa cravate en soie, puis, retenant la main de Sylvia dans la sienne :

– Vous êtes sûre ? Vous ne voulez vraiment pas que je vous accompagne ? Je vous attendrai dans la voiture...

– Ma mère est une femme malade, pointilleuse. Elle tient absolument à ce que ce soit le gentleman qui est venu me chercher qui me raccompagne et je ne veux pas l'inquiéter. Manu, c'est différent, c'est comme mon cousin. Ne vous inquiétez pas, j'y passe en coup de vent et je vous rejoins au Tropicana.

– Je compte sur vous.

– Tenez, un gage de ma promesse, dit-elle, enlevant une chaîne d'or avec une médaille de la Caridad del Cobre qu'elle porte au cou et la déposant au creux de la main du professeur.

Dans un dernier élan, elle saisit passionnément le

visage de l'homme pour lui arracher un baiser violent, sensuel.

Manu fait ronfler le moteur et il démarre sur les chapeaux de roue. Marsac nous agrippe, Lohengrin et moi, chacun par un bras :

– La nuit est une sorcière, mes enfants. Prêtez-moi vos lumières. Vous allez rire, mais figurez-vous que je n'ai jamais mis les pieds au Tropicana!

En fond sonore, la radio diffuse très doucement de la musique classique et des chansons américaines. Mêlées au ronronnement du moteur et de leur conversation, entre rêve et sommeil, ces chansons me bercent quand la voix de Fred Astaire qui chante *Night and day* de Cole Porter me fait tressaillir. C'est la chanson préférée de Gipsie, celle que nous avons écoutée le soir de notre rupture.

Gipsie n'est rentrée à La Havane que trois mois après ma rencontre avec Hanna. Pendant tout ce temps, j'avais eu la tentation de lui écrire mais, quand je me mettais devant une feuille blanche, le courage m'abandonnait, je lui parlais de tout sauf d'Hanna. Quelque chose dans le ton aurait dû alerter une personne aussi avisée et intuitive que Gipsie. Plusieurs fois, par retour du courrier, elle s'était inquiétée : « Mais qu'est-ce que tu as donc? Des ennuis? Du vague à l'âme?... » Puis un beau jour, elle attaqua franchement : « Tu as rencontré quelqu'un? » Au lieu de saisir l'occasion, je me suis mis à tergiverser, évoquant la chaleur torride de l'été, l'éternelle tragédie de ma mère, le travail au journal qui m'empêchait d'écrire « mon œuvre »... Pourquoi ne pas lui avoir tout avoué? Je l'ignore. Je la savais forte et déterminée. Je me disais aussi qu'au fond d'elle-même, Gipsie ne me considérait pas seulement comme un amant, mais comme quelqu'un avec qui l'on a fait un petit bout de chemin, résignée d'avance à ce qu'un jour ou l'autre nos routes se séparent. Et pourtant je n'arrivais pas à lui dire : « Je ne t'aime plus comme je crois t'avoir aimée. »

La veille de son arrivée, elle m'a appelé de New York.

– Ma mère est gravement malade. C'est curieux, je ne m'y attendais pas, mais ça me remue beaucoup, de savoir qu'elle va mourir. Ma tante vient me chercher à l'aéroport. Je t'appellerai, on se verra plus tard.

Puis je n'ai plus eu de nouvelles pendant quelques jours et un matin, le téléphone a sonné :

– Viens dîner chez moi ce soir.

Je tremblais. En trois mois d'été, tout avait changé, je n'étais plus le même. Reprendre le chemin de son appartement, monter chez elle me semblaient une hérésie. J'aurais voulu ne plus remettre les pieds dans notre tour, garder intacte l'image des souvenirs heureux.

– Tu as maigri, me dit-elle guise d'entrée en matière.

Puis elle ajoute :

– Tu as embelli.

Elle a mis sa robe mexicaine. Ses cheveux, tirés en arrière et noués en une natte aux torsades complexes, lui font un visage serein, à l'oval parfait, plus pur que dans mon souvenir. La table est dressée sur la terrasse. Dans mon assiette, une montagne de paquets.

– Un souvenir à chaque ville visitée, dit-elle.

Je découvre alors, balbutiant des remerciements, confus, un foulard de Paris... des romans de Faulkner achetés à New York... un tricot irlandais... des disques... *Cocktail Party*, de T.S. Eliot, enregistré au West End de Londres...

– Depuis Shakespeare on ne trouve pas d'anglais plus musical, plus imaginatif, il fallait que tu l'entendes.

Comme au temps de nos dîners intimes, elle passe et repasse un disque, pour accompagner notre repas. Cette fois-ci, elle a choisi *Night and day* de Cole Porter, chanté par Fred Astaire.

– Il a une petite voix, mais aucun chanteur, même Caruso ou Lawrence Tibett, ne peut se vanter d'avoir sa musicalité, dit-elle.

Puis, sans transition, dans le même souffle :

– Ma mère est morte il y a deux jours.

– Pourquoi ne m'as-tu pas appelé avant?

– A quoi bon? C'était une longue histoire entre elle et moi, de savoir qui mourrait la première. Veux-tu que je te dise? Je l'ai trouvée si démunie, si triste au fond de son lit que j'en ai oublié toute la haine du passé. J'ai pris sa main dans la mienne, je l'ai gardée serrée et je me suis mise à pleurer comme une sotte.

– Qu'est-ce que tu vas faire maintenant?

J'hésite à me lever, à la prendre dans mes bras mais je reste cloué sur ma chaise, ému par un chagrin qui paralyse tous mes élans.

– Et toi? me demande-t-elle à son tour.

L'espace d'un instant, je retrouve son regard, pétillant d'intelligence et d'ironie, son regard de défi.

– Moi?

Ma fourchette suspendue en l'air, incapable de proférer une parole, je reçois sa question comme un verdict.

– Tu es amoureux. Tout La Havane le sait. Je viens d'arriver mais, comme tu peux l'imaginer, le téléphone arabe a fonctionné, les services postaux ont rempli leur office et les bonnes âmes se sont montrées toutes prêtes à me rendre service. Mes amies m'ont écrit à Londres, New York... Mais toi, pourquoi ne m'as-tu pas dit la vérité? A chacune de tes lettres, j'attendais une explication, comme un soulagement, j'aurais préféré que tu parles. Nous sommes libres, adultes... Je peux tout comprendre, tu le sais.

– Je voulais te voir, pour te parler face à face...

– Alors, vas-y!

J'ai parlé d'Hanna à Gipsie comme je n'en avais parlé à personne, ni à ma mère ni à Senta ni à Elias, encore moins à Lohengrin... comme si seule Gipsie pouvait comprendre l'étrangeté et la profondeur des sentiments qui me liaient à Hanna. Elle m'a écouté, a posé quelques questions, puis elle est restée silencieuse. *Night and day* passait et repassait. Nous buvions. Pour mieux nous parler, nous nous sommes allongés tout habillés sur le lit.

– Tu te souviens quand nous jouions aux orphelins

dans la tempête? Je suis cette orpheline pour de vrai, maintenant. Rien ne me retient plus à Cuba. Étant au courant de tes amours, je suis revenue à La Havane pour voir ma mère mourir, curieuse de savoir si, oui ou non, je la haïrais jusqu'à la mort. J'en ai eu la preuve : mon cœur n'est pas aussi dur que je le croyais. Ensuite, je tenais à te dire adieu.

Elle aussi avait beaucoup changé. Elle m'a raconté comment un soir, à Londres, en sortant d'une très belle représentation d'*As you like it*, alors qu'elle marchait dans la rue, joyeuse et vaillante, elle fut soudainement prise de panique.

– J'étais enveloppée dans une brume épaisse, on n'y voyait même pas le bout de ses doigts et je me suis collée à un mur, attendant que ça passe. C'est dans ce fog à couper au couteau que j'ai subitement vu clair en moi. J'ai réalisé que les seules périodes de ma vie où j'avais été vraiment heuseuse, c'était mon enfance vécue à la campagne. L'idée d'ouvrir une boîte de publicité à Londres m'est alors apparue complètement saugrenue. Mentir aux gens et vanter les avantages d'une lessive en poudre ou d'une savonnette n'avait pas de sens. Dans cette rue et ce brouillard, j'ai eu une vision de moi-même, bottes de cuir et chapeau de paysan, chevauchant les vastes terres de mon père. Mais toi, où pouvais-tu t'inscrire dans ce rêve? Il n'y avait pas de place pour toi, tu détestes la campagne...

Comme la baguette du maître zen, un coup de frein spectaculaire me ramène brusquement à la réalité : le chauffard qui nous a fait une queue-de-poisson nous a fait passer à deux doigts de l'accident. Seuls la sérénité et les réflexes du professeur ont permis d'éviter le pire.

– Samedi soir... La folie règne sur la ville. Et, à propos, j'ai entendu dire qu'on voyait au Tropicana les plus belles femmes du monde, qu'en pensez-vous?

Et Marsac rit comme un gamin pris en flagrant délit de gourmandise.

« Muy buenas noches, Señorrrrras y Señorrrres. Bienvenido al Trrrrropicana! » L'animateur, un beau moustachu au sourire étincelant, sanglé dans un smoking blanc pailleté style Liberace, roule les r à l'infini, annonçant le prochain show. L'étoile est une chanteuse mexicaine de « corridos », les chants des paysans du Mexique. Cette dame a aussi la réputation d'être friande de jeunes filles. Bien connue pour imposer dans ses contrats secrétaires, répétitrices, maquilleuses et masseuses, elle trimbale son harem à travers l'Amérique latine, excitant la curiosité perverse du public.

Une foule dense se presse sous le ciel étoilé et les palmiers du Tropicana. D'autres numéros fameux attirent les spectateurs : Mara et Malvina, deux mulâtresses sculpturales, jumelles parfaitement identiques, tout en jambes, poitrines saillantes et croupes callipyges. Elles ont débuté, disent les publicités, dans les plus prestigieux cabarets. Mensonge grossier. En vérité pour les deux filles, la route a été longue et difficile. Mara et Malvina ont découvert leurs talents dans les bouges les plus sordides de la Playa de Marianao vers l'âge de treize ans. Elles ont écopé quelques mois de prison dans une affaire de prostitution de mineures, films pornographiques et drogue. Un membre du gouvernement de Batista est, dit-on, intervenu en leur faveur. Ce qui a marqué le début d'une foudroyante ascension artistique et sociale. Les plus belles jambes de la terre sont devenues en quelques mois les vedettes adulées du cabaret le plus prestigieux de l'île. Dans le tour de danse et de chant très sophistiqué qu'elles ont mis au point pour le Tropicana, elles apparaissent couvertes de strass et de plumes. Traversant le plateau à longues enjambées, elles montent et descendent l'escalier en s'effeuillant, détachant une à une les plumes et les accessoires de leur costume scintillant. Tandis que des boys ramassent gracieusement les débris de leur parure éparpillée, les deux jumelles finissent avec un string entre les fesses et des diamants à la pointe de leurs seins insolents. La légende veut que ces diamants soient authentiques et d'une valeur considérable. Quand on pose la question à Mara et Malvina, elles se contentent de sourire.

— La nuit va être chaude, déclare Lohengrin, nous faisant signe de le suivre.

Le maître d'hôtel nous conduit à une table au centre, tout près de la scène. Comme d'habitude, Manu n'a rien laissé au hasard et l'arrivée du professeur Marsac est forcément très remarquée. De nouveau, le docteur distribue accolades et sourires avant de nous rejoindre à table.

– On est un peu en vitrine, non? dit-il, tirant sa chaise dans un geste d'irritation.

– Toutes les tables étaient prises, docteur, dit Lohengrin avec aplomb. J'ai obtenu celle-ci grâce à l'intervention de Mara et de Malvina qui la réservent à leurs amis.

Le docteur, conciliant, lève les mains et sourit en jetant un coup d'œil sur la scène.

– Eh bien... Si ce sont ces deux créatures de rêve qui nous accueillent!...

Puis il s'excuse :

– Je dois sacrifier à ces sordides besoins naturels qui affligent un homme lorsqu'il a trop absorbé de liquide.

Lohengrin regarde Marsac s'éloigner et consulte sa montre-bracelet d'un air soucieux.

– Manu et Sylvia ne devraient pas tarder. Il ne faut pas traîner car notre ami Marsac a le teint qui se brouille.

Il commande une tournée de mojitos.

– Ça n'a rien à voir avec le teint, c'est cet éclairage à la con. On a tous l'air de poissons malades.

Lohengrin ferme les yeux. Est-ce pour mieux savourer le mojito? Il les rouvre, plisse les sourcils et lâche sardoniquement :

– Tu as raison. La lumière est affreuse. Je déteste cet endroit, ce temple du stupre, de la médiocrité et du mauvais goût.

Son mépris me paraît aussi inconséquent qu'inutile. Il m'en faut peu pour que l'alcool m'enivre. Un rien d'ébriété et je vois la vie en rose.

– Ne t'inquiète pas. Marsac a la candeur d'un enfant et Sylvia finira bien par l'achever. Tout se passe à merveille. Respire, mon ami, sois heureux. Temple de la décadence ou pas... vise un peu la croupe de ces mulâtresses!

Mara et Mavina sont perchées sur des talons aiguilles très hauts et fins. Telles des mantes religieuses, leurs quatre jambes battent l'air en ciseaux, leurs bras longs et délicats accrochent et se déplient, Les diamants au bout de leurs seins projettent dans la salle des éclats dansants. Leurs mouvements ne semblent répondre qu'à un seul but : présenter sous toutes ses coutures leur anatomie dans des poses suggestives destinées à réveiller l'excitation des hommes et la jalousie de leurs femmes.

– Le silicone, je te dis, voilà leur secret! Si-li-cone! Elles ont de beaux seins, d'accord, mais bonjour le cancer dans quelques années! entends-je dire notre voisine de table, le visage tordu par la jalousie. Si-li-cone!

Et son glapissement se perd dans un tonnerre d'applaudissements. La révolte de cette femme vieillissante, fardée comme une star, la poitrine tombante, fait peine à voir.

– Qu'est-ce que tu en penses, Lohengrin? Miracle de la chimie ou beauté naturelle?

– Peu importe. Qu'elles te basculent sur le lit, une par-dessus, l'autre par-dessous, que leurs mamelles soient en chair fraîche ou en caoutchouc, à vouloir philosopher sur le vrai et le faux, on est bon pour l'asile. Il y a des choses tellement plus importantes que le physique de Mara et de Malvina ou l'hystérie de la guenon d'à côté. Regarde ces gens! (D'un geste de bras il embrasse l'espace immense du cabaret.) Imaginons un instant... que le Parti arrive au pouvoir. Regarde-les. Ils se prennent pour le sel de la terre parce qu'ils sont bourrés de pognon et que, pour eux, le soleil brille. Regarde leurs visages bouffis d'alcool, trop bien nourris, même ceux qui ont l'air plus fins – disons moins obtus – tous, vieux, jeunes, putes de service, pucelles innocentes, riches commerçants, honorables médecins, architectes... celui-là, là-bas, avec sa tête de tueur à gages et l'autre blondinet et la bonne mère de famille flanquée de ses deux filles... que lis-tu dans leurs yeux?

– Je lis tout sauf l'esprit qui brille dans les tiens. Vas-y. Où veux-tu en venir?

– Qu'une bombe explose sous leurs pieds, que quelqu'un monte sur scène et annonce dans le micro « Señores y señoras, la révolution bolchevique vient de triompher ! » Non, mais tu t'imagines ?

Ce disant, il serre mon bras comme un vautour arrachant sa proie vers les sommets. Je connais bien chez Lohengrin sa haine du bourgeois et du riche, cette hargne bilieuse. Quand il se met dans cet état, Lohengrin redevient le guerrier barbare des épopées nordiques qu'il admire. Comme sous hypnose, il se remonte lui-même, attisant son besoin de revanche délirant.

– Imagine que ça arrive, là, maintenant, au Tropicana ! Les voilà en train de dépenser en quelques heures une petite fortune, certains de retrouver à la sortie leur Cadillac rutilante, leurs domestiques, leurs banquiers, leur confort, leur fric. Minuit sonne et leur assurance-vie s'écroule, la terre s'ouvre sous leurs pieds.

Je n'ose pas dégager mon bras de son étreinte. Le regard fiévreux, il poursuit :

– On les verrait fuir comme des rats, les tripes nouées, essayant de sauver ce qu'ils peuvent. On les retrouverait plongeurs dans des restaurants de Miami, ou comme ces princesses russes devenues petites mains dans la haute couture parisienne.

– Et toi, que ferais-tu, Lohengrin, si du jour au lendemain la révolution bolchevique te donnait sur eux droit de vie et de mort ?

D'un seul coup, il redescend de sa planète, allume une de ces longues cigarettes égyptiennes à filtre doré qu'il aime rouler dans ses doigts sans jamais tirer dessus.

– Je ferais comme Saint-Just. J'ai toujours pensé qu'il aurait dû prendre la tête de la révolution française. Alors le peuple n'aurait pas été trahi.

– La paix des cimetières ?

– La justice ne doit pas reculer devant le sang et l'horreur. Pense à ces humiliés, à ces misérables qui meurent en silence depuis des siècles et des siècles.

Compare ceux qui nous entourent et ce peuple affamé, ces hommes sans nom et sans parole : en faveur de qui pencherais-tu ?

Je suis dans un état de douce euphorie. Après quelques mojitos, je n'ai pas de goût pour une discussion de fond qui risque de mal tourner, aussi je me dérobe :

– Tu es un vrai héros de bande dessinée, Lohengrin. Prince Vaillant, Robin des Bois, Dick Tracy...

En dehors de ses convictions marxistes, Lohengrin a un faible pour ce genre de lectures. Tous les dimanches, nous achetons *El Diario de la Marina*, le journal de la bourgeoisie cubaine, pour nous régaler des suppléments BD. Des BD américaines, bien sûr.

– Aujourd'hui, Prince Vaillant aurait pris sa carte au Parti. De toute façon, ce que tu dis met le doigt sur une triste réalité : malheureusement pour nous, les Américains sont à nos portes. Ni Manu ni Blas Roca lui-même ne peuvent imaginer le triomphe du communisme dans un pays qui abrite une base américaine. Il faudra sans doute attendre que le reste du monde se libère du capitalisme, mais nous tiendrons bon. Un travail de fond patient pour préparer un avenir que peut-être nous ne connaîtrons pas. En parlant d'avenir, je trouve que notre homme met beaucoup de temps pour pisser. Et s'il avait changé d'idée ? Et s'il nous faisait faux bond ?

– Attends. J'y vais. Moi aussi je dois sacrifier à la nature !

Il me faut un prétexte pour m'éloigner. L'heure tourne. Bientôt, il sera temps d'appeler Hanna.

La famille d'Hanna vit la nuit. Ils sortent souvent au restaurant, au théâtre, au cinéma. Quand ils restent à la maison, il n'y a pas un soir sans tournois de bridge ou de canasta. Hanna, qui déteste ça, refuse d'y participer. Alors on la supplie de se mettre au piano, et, jouant la jeune fille de la maison, elle se plie volontiers à ce rituel. « Ils m'écoutent d'une oreille distraite, m'a-t-elle dit, mais moi aussi je les oublie. Je joue pour moi, comme si j'étais seule, et tout le monde y trouve son compte. »

A cette heure-ci, Hanna doit être déjà au bungalow à attendre mon coup de fil. A cette seule pensée, une vague de chaleur bienfaisante monte en moi et mon cœur se met à battre comme une machine qui s'emballe. Entendre sa voix et ne pas la voir me trouble beaucoup. Son regard me manque et, à chaque fois, je me trouve en train de serrer convulsivement le combiné. Cette fois-ci, me dis-je, ce sera différent car il s'agit de notre avenir. Et la gravité de ce geste m'angoisse et m'exalte à la fois. Il faudra prendre une grande inspiration, sinon Hanna risque d'entendre dans ma voix ces battements affolés.

Pour me détendre un peu, un tour aux toilettes sur les pas du docteur Marsac tombe à pic. Il est penché au-dessus du lavabo et laisse l'eau du robinet couler sur ses cheveux, son visage. Ses yeux fermés, ses pommettes saillantes et ses traits tirés lui donnent cette expression de douleur acceptée que l'on rencontre sur les images du Christ des maîtres flamands du Moyen Age.

– Docteur...

Il fait un geste pour me repousser, bras tendu, paume de la main ouverte. Témoin involontaire du malaise de cet homme, de sa déchéance physique, je suis cloué sur place, terriblement gêné. Puis, peu à peu, le docteur Marsac revient à lui avec les gestes lents d'un somnambule. Il sèche ses cheveux, resserre sa cravate. Il attrape la veste qu'il a laissée accrochée à l'intérieur du cabinet, puis, se recomposant un visage, me dit d'un air courtois :

– Voulez-vous m'accompagner ? J'ai besoin de prendre l'air.

Je le fais passer par une porte de service qui donne sur le parking.

Un vent léger souffle de la mer, chargé de jasmin et d'odeurs capiteuses. S'asseyant sur le muret, Marsac sort de sa poche un paquet de cigarettes, en tire une, la fait rouler dans ses doigts et l'allume avec les gestes maîtrisés d'un homme qui va fumer sa dernière cigarette. Je respecte son silence. Pour me donner une contenance, j'inspecte les voitures une à une. On y retrouve les derniers modèles fabriqués en Europe ou aux États-Unis. J'imagine la tête du propriétaire de chacune :

... La Ford lie-de-vin avec des sièges en similicuir imitation panthère conviendrait bien à une de ces prostituées de luxe qu'on appelle call-girls...

... Un homosexuel exerçant une profession libérale pour la Chevrolet bleu ciel aux chromes rutilants...

... La Cadillac noire, portières blindées et vitres aux verres fumés, est le porte-drapeau d'un nouveau style d'hommes d'affaires arrivés à Cuba au temps de la Seconde Guerre mondiale, comme le fameux gangster italo-américain Lucky Luciano.

... Quant à la Rolls Royce nacrée avec un chauffeur noir en uniforme tiré à quatre épingles et fumant de la marijuana, elle doit appartenir à...

– Vous vous demandez sans doute ce que je fais avec Sylvia? me dit soudain Marsac, fixant un point par terre avec obstination, comme s'il lisait l'avenir dans une tache d'huile sur le goudron.

– Je ne me suis rien demandé du tout, docteur.

– Oh si! J'ai surpris plusieurs fois votre regard. Ce n'est pas de votre faute si vous êtes si expressif, jeune homme. La vie ne vous a pas encore appris à composer. Tout se lit sur votre visage : la stupéfaction, la curiosité, le dégoût.

Il me sonde comme il le fait avec ses élèves, sans sévérité mais avec une ironie amusée. L'homme a sans doute traversé tant de choses qu'il n'a plus l'envie ni le courage de faire la leçon aux plus jeunes.

– Je ne vous juge pas, docteur.

– Vous jugez, et c'est normal. A votre âge, je vous prie de croire que je ne me gênais pas. Quand Sylvia nous a quittés pour aller se changer et que je me suis penché pour l'embrasser, j'ai surpris votre regard : un homme respectable et de bonne volonté en train de se ridiculiser en public pour les beaux yeux d'une charmante garce.

Marsac fait voler son mégot de cigarette au loin. Une

traînée de poudre lumineuse décrit un arc de cercle dans l'obscurité.

– Je connais bien Sylvia, docteur. Son charme agit de la même façon sur tous les hommes, quel que soit leur âge. A votre place, j'aurais réagi comme vous.

Je commence à être un peu nerveux. « Il doit devenir notre chose, notre complice, avait dit Manu dans la voiture en allant au Floridita. Il faut commencer par gagner sa confiance. » Il fallait donc éloigner tous les soupçons sur les comportements de Sylvia Ruiz Flores. Et voilà que par ma faute, par je ne sais quel accès de conscience, de scrupule bourgeois – comme aurait dit Lohengrin – Marsac avait lu dans mon regard la honte et le mépris. Sans m'en douter, je l'avais mis sur ses gardes. Comme s'il continuait à lire dans mes pensées, Marsac pose sa main sur mon épaule en souriant.

– Sylvia ferait pécher saint Antoine et tous les saints. La question n'est pas là. Car, même si elle n'avait pas été aussi séduisante et aussi charmante, une professionnelle aux charmes douteux aurait fait l'affaire, voyez-vous. La femme, une femme quelle qu'elle soit... juste pour se mettre la tête sous le sable, pour oublier le temps, la réalité... Jeune homme, je vais vous faire une confidence : je suis un vivant en sursis... je vais bientôt mourir.

Il a parlé d'un ton si détaché, si léger, qu'à mon tour j'ai souri. Je me suis souvenu des techniques de ma mère qui, s'inventant des maux imaginaires, invoquait sa vieillesse pour qu'on la console.

– Je prie le ciel d'avoir votre allure et votre force quand j'aurai votre âge, docteur.

Je ne mens pas. Après son malaise, il était redevenu celui que j'avais vu quelques heures auparavant traverser le bar du Floridita, élégant et affable, adulé, admiré de tous.

– Je porte la mort en moi, mon ami. J'en ai eu la confirmation il n'y a pas plus d'une semaine. Il me reste six mois à vivre, peut-être moins.

J'aurais aimé lui dire quelque chose de rassurant, d'aimable, mais les mots se nouent dans ma gorge et Marsac poursuit :

– J'ai subi des examens lors de mon dernier voyage aux États-Unis. Ici, vous comprenez, mon médecin aurait tout de suite prévenu ma femme, mes amis, mes fils... Je préfère le verdict d'un inconnu qui n'a pas de raison de me cacher la vérité, qui n'a personne à ménager. Le type m'a donné quelques semaines avant que les symptômes de la maladie ne se déclarent vraiment, avant l'épreuve des soins, des médicaments, des drogues, avant d'être hospitalisé. Il a été clair : c'est trop tard, m'a-t-il dit. Je déteste les médicaments, les radiographies, les prises de sang, l'hôpital et ses odeurs de formol, les équipes médicales... Mes parents sont morts en pleine santé, fauchés par un stupide accident de voiture et j'espérais avoir hérité de leur force, quand voici que ce gringo a prononcé le mot fatal : cancer. Sans espoir. La mort assurée.

Je balbutie quelques mots qui se perdent dans une soudaine avalanche de rires et de klaxons. Trois voitures décapotables avec leur bouquet de jeunes fêtards viennent d'envahir le parking. Excités par la « gouine mexicaine » qu'ils se promettent de déstabiliser par leurs commentaires et leurs insanités, ils s'engouffrent à grands cris dans le club. C'est pour moi l'occasion de couper court à cette conversation devenue trop pesante. Mais, à peine le silence revenu, Marsac enchaîne comme si rien ne pouvait le sortir de son état douloureux.

– On dit que le noyé voit défiler en quelques secondes le film de sa vie. Il me reste plusieurs semaines, un mois, deux mois peut-être... En rentrant chez moi, après avoir appris cette nouvelle, j'ai entrepris de mettre de l'ordre dans mes papiers, j'ai plongé dans les souvenirs anciens, lettres, photos, premiers articles, coupures de presse... Et savez-vous ce que j'ai découvert? Eh bien, j'ai découvert que je n'avais jamais vraiment vécu, que j'étais passé à côté de la vie... (il part d'un grand rire)... et savez-vous pourquoi? Parce que j'ai été pris dès le berceau par un père qui se prenait pour Zeus et qui n'avait qu'une chose en tête : réussir l'éducation de son enfant, moi, son fils unique, qu'il destinait au plus brillant avenir.

Un peu énervé, Marsac m'empoigne par le coude et m'entraîne dans une promenade chaotique au milieu des voitures.

– Résultat, mon père a fait de moi cet enfant sage qui, dès l'adolescence, était persuadé qu'il était voué à un destin exceptionnel. Sa manière de me protéger, de veiller sur moi l'a certainement aveuglé. Mon père me voyait président de cette île sous-développée, il voulait faire de son fils un phare pour l'Amérique latine, un mélange de Bolivar et de José Marti qui aurait été capable de transformer ce continent fabuleux mais anarchique et violent en modèle de vertu, catholique et hispanisante. Pauvre père! Une belle âme, naïve et noble. Il a fait de moi ce Quasimodo, cette pâle contre-façon. Toute ma vie je me suis efforcé de me fabriquer une personnalité qui ne correspondait pas à ce que j'étais.

Sans nous en apercevoir, nous sommes sortis du parking. Nos pas résonnent sur l'asphalte sec de la route. Il s'appuie sur moi, confiant. J'essaie de dégager mon bras, sans succès. Au fur et à mesure que je deviens plus nerveux, Marsac gagne en sérénité, réglant son compte à l'existence avec un insupportable détachement.

– Jour après jour, je sacrifiais mes désirs secrets. Je n'avais plus qu'une obsession lancinante, exigeante et obscène : avoir le pouvoir, toujours plus de pouvoir. Apôtre et libérateur, j'avais bien appris la leçon de Bolivar. Or, dans un pays comme le nôtre, le pouvoir, pensais-je, celui qui s'affichait au grand jour, ne pouvait être que corrompu, brutal, insolent et, de plus, éphémère. Devenant ministre ou président, il m'aurait fallu pactiser avec ces quarante mille voleurs et fantoches qui possèdent depuis l'indépendance les clés du destin de notre nation. J'ai choisi le pouvoir dans l'ombre, celui qui permet de se présenter les mains propres, même si l'on sculpte dans la fange. C'est pourquoi j'ai été conseiller de deux présidents démocratiques : Grau San Martin et Prio Socarras. Même Batista, oui, Batista à l'époque où il bénéficiait encore du soutien populaire, des communistes et de Franklin Delano Roosevelt en personne, Batista m'a demandé confidentiellement – comme il convenait à ma pudeur et à mon prestige – des conseils éclairés : il voulait améliorer le sort des paysans pauvres, élever le niveau de vie culturel et économique, disait-il. Malheureusement, il n'a jamais mis en pratique mes modestes recommandations... Et pour l'anecdote, cher ami, sachez que j'ai aussi eu l'immense plaisir de rencontrer dans les bureaux du palais présidentiel mon ennemi idéologique Juan Marinello. A l'époque, on ne savait pas encore quelle serait l'issue de la guerre ni si les nazis seraient vaincus. Grâce à la résistance héroïque de la ville qui porte son nom, Staline était devenu une personnalité incontournable. Marinello et moi avions les mêmes préoccupations : créer les conditions objectives qui permettraient à Cuba de passer d'une économie de sous-développement au stade industriel. Tous les deux étions convaincus que c'était possible. Marinello avait un point de vue marxiste, je raisonnais en termes d'économie de marché. Comprenant que nous n'arriverions à rien ensemble, nous avons parlé de José Marti, de sa vie, de son œuvre, de ses espoirs car c'était le seul sujet de conversation qui pouvait nous réunir.

Les confidences de Marsac me ramènent brutalement à la réalité. Le nom de Marinello me rappelle le sens de ma mission, ce même Marinello auquel Lohengrin avait fait allusion ce soir en sortant du night-club : « Manu prend des risques considérables par rapport à la direction du Parti. Si l'opération foire, il y aura un scandale. Marinello demandera la tête de Manu. »

Ceux qui, de près ou de loin, ont approché le Partido Socialista Popular savent qui sont Marinello et sa femme Pepilla. Tous deux viennent de familles bourgeoises, lui est écrivain et homme de lettres, elle est musicienne et dirige une chorale. Ils représentent l'équivalent tropical d'un autre couple célèbre outre-Atlantique : Elsa Triolet et Louis Aragon. Une rencontre entre le docteur Marsac et Marinello n'a donc rien de saugrenu, et Batista a dû s'amuser en les voyant deviser de José Marti dans une atmosphère cordiale et bon enfant.

Quant à moi, je réalise soudain que j'ai été au-delà des espérances de Lohengrin et de Manu : sans le vouloir, je suis devenu l'ami, le confident de Marsac, celui devant lequel tous les masques tombent.

Nous reprenons le chemin du cabaret. De temps en temps une voiture nous prend dans ses faisceaux lumineux et nous laisse dans un nuage de poussière. Marsac a retrouvé son aura de distinction. La lune éclaire son front haut et dégagé, légèrement bombé, un nez droit aux ailes sensibles qui palpitent aux moments de grande émotion. Sa lèvre supérieure dessine une ligne horizontale ombragée par sa moustache grisonnante et bien découpée. Son ascétisme crée un contraste avec la lèvre inférieure plus charnue. Clair et lisse, taillé à coups de serpe, son visage dégage quelque chose de foncièrement honnête. Et c'est cet homme sans reproche que Manu a choisi de salir et d'humilier devant l'opinion publique, ses alliés politiques et, plus grave encore, aux yeux de sa famille. Je m'imagine à la place des fils Marsac, apprenant par les journaux, photos à l'appui, que leur père se conduit comme un imbécile. Un instant, j'ai la tentation de tout lui avouer. Mais le souvenir de ma promesse à Lohengrin et surtout ma curiosité malsaine me font reporter la décision. J'aurai toujours le temps de l'avertir, me dis-je. Attendons.

Le claquement cadencé de nos semelles sur l'asphalte rompt la monotonie de la route. Puis Marsac brise le silence qui s'est installé entre nous.

– J'ai eu le temps de bien m'observer ces derniers jours. Savez-vous que j'ai la réputation d'être un homme à femmes, un irrésistible tombeur? C'est complètement faux. Je ne suis pas un saint, mais cette réputation est une pure affabulation. Avec le temps je suis devenu sage. La raison en est simple, sans doute. Faut-il appeler ça de l'héroïsme ou de la lâcheté? Je me suis fait tellement de reproches en trompant ma femme que, de fil en aiguille, je suis devenu le mari le plus fidèle qui soit. Mon travail m'absorbe jour et nuit.

340

Aujourd'hui l'épée de Damoclès de la mort a bouleversé ce statu quo. D'un seul coup j'ai retrouvé la sensation de mon adolescence. Je me suis permis d'annuler des rendez-vous importants pour revoir un film que j'aimais. Je me suis surpris à marcher sans raison, pour le plaisir. Je me suis assis devant la mer, j'ai contemplé le roulis des vagues, je me suis laissé porter par le flux et le reflux, la profondeur de l'eau et de ses couleurs, l'horizon chargé de promesses...

Il fait une halte pour allumer la dernière cigarette de son paquet de Camel. A la lueur du briquet je surprends son regard malicieux, enfantin.

– Et je me suis trouvé idiot. A quoi bon sacrifier les plaisirs de la vie à des idéaux d'une autre époque auxquels, d'ailleurs, je ne crois même plus. J'ai décidé de mettre un terme à ces illusions aberrantes, de vivre au jour le jour et de profiter du peu de temps qui me reste. (Il me prend fraternellement le bras et nous nous remettons en marche.) Voilà pourquoi j'ai accepté avec plaisir votre invitation à dîner. Pas seulement pour passer une soirée agréable en compagnie de deux jeunes étudiants brillants. Non. J'ai entendu parler de vous. Vous avez une réputation de jeune loup, assoiffé de chair fraîche... si, si, on parle de vous comme d'un véritable don Juan, revu et corrigé par un Valentino des tropiques!

– Qui vous a fait de moi ce portrait ridicule?

Il rit.

– Ne vous inquiétez pas. Je sais qu'il y a une part d'exagération. J'ai aussi eu à souffrir de certaines rumeurs me concernant. Mais il doit bien y avoir un fond de vérité quand même. J'ai rencontré votre fiancée... une très belle jeune femme, cette Maria Emilia D. C'était dans un cocktail, elle m'a parlé de vous avec enthousiasme et m'a donné envie de vous rencontrer. Votre père aussi a une fameuse réputation. Alors, à quoi bon le nier, nous sommes entre amis!

Ce qu'il me raconte me plonge dans la consternation. J'imagine ce qui a dû se passer. Deux jours après notre rendez-vous au cimetière de Colon avec Lohengrin et

Manu j'avais rencontré Gipsie par hasard. Nous avions pourtant décidé de ne plus nous revoir jusqu'à son départ pour le Mexique. Puis nous nous étions croisés au vernissage de Fernando Contreras Moreno, peintre et ami de Gipsie. Je l'avais invitée à boire un verre et, je ne sais pourquoi, pour éviter sans doute de parler de nous, je lui avais raconté ce rendez-vous prévu avec Marsac. Et voilà que, sans rien me dire, elle avait parlé de moi au professeur dans des termes élogieux, pour me rendre service. C'était encore une preuve de sa générosité.

– En me rendant au Floridita, poursuit Marsac, je n'avais donc qu'une idée en tête : me servir de vous et de votre condisciple et rencontrer des filles pour une virée nocturne. N'importe quel genre de jeune fille, vous comprenez? L'occasion s'est présentée sous la forme de la ravissante Sylvia Ruiz Flores. Amoureux? Pourquoi pas! Heureux hasard! Et pour moi, un don du ciel. Ce soir, je renais, je veux vivre pour moi, sans penser à rien ni à personne. Mort et enterré, José Marti! Ce soir Marsac est un type aux abois qui veut rattraper le temps perdu. Qu'on me juge comme on voudra, je m'en moque. Un pied dans la tombe, au lieu de m'effondrer, je danse!

En arrivant au Tropicana, je me rends compte que la voiture de Manu n'est pas encore arrivée, elle n'est pas sur le parking.

– Je vous en prie, ne dites rien à vos amis de mon malaise. Les médicaments ont fait leur effet. Mais halte à l'alcool, je veux finir la soirée en beauté!

Lorsque nous pénétrons dans le night-club, prenant de plein fouet les éclairages de la salle, c'est un Marsac resplendissant que je vois entrer. Sa soudaine rage de vivre, sa façon de régler ses comptes à sa vie laborieuse m'impressionnent. Il est prêt à courir tous les dangers. Manu n'aura aucun mal à faire de lui ce qu'il veut. C'est dans la joie que Marsac ira à l'échafaud.

– Excusez-moi, je dois téléphoner, dis-je, le laissant se diriger d'un pas assuré vers notre table tandis que je gagne la cabine téléphonique.

342

Je suis en retard sur l'heure convenue. A une heure et demie passée, je ne suis pas sûr de pouvoir joindre Hanna. Si elle s'était couchée, croyant que je l'ai oubliée? Si elle avait décroché son téléphone pour ne pas être dérangée dans son sommeil, pensant que notre conversation pouvait attendre demain? Cette idée me glace le sang. Il faut que je lui parle, ce soir, rien n'est plus impérieux.

Une... deux... trois... quatre sonneries de téléphone. Je croise les doigts, espérant de toutes mes forces. Pourquoi cette fébrile impatience quand, au contraire, je devrais être calme et heureux? Ma proposition d'aller vivre ensemble à Jérusalem n'est pas un acte de folie ni une surenchère romantique, non, c'est un geste symbolique. Je veux qu'Hanna sache que je suis prêt à me soumettre à un monde de croyances et de traditions qui n'est pas le mien. Accroché à l'appareil, je compte... cinq... six... sept...

– Oui?

– Hanna?

– C'est moi.

– Tu dors?

– Presque. Pourquoi tu téléphones si tard? J'ai attendu...

– Écoute-moi.

Je lui parle sans reprendre mon souffle. Je lis dans l'avenir. Je détruis avec panache les obstacles qui se dressent devant nous. J'échafaude de grands projets. Rien ne pourra plus désormais se mettre en travers de notre chemin, s'opposer à l'accomplissement de notre bonheur. Je n'aurai pas de mal, j'en suis certain, à obtenir l'accord de mes parents. Celui de mon père surtout. L'homme à femmes qu'il est comprendra bien qu'on veuille se lancer, tête baissée, dans l'aventure amoureuse.

Je saoule Hanna de paroles : notre rencontre tient de la magie pure, tout s'organise à merveille, une bonne fée, c'est sûr, préside à notre destin, nous protège de l'incompréhension, du cynisme et de l'amertume du monde adulte. Nous sommes jeunes et le monde est plein de promesses pour qui sait saisir sa chance, prendre la vie à bras-le-corps, embrasser le monde! Je suis à bout d'arguments. Restent les détails pratiques. Par quels moyens arriver à nos fins le plus rapidement possible et comment présenter la chose à nos familles respectives, car chaque minute qui diffère ce projet est une torture.

Hanna m'écoute, Hanna ne dit rien et j'en conclus qu'elle réfléchit. Je connais sa lenteur à réagir, nous en avons déjà parlé, nous en avons ri. Elle m'a raconté que ce trait de caractère lui venait de sa grand-mère qui l'avait éduquée et lui disait toujours : « Tourne sept fois ta langue dans ta bouche avant de parler. » Je respecte le silence d'Hanna. Le temps de la réflexion. Son long silence.

— Pourquoi as-tu été aussi agressif cet après-midi quand tu m'as téléphoné du Floridita? me demande-t-elle abruptement.

— Moi? Agressif?

Je n'en avais aucune idée. Je ne me souvenais pas d'avoir été agressif. D'ailleurs, j'étais incapable d'être désagréable avec elle en aucune circonstance, du moins le pensais-je. Peut-être, sans m'en rendre compte, je m'étais énervé à cause de cette mission.

— C'est parce que j'étais jaloux. Oui, jaloux! Je pensais à la fête chez vous, à ces idiots qui allaient t'écouter jouer du piano. La jalousie est mauvaise conseillère. J'ai inventé cette histoire de voyage pour voir ta réaction!

— C'est vraiment bête. J'ai attendu ton coup de fil toute la soirée, je voulais t'annoncer la bonne nouvelle. Le ton sec de ta voix, ton histoire de voyage m'ont coupé mes élans. Tu ne m'as pas laissé le temps de te dire ce que je voulais.

— Quelle bonne nouvelle?

Mon cœur bondit dans ma poitrine. Cette formule « bonne nouvelle » me semble chargée de mauvais présages.

— Mes parents ont décidé de m'envoyer à Paris pour travailler avec Marguerite Long.

344

Je reste paralysé, l'oreille collée à l'écouteur. Sa voix me semble lointaine, à l'autre bout du monde.

Elle me raconte que c'est une surprise, un cadeau merveilleux que ses parents lui font pour ses seize ans... Des jeunes du monde entier vont à Paris suivre les cours de Marguerite Long... Tout est déjà organisé... Elle habitera Neuilly, chez des amis de ses parents...

– Neuilly, tu sais, près du bois de Boulogne, nous pourrons faire de belles promenades...

– Qui?

– Toi et moi!

– Moi?

– Eh bien oui, toi! Tu rêvais d'aller à Paris, n'est-ce pas? Souviens-toi de notre première rencontre. Combien de fois tu m'as répété en m'embrassant : « Nous irons vivre à Paris, nous aimer à Paris, sous les toits, comme dans les films de René-je-ne-sais-plus-qui! » Et maintenant que je t'annonce la bonne nouvelle, c'est tout ce que tu trouves à dire?

– Quand est-ce que tu pars?

– Dans deux-trois semaines.

– Et Jérusalem?

– Quoi Jérusalem? Qu'avons-nous, toi et moi, à voir avec Jérusalem? C'est une ville vieille, sale et triste. Nous sommes faits pour étudier, travailler, nous aimer. Et pour ça, Paris est la ville idéale, c'est toi qui l'as dit! C'est toi qui l'as dit!

C'est vrai, je l'avais dit, mais j'avais changé d'avis. Dans la manière qu'elle a eue de répéter cette phrase, j'ai entendu quelque chose d'autoritaire qui ne présageait rien de bon pour le futur, le ton énervé de ces femmes impatientes qui savent écarter de leur route tout homme un peu rêveur, utopiste, voyageur.

– Oui, je l'ai dit.

Et je n'avais rien à ajouter.

– Alors, tu vois que c'est une bonne nouvelle. Tu me rejoindras un peu plus tard. J'aurai eu le temps de m'habituer, je te ferai découvrir Paris et ses mystères... Mais ce soir...

Elle émet ce rire cristallin qui m'avait tant ravi la première fois.

– Ce soir, je ne suis plus bonne à rien. Je tombe de sommeil. Appelle-moi demain, nous en reparlerons. Je t'embrasse, fort, fort, je m'endors...

Elle raccroche.

J'ai la gorge sèche. Demain. Le château de cartes s'est écroulé d'un seul coup. Pour Jérusalem, c'est sûr, j'aurais pu compter sur le soutien de mon père, qui, à son tour, aurait su convaincre ma mère : « Essaie de comprendre... je veux aider mon fils à retrouver ses racines... C'est une aventure unique, passionnante pour un homme de son âge. » Mais Paris... Nous en avions déjà parlé. Il avait songé à m'y envoyer mais pas avant quatre ou cinq ans. « Pour vivre à Paris, avait dit mon père, il faut de l'argent, beaucoup d'argent. La bohème... c'est une idée romantique... La réalité, ce n'est pas la vie de bohème. Quand j'étais jeune étudiant à Paris, j'avais de l'argent. J'ai vu ceux qui n'en avaient pas. Ils crevaient, vivaient comme des rats. La belle légende que celle des artistes maudits : des faméliques, des alcooliques, des drogués. Et pour quelques-uns qui ont laissé leur œuvre à la postérité, des Nerval, Lautréamont, Modigliani, pour quelques vrais artistes, combien d'étudiants besogneux qui attrapaient la tuberculose, se suicidaient par désespoir ou tout bêtement abandonnaient leurs études pour trouver un poste de fonctionnaire dans une administration quelconque. Une vie triste, grisâtre, laborieuse. Non, tu n'iras pas à Paris avant d'avoir terminé tes études ici. De toute façon en ce moment, ma situation économique ne me permet pas de t'y envoyer. »

J'avais embrassé Hanna, je lui avais fait de folles promesses, mais je n'avais jamais évoqué cet aspect des choses. Entre mes baisers, cette ville paraissait aussi lointaine qu'excitante. Une fantaisie, un rêve. Parce que j'étais sûr de ne jamais aller en France, j'avais fait de Paris cet endroit mythique que j'adorais précisément parce qu'il m'était inaccessible. J'avais encore un autre handicap : Hanna parlait le français à la perfection, moi non. Tout au plus baragouinais-je quelques mots avec un accent à couper au couteau.

Sous le choc, le cerveau vide, je tente de rassembler les morceaux épars de ce rêve brisé. J'aurais dû m'en douter dès le premier jour où je l'avais épiée en train de jouer Ravel dans une sorte d'extase : ni moi ni personne n'aura jamais de place dans le cœur de cette jeune fille. Hanna est entrée en musique comme on entre en religion.

Manu arrive au pas de charge, furibond, comme un taureau dans l'arène.

– Chino, nom de Dieu, mais qu'est-ce que tu fous ? Je te cherche partout depuis une heure !

Je ne suis plus dans le coup, de quoi parle-t-il ? Les gouttes de sueur perlent de son front, les quatre boutons de sa chemise ouverte sur une poitrine ruisselante, il me postillonne dans la figure une pluie de salive mélangée de tabac. Le bout de cigare coincé entre ses dents s'agite au rythme de sa moustache.

– Calme-toi, mon vieux.

– Me calmer, putain ! Tu ne devineras pas ce qui s'est passé !

Pour le faire descendre d'un cran, je hurle à mon tour :

– Non ! QUOI ??

Des couples se retournent sur nous et hâtent le pas vers la sortie. Dans son excitation, il a laissé tomber sa veste. L'étui à revolver qu'il porte au flanc gauche apparaît maintenant à la vue de tous. Règlement de comptes entre des petits truands, doivent penser les gens qui s'attendent sans doute à voir les balles siffler. Quand je lui fais remarquer la tête des gens autour de nous et le froid que notre altercation a jeté dans la salle, il attrape sa veste et me tire vers la sortie.

– Figure-toi que, quand Sylvia est arrivée chez elle, ce connard de Nelson Mendès était là. Après une explication sur l'objet de notre présence, la petite m'a demandé de la laisser seule avec son fiancé. Je suis allé boire un café à la cuisine avec sa mère. Nelson était hors de lui, il avait l'air très énervé. Je me suis dit que Sylvia saurait l'amadouer. Au besoin, elle le laisserait tirer un coup vite fait. Je tenais le crachoir à sa mère quand des cris et des hurlements nous ont alertés. Nous nous sommes précipités dans le salon : Sylvia saignait, la lèvre fendue, et cet enfoiré de Nelson, à ses pieds, pleurait et implorait son pardon. Je t'en foutrais des pardons. Hystérique et la lèvre sanguinolente, elle le rouait de coups de pied!

– Comment ont-ils pu en arriver là? dis-je avec fausse naïveté.

– Le boxon. Cette pouffiasse, au lieu de le faire taire, a cru bon de lui dire qu'elle ne pouvait plus le supporter – comme si c'était le moment –, qu'elle avait baisé avec la moitié de la population masculine de l'île et que, ce soir, elle s'apprêtait à baiser avec l'autre moitié. J'ai ramassé le pauvre type et je l'ai conduit dehors. Pendant ce temps, la vieille a mis sa fille sous la douche avec une bourriche de glaçons sur les lèvres. Tu comprends pourquoi nous sommes arrivés si tard.

– Y a pas de mal...

C'est tout ce que je trouve à dire.

Le cabaret va fermer et maintenant le show continue sur le parking. Des dizaines de voitures démarrent ensemble. Embrayages bruyants, nuages de poussière, concert de phares et de klaxons.

Manu allume un nouveau cigare.

– Du côté de Marsac, tout va bien. Sylvia s'est refait une beauté. Sa lèvre un peu boursouflée lui donne un air un peu cochon et le docteur n'y a vu que du feu.

Il monte dans sa voiture, ouvre la portière et m'invite à monter à côté de lui.

– Qu'est-ce que tu fais? Et les autres?

– Ils attendent Mara et Malvina. Lohengrin, Sylvia et Marsac iront dans leur voiture. On continue la virée avec les filles.

Pour ne pas déroger à la règle, Manu fait grincer ses pneus et nous laissons derrière nous un sillage d'étincelles.

– A la bonne heure! Tu as mis les rumberas dans le coup!

– Une idée de Lohengrin. Géniale. Avec la réputation qu'elles ont, finir en beauté par une sauterie chez les jumelles ne peut que satisfaire nos plans.

La colère monte en moi, une colère sourde, devant l'absurdité de la situation, à mille lieues de ce que je suis en train de vivre. A l'attitude d'Hanna au téléphone, que j'avais prise pour un refus, s'ajoutaient de vieilles blessures vécues dans mon enfance... Alors, à brûle-pourpoint, je demande à Manu :

– Et moi, peux-tu me dire ce que je fais dans le scénario?

J'aurais souhaité que Manu me réponde sur le même ton hargneux pour déclencher une saine engueulade et le contraindre à arrêter la voiture. J'étais prêt à tout, même à faire la route à pied pour regagner la maison de mes parents. Mais il pose amicalement sa main sur mon avant-bras :

– Pas de blague, Chino, j'ai besoin de ton aide. Figure-toi que Sylvia refuse de remplir sa mission jusqu'au bout si on ne s'occupe pas de Nelson. Elle a des remords, dit-elle. Allez savoir ce qui se passe dans le cœur d'une pute...

– Sylvia n'est pas une pute, c'est une fille à problèmes.

– Des problèmes de cul, oui. Enfin, passons. Elle veut que tu parles à Nelson.

– Pourquoi moi?

– Va savoir! Sans doute parce que vous êtes copains. Apparemment, Chino, la Sylvia te fait une confiance aveugle. Dis-moi, mon salaud, toi aussi tu y es passé?

Il éclate de rire, de son gros rire gras. Il me dégoûte. Je ferme les yeux. J'ai envie de hurler, mais je me retiens pour qu'il ne risque pas de perdre le contrôle de son véhicule. A cent cinquante à l'heure, la route est dangereuse. Inutile également d'essayer de lui expliquer le sens de mon amitié pour Nelson et la pitié que j'éprouve pour Sylvia. Ce type est un porc.

Le temps du trajet entre le Tropicana et le journal, silencieux à côté de Manu qui m'envoie dans la figure la fumée de son havane, j'ai le temps de mûrir ma décision. Il me faut à tout prix détourner Nelson de Sylvia, non pas parce que Manu m'en a donné l'ordre, mais parce que je veux épargner à mon ami de souffrir en affrontant une nouvelle fois le mépris de la jeune femme. Demain, à tête reposée, j'essaierai de le convaincre de la laisser tomber. Une idée nouvelle vient de germer dans mon cerveau. Je lui dirai : « Tirons-nous d'ici, Nelson, voyageons ensemble. Tu oublieras Sylvia et moi, j'irai voir à Paris celle que j'aime. Une première étape. Paris, Jérusalem. Nous emmènerons Hanna en Israël. »

Qui sait, avec le soutien de Nelson mes parents me laisseraient peut-être faire le voyage à Paris ? Ce soir même, il fallait que je parle à mon ami.

Pénétrer dans la rédaction en plein milieu de la nuit fait un drôle d'effet. Après ma première visite il y a un an, je n'ai plus remis les pieds au journal. Préparant le bouclage pour le matin, les journalistes sont au charbon. Les machines à écrire crépitent, les téléphones sonnent, les hommes s'agitent, discutent, s'interpellent d'un bureau à l'autre. Nelson est dans son box. Concentré, il tape à la machine. Quand il me voit, il ne sourcille pas. Tout juste me lance-t-il un regard furtif et noir. Ça s'annonce mal. Le pauvre garçon fait peine à voir : il est blême, il a une mine de déterré que l'éclairage au néon n'améliore pas. Quand je me poste devant lui, il continue à taper, le visage tourmenté. Il se mord les lèvres.

– J'ai l'impression d'être invisible, dis-je en guise d'introduction et pour faire un bon mot.

Mais il ne bouge pas. C'est seulement une fois arrivé à la fin de sa page qu'il daigne lever les yeux sur moi.

– Je croyais que tu faisais partie du safari de Marsac. Sylvia m'a dit que tu étais des leurs. Que me vaut l'honneur de ta visite ?

– J'ai quitté la barque qui sentait le pourri.

– Ton ami Manuel m'a tout raconté, pas la peine de te fatiguer.

– Raconté quoi ?

– Votre charmant dîner avec le professeur Marsac, vos brillantes conversations. Sylvia faisant le joli cœur... Malheureusement Sylvia a commis l'erreur de repasser chez elle. Elle ne s'attendait pas à m'y trouver. Je l'ai forcée à me raconter de quoi il retournait, en quoi consistait ce projet d'œcuménisme socio-politique qui devait déboucher sur une partouze, si j'ai bien compris. Et toi, tu ne m'as rien dit.

Le ventilateur ronfle au-dessus de nos têtes mais Nelson est luisant de transpiration. Je me penche vers lui et le regarde droit dans les yeux :

– Nelson, je ne sais pas ce que t'a raconté Sylvia, mais elle était ivre, elle s'en veut à mort... Elle m'a supplié, Nelson, elle m'a supplié de venir te voir...

Dans un mélange d'incrédulité et d'espoir, il me demande :

– C'est elle... c'est vraiment elle qui t'envoie?

– Parole d'honneur.

J'aurais pu jurer sur la croix, sur la tête de mes parents. Manu m'avait soutenu que Sylvia avait posé cette condition pour continuer la virée avec Marsac.

– J'ignore ses raisons et en plus je m'en fous. Ce soir, j'ai eu vraiment l'impression que Sylvia était cinglée, capable des pires débordements. Je veux juste l'empêcher de finir la nuit avec cet homme, comme elle m'a juré de le faire. Elle... ce soir... elle m'a dit des choses pénibles à entendre. Mais je la connais par cœur. Le fait qu'elle t'envoie en messager, c'est symbolique.

Un doux sourire effleure ses lèvres, il est comme un enfant, il veut croire à ce qu'il invente.

– Ils vont tous au Bar Eva. Allons les attendre là-bas.

– Le Bar Eva? Le bar de putes?

– Et alors? Un peu de couleur locale pour épater le professeur, dis-je, faisant une grimace saugrenue à la Chaplin pour lui faire avaler le truc.

Nelson me dévisage et j'ai peur qu'il ne lise au fond de mes pensées l'ordre de Manu : « Retiens-le jusqu'à l'aube, par n'importe quel moyen. »

– C'est OK. Une fois là-bas, je m'arrangerai pour faire rentrer Sylvia avec moi.

Il me demande quelques minutes, le temps de mettre la dernière main à son article. Quant à moi, je vais me passer la tête sous le robinet aux toilettes, histoire de me rafraîchir les idées. Mon plan est simple : pendant que les autres sont en train d'écumer quelques bars douteux en compagnie des deux jumelles avant de finir chez elles, je ferai boire Nelson pour qu'il oublie jusqu'à l'existence de Sylvia. En cas de besoin, Manu m'avait donné le téléphone des filles.

– Regardez-moi qui va là! C'est ton père qui serait surpris, macho! dit Pepe Frau Cantal qui vient de faire irruption dans le bureau, poussant en avant sa grosse bedaine, puis il insiste : Mais qu'est-ce que tu fous là, à cette heure de la nuit, macho?

Pepe donne du « macho » à tout le monde, sans doute à sa maîtresse aussi. Pour lui, l'homme viril est un miracle de la création.

– J'ai rendez-vous avec Nelson Mendès.

– Ah bon? Vous allez voir la séance de minuit du *Magicien d'Oz* ?

Secoué d'un rire convulsif, son corps gras tremble comme un flan dans la paume d'un nerveux.

– Pas de film ce soir, Pepe, détrompez-vous. Nous allons au Bar Eva.

– Sans blague! A la bonne heure! Il faudra annoncer ça à ton père. (L'eau du robinet sur son crâne lisse gicle et nous éclabousse.) Ton sacré père! Il va nous tuer, il insiste pour pousser la partie jusqu'à l'aube quand nous avons le journal à boucler.

Don Pepe m'invite à le suivre. Il m'emmène à travers un labyrinthe de couloirs et je me retrouve cloué devant une porte entrouverte d'où s'échappent des rires et des voix.

Ce n'est plus un bureau mais un tripot. Volets et rideaux des fenêtres donnant sur la rue ont été soigneusement fermés. Des lampes traditionnelles, de grosses ampoules surmontées d'abat-jour en cuivre pendent du plafond. On a mis bout à bout deux tables carrées et une douzaine d'hommes tapent le carton au milieu de cadavres de bouteilles de Bacardi et de verres à moitié pleins. Les cartes dansent dans les mains des joueurs puissamment éclairées tandis que leurs visages restent dans une pénombre protectrice. Mon père trône en bout de table, un petit rhum devant lui, un Upmann aux lèvres. Tous fument. Une nappe de fumée épaisse et bleue flotte au plafond, brouillant l'atmosphère. Il y a une odeur lourde et sucrée de tabacs mélangés.

Dans ma nervosité, je prends une grande inspiration pour me donner du courage avant d'entrer, mais une violente quinte de toux me plie en deux. Je bats en retraite dans le couloir et me dirige vers la fenêtre ouverte. L'air frais de la nuit me fait l'effet d'une bombe d'oxygène et je prends une grande inspiration. Quand je me retourne, mon père est derrière moi, gêné. Comme à chaque fois qu'il se sent coupable, il attaque le premier :

– Qu'est-ce que tu fais dehors à cette heure de la nuit? Qui t'a autorisé à traîner au journal?

Il me vexe. Évidemment, il pense que c'est ma mère qui m'a envoyé l'espionner.

– J'ai rendez-vous avec Nelson Mendès. Je savais que c'était ta nuit de poker, je suis passé te dire bonjour.

Mes paroles font mouche. J'ai trouvé la parade à ses sous-entendus imbéciles. Derrière ses lunettes à double foyer, je le vois plisser des yeux, signe qu'il prépare une riposte. Il s'appuie au rebord de la fenêtre, regardant le lointain. Inspiré, se haussant au-dessus des contingences, il cherche une réponse sage à mon intervention ironique.

– *La noche sosegada en par de los levantes del aurora* [1]...

C'est son style. Il devient lyrique, il dit n'importe quoi pour éviter l'affrontement car il déteste par-dessus tout les manifestations émotionnelles.

Je suis tendu, mon père l'a bien senti. Et, cette fois-ci, j'ai droit à saint Jean de la Croix :

1. La nuit apaisée qui va s'unir au lever de l'aurore...

Oh noche que guiaste,
Oh noche amable mas que el alborada,
Oh noche que juntaste
Amado con amada,
Amada en el Amado transformada [1]!

Revenu de ses épanchements poétiques, il passe son bras autour de mon épaule et m'entraîne vers la cuisine.

– Un petit café ne te ferait pas de mal, pas vrai? Ma Tomasa va se faire une joie de nous le servir.

Ma Tomasa se déplace dans le bric-à-brac de la cuisine avec l'aisance d'un félin. Elle a un visage comme une lune d'onyx bien brillant, de belles lèvres imposantes. Quand les choses la surprennent ou l'amusent, elle roule des yeux en roucoulant. Elle penche son abondante poitrine contre mon père et fait couler le liquide noir et fumant dans la tasse.

– Du meilleur café, Docteur, comme vous l'aimez, fort, amer et très chaud!

Elle a une mimique savoureuse et tendre. Je me demande si mon père n'a pas honoré le corps généreux de la négresse. Peu importe. J'ai droit, moi aussi, à un traitement de prince car avec la tasse de café, elle pose devant moi des gâteaux au coco dont je raffole. Pas tout à fait comblé, mon père lui demande de verser dans son café un verre de rhum, puis il rallume son cigare.

– Je sais... Je sais... tout n'est pas absolument parfait en ce moment, mais ça va s'arranger, tu verras..., lâche-t-il.

En parlant de la sorte, mon père exorcise les démons, balaye ce qui le gêne. C'est pourtant la première fois que je l'entends s'inquiéter de mon avenir, de mes études.

– Je t'ai poussé dans le journalisme en espérant que tu n'y resterais pas. Le journalisme ne peut être qu'une

1. O nuit qui m'as guidé,
   O nuit plus que le point de l'aube aimable,
   O nuit qui as uni
   L'amant avec l'amante,
   Et transformé l'amante dans l'amant!

étape vers autre chose, une initiation. Pour quelqu'un qui a du talent comme toi, ce n'est pas un but en soi. Je sais, tu commences à peine, rien ne presse. Écris tes critiques, mais ne sacrifie pas ce qui t'appartient. Écris pour toi, un roman, un vrai livre. C'est ça qui reste, mon fils. Regarde Dickens, Mark Twain ou Balzac, ce ne sont pas leurs écrits journalistiques qui sont restés. J'en sais quelque chose, moi qui ai tant rêvé d'écrire. Bien sûr, me diras-tu, je pourrais toujours publier la somme de mes articles. Bêtise égocentrique! Ce genre d'écriture vous tue. Nous, les journalistes, sommes des étoiles filantes, des drogués de l'action, des feux follets. Même les mieux payés, les plus célèbres le savent et ils en crèvent. C'est pour ça qu'on trouve chez eux autant d'alcooliques et de morphinomanes.

Il vide d'un air songeur sa tasse de café au rhum que Ma Tomasa s'empresse de remplir à nouveau.

– Otre cafecito, Doctor?

Ce café corsé m'a donné un coup de fouet, et je me dis: «Pourquoi attendre demain pour parler à mon père? Je vais anticiper sur la décision de Nelson, tant pis, l'occasion est trop belle...»

– Qu'est-ce que tu penses de Paris, papa?

– Paris?

Il contemple le fond de sa tasse, y cherchant sans doute une réponse. Puis il a un sourire fatigué, ce même sourire qui fait trembler les genoux de ma mère.

– Paris, comme Venise, sont des mythes, mon fils. Des mirages. Ces villes vivent de leur splendeur passée. Et on nous en rebat les oreilles. Aujourd'hui c'est du toc, du strass, de la merde, au sens strict du mot. A Venise par exemple, l'eau des canaux dégage des odeurs nauséabondes. Et que serait devenu Paris sans la publicité des Américains? Pourquoi tous ces jeunes rêvent-ils d'aller à Paris? C'est la force du mythe, la vie de bohème, Fitzgerald, Hemingway, Gertrude Stein. Pour moi Paris reste la ville grise, dure, hostile de mes années d'étudiant. Mais on oublie vite ce qu'on y a souffert. C'est vrai, un jour ou l'autre, il faudra bien que tu ailles à Paris.

— Pas un jour ou l'autre, père, cette année si possible. Je voudrais partir dans un mois.

J'ai avalé mon troisième café. Mon cœur bat et j'entends dans mes oreilles comme un tourbillon de guêpes. Il y va de ma vie : ne lui laisser aucun répit, le convaincre sur-le-champ, c'est le moment ou jamais. Alors, à mon grand étonnement, les idées s'articulent avec aisance, les mots coulent de source, en torrents, en cascades, les consonnes bousculant les voyelles et renvoyant à d'autres consonnes et voyelles. Je n'en reviens pas : je lui parle le plus clairement du monde, le laissant seul juge. Je lui parle de la sensation d'asphyxie que j'éprouve à vivre à Cuba, un pays où la culture est un luxe ou une activité secondaire et où les mélos pour la radio sont les seuls débouchés possibles pour les jeunes écrivains de ma génération.

— Si tu n'es pas intéressé par l'argent, le cul ou la politique, ce pays te pousse à l'exil. Même ici je me sens exilé. Alors autant être ailleurs. Loin d'ici je me sentirai plus chez moi puisque exilé pour de bon, tu comprends? A Cuba, je suis un étranger.

Enfin je lui fais d'Hanna une peinture idéale, celle d'une jeune artiste très douée qui envisage sa carrière avec sérieux.

— A Paris, nous nous aiderons mutuellement. Ce sera comme ces ententes parfaites, cet amour absolu dont tu parles si souvent... Catherine de Sienne, François d'Assise, Thérèse d'Avila...

— Oui, bon... Pas aussi désincarné, je suppose?

— Non, bien sûr! Mais notre entente n'en sera que plus soudée.

— Je vois, je vois. Nous en reparlerons.

— Promets-le-moi!

Il se lève. Un instant j'ai peur d'avoir été trop loin. Puis il me regarde un long moment et me tend la main. Notre accord est scellé. Entre hommes. Dans le capharnaüm de cette nuit mouvementée, j'aurai au moins réussi une chose : parler avec mon père. Sans m'en rendre compte, j'ai toujours intimement recherché ce dialogue et ce soir, j'ai le sentiment grisant de m'être fait un ami.

C'est à cet instant historique entre mon père et moi que Nelson fait irruption dans la pièce.

– Tu dévergondes mon fils, maintenant, le Bar Eva, tout de même!

– Mais pas du tout, Docteur..., répond Nelson.

– Pourquoi pas, après tout, une visite touristico-culturelle – des putes créoles se faisant passer pour des Grecques – ne peut pas nuire à la jeunesse.

– Ah bon, parce que toi aussi..., dis-je à mon père pour le taquiner.

– Rien de ce qui est humain ne m'est étranger, mon fils, tu le sais bien!

Il sort de son gilet la montre de gousset en or massif incrusté de rubis que lui a offerte ma mère. « J'économiserai, Senta, centime par centime, mais il l'aura cette montre. Elle a appartenu à un cheikh d'Arabie! Chaque fois qu'il regardera l'heure, il saura que je l'aime. »

– Puisque tu fais la fête, il vaut mieux que je rentre, dit mon père. Ta pauvre mère doit être inquiète pour deux.

– Elle ne s'y attend pas, tu vas la tuer!

– Deux heures trente-cinq. On est déjà dimanche, au cas où tu ne t'en serais pas aperçu.

Elias Lévy Stern avait dit vrai. A cette heure avancée, l'ambiance au Bar Eva bat son plein. A peine sommes-nous entrés qu'Elias nous met le grappin dessus.

– C'est du délire! Ce soir un bateau du Pirée mouille dans le port.

Avec ses ampoules rouges et ses rideaux, le Bar Eva a bien l'air de ce qu'il est, un bar de nuit doublé d'un bordel discret. Par une porte dissimulée derrière un paravent, les couples d'une nuit accèdent à l'étage. Une mulâtresse aux formes capiteuses débordant d'une robe à fleurs mauves qui lui colle à la peau monte sur une chaise. Ventre de buveuse de bière, fesses gélatineuses, seins comme des obus, cette Vénus hottentote balance les bras de haut en bas pour trouver la cadence, lançant à l'assistance d'une voix ramollie :

– Pinomè ta ouza ke ti bizamas, troghondas psomi, sardèlee, élièss, tiri ke domata!

Les marins grecs entassés au comptoir applaudissent et reprennent en chœur :

– Pinomè ta ouza ke ti bizamas!

Elias exulte. Il hurle pour se faire entendre au-dessus du vacarme.

– Le Bar Eva entre dans l'histoire. Seul endroit authentiquement intellectuel de notre île! Ici les putes sont cultivées!

– Qu'est-ce qu'elle a récité? Du Homère, du Pindare? demande Nelson.

Pour se détendre, il a avalé cul sec deux mojitos bien tassés et maintenant il se met au rhum.

– Mais non, mon pauvre ami. Des mots simples, sublimes, de la poésie pure. Elle a dit : « Allez-y, buvez, mangez, ouzo, bières, pain, sardines, olives, tomates et fromage! » Quoi de plus beau?

Et Elias pousse l'enthousiasme jusqu'à inviter la femelle en question à notre table.

– Carmencita, la star du port! dit-il en guise de présentations.

– Que calor, chico. Oye, yo me llamo la Pucha para los amigos.

Comme si j'étais devenu analphabète et sourd-muet, Elias me traduit :

– Elle a dit qu'il fait très chaud, que ses amis l'appellent la Poucha.

Vue de loin dans la pénombre rougeoyante du bar, cette jeune femme, mélange de Noire et de Chinoise, est plutôt impressionnante. Mais, quand on se rapproche, c'est une ruine. Sa peau, un désert du Sahel, craquelé sous les couches de fond de teint épaisses. Son mascara a coulé et lui fait des cernes noirs. On dirait un hippopotame engoncé dans des cuirasses de chair. La Poucha s'assoit entre Nelson et moi. Pour ne pas faire de jaloux, elle distribue à chacun les mêmes caresses dans la nuque. Ses doigts gélatineux sont comme des limaces dans mon cou, ses aisselles dégagent une odeur de fauve en rut qui me retourne l'estomac. Pris d'un haut-le-cœur, je me lève précipitamment.

– Excuse-moi, la Poucha, il faut que j'aille pisser, dis-je.

Phrase malencontreuse entre toutes! Il n'en fallait pas moins pour l'animer. La Poucha rejette sa crinière en arrière et rit à gorge déployée. On lui voit le larynx et les amygdales.

– Pipi, il va faire pipi! Avec quoi il pipisse, le mignon, avec sa jolie quéquette! Voyons un peu ce qu'il a là?

Paralysé, je n'ai pas bougé car l'ogresse a attiré l'attention sur moi. Elle tente d'ouvrir ma braguette. Sauvé in extremis par Elias qui intercepte sa main et déverse en grec un chapelet de mots chantants. Je devine qu'il a égrené les mots les plus orduriers de son vocabulaire.

Toilettes puantes, odeurs de pisse insistantes, graffiti obscènes sur les murs écaillés et rongés par le salpêtre. Assis sur le couvercle des W-C, la tête dans les mains, les mains dans les étoiles, je prie :

... pour que Nelson se saoule à mort
pour en finir avec la nuit
pour que je quitte cette île maudite
pour Hanna...
Hanna, ton seul nom éloigne du malheur
chasse les tourments et l'angoisse
Hanna, ma planche de salut
Hanna, ton image me protège
Hanna, mon amour, nous quitterons cette île où nous sommes étrangers...

Difficile de savoir combien de temps je me suis absenté. Quelques secondes prennent la mesure de l'éternité quand je pense à Hanna.

Le fait est qu'à mon retour l'ambiance a changé. Bon nombre de matafs ont quitté les lieux, d'autres sont arrivés à ce point d'ébriété où la table sur laquelle on pose le bras et la tête se transforme en mol oreiller. Quelques filles désœuvrées font chœur avec la Señora Magda. Mâchoire de bouledogue, elle trône derrière sa caisse d'où elle surveille à la fois l'entrée et la sortie discrète qui donne sur les chambres à l'étage. La Pou-

359

cha est montée avec un client. En grande conversation avec deux marins grecs, Elias leur distribue sans compter des signes d'amitié, leur prenant la main à tour de rôle, commandant pour eux à boire et à manger. Les yeux enflammés, il traduit pour Nelson et pour moi ce que racontent les jeunes marins.

– Kostas et Yani sont de Salonique. Ils ont vu les rafles des nazis.

D'après Elias, les frères descendent d'une famille de marins depuis plusieurs générations. Ils sont depuis toujours partis en mer sur des cargos ou bateaux de la marine marchande. Ils ont déjà fait plusieurs fois le tour du monde. Tous deux se ressemblent comme des jumeaux. Même visage tanné par le soleil, mêmes yeux enfoncés, même pattes d'oie étoilées quand ils rient, même geste pour humer le rhum dans leur verre et trinquer ensemble. Seul signe distinctif, Kostas a la joue gauche traversée d'une vilaine cicatrice qui s'étend du front jusqu'au menton, souvenir d'une bagarre au couteau dans le port de Manille.

– Les salopards ont fait descendre tout le monde dans la rue. C'était le quartier juif, mais il y avait aussi bon nombre de chrétiens, Arabes et métèques de tout poil. Cette petite Babel multicolore était unie, on partageait tous la même pauvreté. Nos gosses jouaient ensemble dans la rue. On se foutait pas mal de savoir qui croyait à quoi, pourvu que l'on ait à becqueter, un toit et des femmes... Quoi? Qu'est-ce que tu dis...? Ah, le con!

Elias, en équilibre instable sur son tabouret, envoie des grandes tapes dans le dos du marin.

– Le bout de la queue coupé, oui, c'est ça qui fait le youpin!

Une autre bouteille de rhum vient au secours d'une nouvelle explosion de rire. Les frères remplissent leur verre, reniflent le divin nectar et lèvent le coude ensemble, en parfaite synchronisation.

– Elias, O iné SimbatOiticoss!

Le sympathique Elias, comme ils l'appellent, tient mieux l'alcool qu'eux. Son secret : il ne cesse de manger. Au night-club de la calle L, je l'avais vu s'enfiler deux énormes sandwichs bourrés de laitue, tomate, bacon, morceaux de dinde, œufs durs et tranches de fromage hollandais. L'Eva ne sert pas à manger, mais pour le SimpaOiticoss Elias, Mme Magda aurait découpé son cœur dans une assiette. Les filles, aux petits soins, ont apporté du chorizo bien piquant, des bouts de mortadelle racornis et des tranches de pain. Seul Elias semble se régaler de cette victuaille douteuse. Droit comme un i, Nelson affiche un air distant, ne quittant pas des yeux la porte d'entrée par où il s'attend d'un moment à l'autre à voir apparaître Sylvia. Il boit à petites lampées, ce qui m'agace profondément. D'après mes calculs, il en est à son septième verre. Pour ma part, j'ai profité de mon séjour aux toilettes pour me vider l'estomac. Entrecoupé de quelques toasts à la gloire de la grande Grèce, Elias continue de faire l'interprète.

— Dans ce quartier, circoncis ou non, la vie se reproduit comme une épidémie, sans discrimination.

— C'est pas nouveau, renchérit Yani. Ça dure depuis des siècles. Les Vikings, les Huns, les Tatars, tous ces mélanges, ça donne le sang chaud. Quand il était plus jeune, mon frère Kostas était fou amoureux d'une beauté juive.

Elias a un geste du bras comme s'il voulait effacer une armée de fantômes qui demandait à prendre la parole.

— On les a tous fait descendre dans la rue. Vieux, jeunes, hommes, femmes, enfants, malades et bien-portants, en plein soleil. La vermine, comme ils disaient, sans distinction. Face à eux, des soldats casqués et armés, des voitures blindées à tous les coins de rue. On n'y comprenait rien. Des camions recouverts de bâches, vides. Des hommes en noir aussi. Une brigade de SS dirigeait les opérations. La Gestapo avait bien fait son travail, une liste avait été établie à l'aide de mouchards.

— Chez nous aussi nous avions nos nazis, dit l'autre frère.

– Des listes de noms interminables. Tous dans le même sac, la même pollution. Juden égale Juden : ça n'avait pas le droit à la vie.

Elias Lévy Stern, je lui connais déjà différents visages : le masque souriant et cynique qu'il arbore pour séduire les filles ou pour porter la contradiction à son interlocuteur ; un visage sérieux jusqu'à la crispation quand il discute ou assiste à une tragédie de Sophocle ou d'Euripide dont il ne manque pas une représentation au théâtre universitaire place Cadenas ; l'air illuminé, le regard fiévreux quand il évoque la création de l'État d'Israël. Ce soir, pour la première fois, je lui vois un masque de haine. Il répète plusieurs fois le mot Juden, insistant sur l'accent allemand pour mieux coller à la peau de son ennemi, en frappant du tranchant de la main sur la table, comme s'il s'abattait sur la nuque d'un nazi. Juden... Juden...

– On a tué des Juifs, et après ? Est-ce que tu as compté les Grecs qui se sont fait descendre par les Allemands, petit con ? dit un géant à la voix de baryton qui vient de se réveiller et ramène ses cent vingt kilos de viande vers notre table. Combien de combattants communistes ont été torturés, exterminés par les nazis pendant la guerre ! Et le massacre a continué après. Les bourreaux étaient anglais, américains, grecs. Frères contre frères. Alors, n'essaie pas de m'apitoyer avec le malheur des Juifs et ferme-la !

Les poings serrés, la tête rentrée, Elias lui tient tête.

– Ma gueule, je ne la ferme pas si facilement. Un militant communiste, qu'il soit grec ou pas, sait à quoi il s'expose. Comme un soldat, comme un prêtre, il doit assumer ses choix. Pas un enfant, ni une femme enceinte, ni un vieillard. Ces gens-là ont été sacrifiés. Et c'est avec ceux-là que Staline a pactisé en 1939.

– Tu oublies Stalingrad, morveux !

Le type parle un espagnol douteux, mais sa façon de prononcer les z et les j laisse penser qu'il l'a appris sur le terrain. « Un ancien des Brigades internationales », me dis-je. Assis sur mon tabouret et coincé contre le mur, la silhouette de menhir du type m'inquiète. Elias, lui, n'a pas l'air impressionné par le colosse qui s'est planté devant lui, muet comme une pierre. Il s'avance vers le gars et, lui martelant la poitrine de ses deux doigts, comme pour soutenir rythmiquement ses paroles, il poursuit :

– A Stalingrad, le peuple a résisté, d'accord! Et après? Sais-tu ce que les Russes auraient dû faire s'ils avaient été plus clairvoyants? Retourner leurs armes contre le Kremlin et descendre Staline. C'est lui qui a décapité son armée avant la guerre, c'est lui qui a cru au pacte germano-soviétique. Stratégie de vieux paysan géorgien visant à mieux préparer sa riposte? Mon œil! Cette histoire à l'eau de rose a été concoctée a posteriori. Staline, comme Mussolini, admirait Hitler qui avait osé faire ce dont lui-même rêvait depuis longtemps. Staline a cru qu'il pourrait se partager le monde avec Hitler. Ça avait marché avec la Finlande, les pays baltes et la Pologne, alors pourquoi pas ailleurs? Bien sûr, Hitler l'a trahi. Et Staline a dû en crever de dépit. Au fond, Joseph Vissarionovitch était nazi, comme l'autre!

Sans qu'il ait eu le temps de s'en apercevoir, le bras droit du marin qui pend à son flanc comme un objet inanimé se lève et s'abat sur Elias, foudroyant. Elias tombe à la renverse. Un filet de sang vermillon coule de ses narines. D'un même élan Kostas et Yani se ruent sur l'animal. Les tables sont renversées et les chaises virevoltent. Les autres clients qui étaient avachis sur les tables se réveillent et entrent dans la bagarre. Ils frappent sans discernement, avec une joie bestiale et une pugnacité d'aveugles. Certaines filles essayent de séparer les hommes, se lançant joyeusement dans la mêlée. L'une d'elles reçoit une gifle qui l'envoie valdinguer contre le comptoir. Dignement, la Señora Magda se hisse sur son tiroir-caisse et se met à hurler :

– Dehors! Dehors! Foutez-moi cette racaille dehors!

Avec l'aide d'une pute, j'entreprends de soulever Elias, mou comme une chiffe, et de le porter jusqu'à notre table. Nelson Mendès n'a pas bougé. L'air absent, il a juste légèrement pâli et observé le branle-bas d'un air détaché. Avant que la fille et moi ayons atteint la table, je le vois se lever. Comme s'il exécutait un geste quotidien, il sort un pistolet de la poche intérieure de sa veste, le pointe vers le plafond et tire. La balle va se ficher dans une poutre. Une pluie de poussière de bois saupoudre ses cheveux. La détonation, qui a arrêté net ceux qui s'empoignaient encore, déclenche la fureur de la patronne. Abandonnant son poste de commande, la Señora Magda descend dans l'arène, distribuant des gifles et poussant sans ménagement les marins vers la sortie.

– Puta madre! Il ne manquait plus que ça! Des pétards dans mon bistrot! J'veux pas d'embrouille avec les flics, bande de connards! Celia, Chiquita, la Brava, foutez-moi ces charognards dehors!

Dans un silence de plomb, les marins commencent à se disperser. Les frères de Salonique parlementent un moment avec le colosse qui déclare forfait. Elias est revenu à lui. Il interpelle Kostas et Yani, se tamponnant le nez qui continue à pisser le sang avec son mouchoir. Puis il donne une accolade à Nelson et s'approche de moi les bras grands ouverts :

– A la prochaine, petit! Je continue la fête avec les jumeaux, ils m'ont foutu la nostalgie... (Il me serre dans ses bras vigoureusement.) A Jérusalem, frère. Ne me fais pas faux bond, souviens-toi que nous avons pris rendez-vous.

– A Jérusalem, vieux, ai-je à peine le temps de lui répondre car, déjà, il s'éloigne avec ses amis.

Il se retourne sur le pas de la porte et agite son mouchoir taché de sang en signe d'adieu.

Jérusalem... La voix d'Hanna me revient, ce ton agacé que je ne lui connaissais pas. « Qu'avons-nous, toi et moi, à voir avec Jérusalem? C'est une ville vieille, sale et triste. »

Par un réflexe idiot, j'agite la main en direction d'Elias, mais il a disparu. C'est plutôt à mes rêves que je dis adieu. Une façon comme une autre...

– Si on l'attendait là? me dit Nelson une fois sortis.

Il attend toujours, il a de l'espoir. A l'intérieur du bar les lumières s'éteignent une à une, les volets claquent.

– Faisons quelques pas. Au cas où la police interviendrait, il ne fait pas bon se faire remarquer.

Il propose de s'abriter dans un hangar de l'autre côté de la rue, car il n'en démord pas, il veut attendre Sylvia.

C'est une bâtisse énorme et délabrée avec une toiture en zinc qui a gardé la chaleur du jour, une vraie fournaise. Ça sent la rouille, le salpêtre et le mazout. D'ici nous pouvons surveiller les allées et venues à l'entrée du bar tout en restant discrètement dans la pénombre.

– Depuis quand portes-tu un pistolet sur toi, Nelson ?

– Ça ? dit-il en sortant l'engin de sa poche. C'est un cadeau du Docteur, ton père.

– Mon père ?

– Il prétend que Luyano est un quartier dangereux. « Une arme d'autodéfense » m'a-t-il dit. Je crois plutôt que c'est pour défendre son journal. Depuis la fameuse nuit où il y a eu une tentative de cambriolage... et je reste seul la nuit pour écrire sur sa machine à écrire car mon vieux chariot donne des signes de maladie. Mais, je t'assure, d'ordinaire il est dans le tiroir de mon bureau.

– Comment se fait-il que ce soir...?

Il fait mine de regarder ailleurs, comme s'il ne m'avait pas entendu, et continue :

– Ce soir... Si tu n'étais pas venu me dire que Sylvia regrettait sa colère et les choses terribles qu'elle m'a dites... si elle ne t'avait pas envoyé me chercher, ce soir, j'aurais pris ma voiture et roulé jusqu'à l'aube. Je me serais arrêté quelque part, à Varadero peut-être, pour voir la plage une dernière fois. « Le sable le plus fin du monde. » Et peut-être que là, au bord de l'eau, « l'eau la plus transparente du monde », je me serais fait sauter la cervelle avec ce pistolet.

Il me regarde, me sourit. Nelson a retrouvé son calme, un regard brillant de confiance et d'amour. Au bord de l'abîme, il est prêt à renaître au nom de cet amour. Sylvia n'a qu'à s'approcher, à lui tendre la main, à lui ouvrir ses bras. Comme ses amis, je me suis habitué à voir en Nelson une sorte de Pierrot décadent qui joue à l'amoureux transi, moitié par masochisme, moitié par esprit de contradiction. Il s'est toujours donné le rôle du mal-aimé, mais je n'avais pas mesuré la force de son amour, son authenticité. Nelson, acceptant toutes les humiliations pour sauver son amour, ne pouvait nous paraître que démodé ou ridicule. En l'écoutant, je me dis qu'au fond il a raison. Pourquoi faut-il toujours concevoir les relations humaines comme un match, comme un rapport de force? Je t'envoie la balle, tu me la renvoies. Le gagnant peut perdre un jour, le perdant gagner, mais toujours l'un attend quelque chose de l'autre. On donne pour mieux recevoir, alors que chacun rêve de la fusion de l'âme et du corps. Nelson, lui, instaure d'autres règles. C'est sa force. Il se moque du qu'en-dira-t-on, ne craint pas le mépris des autres et les railleries. Il aime Sylvia à sens unique. Elle est libre de faire ce qu'elle veut, avec qui elle veut, pourvu qu'elle lui permette, à lui Nelson, de la voir, de rester son ami. Leur entente dure depuis des années. L'un aimant et l'autre se laissant aimer. Ce soir, pourtant, c'est la rupture. Ce ne sont pas les propos sordides de Sylvia qui l'ont ébranlé, c'est qu'elle l'a menacé de ne plus le voir, jamais.

– Je sais, personne ne peut comprendre. Moi-même d'ailleurs je ne cherche pas à comprendre, les choses sont ainsi. La présence de Sylvia m'est aussi nécessaire que l'air que je respire. Je sais ce que les autres disent de nous, mais que savent-ils? Sylvia ne m'a jamais menti, c'est moi qui ai voulu rester près d'elle. La voir, lui parler, savoir qu'elle a confiance en moi me suffisent. Mais ce soir...

Nelson m'a ouvert son cœur, sans méfiance, il m'a parlé comme à un frère. Et moi, je suis là pour exécuter les ordres de Manu.

Au cours de nos « conversations idéologiques », je m'en souviens, Manu et Lohengrin parlaient de la lutte sans merci contre l'ennemi de classe. « La morale bourgeoise repose sur l'hypocrisie et la puissance des nantis. Les lois sont destinées à empêcher le peuple de prendre le pouvoir. Notre morale à nous ne tend qu'à un seul but : défendre le droit des peuples à disposer d'eux-mêmes. En période de guerre, on ne s'arrête pas pour se demander si l'on doit ou non tirer sur l'ennemi. On tire. Nous sommes en guerre, camarades. Plus tard, nous aurons tout le loisir d'être sensibles et compréhensifs, de tendre la main à celui qui est à nos pieds. Mais nous n'en sommes pas là, si tant est que ce moment puisse arriver un jour! Aujourd'hui, c'est nous qui encaissons les coups. Alors, pas d'hésitation : s'il faut enfoncer l'ennemi, il n'y a pas de sentiments qui vaillent, enfonçons-le! »

Ce soir pour Manu, l'ennemi à neutraliser c'est Nelson. Il me l'a bien expliqué dans la voiture. Et je suis l'instrument qui doit retenir Nelson, l'empêcher de déjouer leur plan, c'est tout.

— Tout à l'heure, j'ai cru lire dans les yeux de Sylvia quelque chose qui m'a anéanti, poursuit Nelson. Peu importent ses invectives, ses insultes, j'ai lu dans ses yeux. C'est fini, me disaient-ils, c'est vraiment fini. Quelque chose s'est brisé pour toujours. Ne me demande rien, le lien mystérieux qui nourrissait notre entente s'est évanoui. Et puis... voilà que tu es arrivé au journal. Je n'espérais plus rien... cette fois, c'est moi qui n'en voulais plus. Voilà pourquoi je t'ai si mal reçu. Dieu merci, je me suis trompé. Ça devait être la colère qui déformait son visage aussi horriblement car, vois-tu, depuis le premier jour, Sylvia et moi sommes toujours restés unis par un lien très puissant, quelque chose qui dépasse l'amour entre un homme et une femme. Un serment de vie et de mort inaltérable. Il faut que je la voie, que je lui dise...

— Tu ne lui diras rien, Nelson, Sylvia ne viendra pas, je t'ai raconté des histoires.

J'ai craqué, c'est plus fort que moi, j'ai déballé toute l'affaire et raconté à Nelson comment Lohengrin et

Manu voulaient piéger Marsac pour le compromettre et le faire chanter. Je lui ai expliqué le rôle que devait jouer Sylvia dans cette mission et comment on m'avait chargé de le maintenir à distance.

Il m'a écouté, impassible, sans manifester la moindre émotion. Peut-être inconsciemment s'attendait-il à ce retournement du destin. Il ne m'a pas fait le moindre reproche, il a juste dit le plus calmement du monde :

– Amène-moi où ils sont. Il faut que je la voie.

– Ça ne va pas te faire du bien, Nelson, dis-je, essayant de le dissuader.

– Qui peut décider de la frontière entre le bien et le mal, qui ?

De nouveau nous voilà sur cette avenue du Malecon qui n'en finit pas de longer la mer, insondable et bleu foncé. J'ai un goût amer dans la bouche et la tête traversée de part en part d'une douleur lancinante. Nelson conduit, les yeux fixés devant lui. L'avenue est quasiment vide dans les deux sens. La nuit est en bout de course, pourtant ce n'est pas tout à fait l'aube. Heure indécise, faite de regrets et de troubles. Le ciel bas sur la mer présage que la journée sera grise, humide et chaude. « Une journée de fin du monde », aurait dit ma mère.

L'aube

— Ne t'inquiète pas, Chino, m'a dit Manu pour s'excuser, tu n'es pas de la fête ce soir. La faute à cet enfoiré de Nelson. Mais je te le promets, je t'emmènerai chez les jumelles une autre fois, on trouvera bien une occasion. Crois-moi, ça vaut le coup...

Construite sur une langue de terre verdoyante en surplomb de la mer, la belle demeure à laquelle on accède par un chemin de terre orangé repose sous les arbres au milieu d'une luxuriance d'essences précieuses et embaumées. Cèdres centenaires, pins parasols géants, fromagers et bambous se mêlent aux acajous et à de magnifiques eucalyptus qui se répandent en cascades bleutées et odoriférantes. D'un côté on descend par un escalier sur la mer où les jumelles ont fait construire un ponton de bois. Transats, barbecue, cabines et cahutes au milieu des grands hibiscus en fleur, c'est leur plage privée. Un énorme yacht mouille devant, cadeau – dit la rumeur – d'un haut dignitaire de l'armée, ami de Batista. Côté terre, on entre dans la propriété par une grille de fer forgé baroque aux allures de tabernacle, encadrée de palmiers royaux, déployant avec solennité leurs cierges et plumeaux haut dans le ciel. Puis on traverse des champs d'orangers et de citronniers et un chemin de gravier crissant vous mène à la maison.

Quand nous arrivons, la grille est ouverte. Manu et Marsac ont garé leur voiture à l'entrée du chemin. Nelson glisse son véhicule entre les deux autres et coupe le moteur.

— J'attends ici, déclare-t-il, les mains sur le volant, le visage fermé.

Il n'a pas lâché un mot de tout le trajet. J'ai tout de suite compris que toute velléité d'excuse ou tentation de remords n'y changerait rien. C'est trop tard. Il ne me pardonnera jamais de ne pas lui avoir dit la vérité tout de suite. La seule chose qu'il me reste à faire, c'est de convaincre Sylvia de le rejoindre.

Dans les divers reportages que Senta m'avait montrés sur « La maison de rêve des jumelles », « Mara et Malvina dans leur palais de Regla », « Les jumelles, princesses du peuple », aucun journaliste ne s'était accordé sur le style de la maison : architecture majorquine, maure, andalouse mâtinée de Galice? A bien l'observer, il y avait sans doute un peu de chacune car c'était l'œuvre originale d'un architecte qui avait vraisemblablement laissé libre cours à son imagination, inspirée d'influences diverses. Avec le temps, les propriétaires successifs y avaient apposé leur griffe, abattant ici un mur, ajoutant là balcons et rangées de jalousies, ici encore un nouveau contrefort. Mara et Malvina avaient mis un bataillon d'architectes et de décorateurs au travail, les priant de restituer l'esprit original de ce bijou d'architecture coloniale : un porche avec une terrasse en arcade courait le long de la façade principale. Les balcons et les fenêtres du second étage avaient été débarrassés de tout ce qui était venu s'y greffer au cours de ses occupations successives. Échoppes pourries, colombiers, ateliers de chaussures avec leurs excroissances de tôle, nurseries. Les portes et les fenêtres branlantes avaient été entièrement restaurées.

– A notre plus grande joie, expliquait Malvina au journaliste, nous avons découvert que cette maison avait été conçue pour jouer subtilement avec la lumière et l'ombre. Toutes les ouvertures, terrasses, portes et fenêtres sont orientées de telle sorte que le soleil y entre à toutes les étapes de sa course. La lune aussi! Tu connais la réputation de nos fêtes de la pleine lune, bien sûr!

Et Mara, en bonne commère, faisant toujours chorus avec sa sœur, d'ajouter :

– Chéri, note bien dans ton article que Malvina et

moi avons aussi voulu retrouver les couleurs de l'Espagne du Sud : le bleu des volets et des portes, les murs blanchis à la chaux, l'ocre des façades. Séville et Cordoue au cœur de Regla !

Comme en Andalousie, elles avaient aussi voulu, disaient-elles, recréer « le mystère et l'inexprimable sensualité des jardins de l'Alhambra de Grenade ». Un paysagiste japonais et deux jardiniers de Cordoue avaient mis leur talent à contribution pour faire grimper les plantes jusqu'au toit.

– Bougainvilliers, clématites, jasmins, rosiers et orchidées... Tu n'imagines pas, chéri, ce que nous avons dépensé pour faire construire ces fontaines, ces jets d'eau !

Avant de pénétrer sous le porche, je m'arrête, retenant mon souffle... Pour écouter les confidences murmurées de ces fontaines, le doux chuintement des jets d'eau, des rideaux de bruine, pour humer les parfums sucrés qui montent de la terre, ajoutant leur fraîcheur à celle de la rosée. Une merveille. Les jardiniers ont fait leur œuvre, relayés par la vitalité d'une végétation qui a conjugué l'humidité du sol arrosé en permanence aux effets de serre du soleil tropical. Les effluves des jasmins, des mariposas et des citronniers inondent l'aube comme au premier matin du monde. Il fait bon rester là, lézard guettant le frémissement des fougères, le glissement des gouttes d'eau sur les arabesques de faïence vertes et bleues d'une fontaine. Dans ce concert de la nature, je me sens devenir pierre, arbre, objet inanimé. Encore un sortilège de la Vierge de Regla... Je deviens roseraie, manguier, moustique, palme. Sommeil bienheureux de la terre, pour les siècles des siècles. Qui va me réveiller ? Quand ? Où suis-je ?

Le souvenir du masque figé et tragique de Nelson m'arrache à mes rêveries, à cet abandon délicieux. Il faut entrer dans la maison.

Sous le porche, de gros rocking-chairs en osier, comme des chauves-souris repliées, reposent dans la pénombre. Lohengrin, assis en tailleur dans l'un d'eux, surgit de l'ombre, hirsute.

– Qu'est-ce que tu fous là? me demande-t-il en faisant grincer l'animal sur ses gonds.

– Et toi?

– Manu et Marsac baisent avec les jumelles. Une pour chacun. Sylvia se saoule d'alcool, de musique et de marijuana. Comme tu vois, je médite et prends le frais. Qu'as-tu fait de Nelson?

– Il est en bas dans la voiture. Il veut que je lui amène Sylvia.

– Bon débarras. Cette hystérique a failli tout faire foirer.

– C'est-à-dire?

– Orgueil mal placé, vagin de travers ou remords subit : à la dernière minute l'idiote s'est refusée à Marsac. Il faut dire que Mara l'avait bourrée de marijuana, « pour mieux jouir, ma chérie... ».

Il éructe, imitant la voix haut perchée de la mulâtresse.

– Et alors?

– Alors rien. Marsac, bien bourré, n'a eu qu'à se retourner pour céder aux charmes de Malvina qui n'attendait que ça pour s'envoyer au plafond. Je l'ai entendue hurler et vagir de plaisir, il y a à peine quelques minutes.

– Et Manu? Il fait la sieste avec Mara, je suppose?

– Pour lui, la mission se termine en apothéose. Marsac a fait le con, il s'est ridiculisé et compromis au vu et au su de tous les noctambules de La Havane. Nous aurons des photos, des enregistrements. Manu s'est entendu avec Mara et Malvina pour dissimuler un magnéto sous le lit. Gémissements, roucoulements, rugissements, incitations obscènes, nous aurons notre compte.

Lohengrin est secoué par une quinte de toux qui le fait se replier sur lui-même. Il supporte mal ces soirées, je le sais. La fumée âcre des cigares mélangée à l'air climatisé dessèche ses bronches fragiles. Je le laisse se débattre avec des gestes de noyé. Restent deux pas à faire pour franchir la porte d'entrée, illuminée et grande ouverte.

Dans le hall il y a un escalier avec une rampe de bois sculpté qui court tout le long du premier étage. A l'origine, cet escalier était en bois, mais les jumelles ont fait mettre des marches en marbre. « C'est plus chic, avait déclaré Malvina, pouffant de rire. Avec nos talons aiguilles, on aurait dit que ce pauvre escalier avait chopé la vérole! » Ce que l'odalisque à la peau d'ébène avait oublié de dire c'est que, lorsqu'elles recevaient, cet escalier constituait l'élément central de leur mise en scène. En effet, le clou de la soirée c'était le moment où les deux jumelles, somptueusement parées, descendaient les marches une à une, adaptation tropicale du fameux numéro de music-hall : guerrières sensuelles, vierges noires, hiératiques et sculpturales, elles s'offraient aux regards éblouis de leurs invités. A la suite de quoi les journaux commentaient longuement leur tenue.

Dans l'aile droite de la maison se trouve une salle à manger de pur style colonial, dans l'aile gauche une enfilade de salons qui font un coude et s'ouvrent sur une terrasse avec vue sur la mer. Mais c'est la cuisine surtout qui retient l'attention. « Made in iou esse eie », « the best from Chicago, New York, Pennsylvania... », on y trouve les gadgets dernier cri. Une armada de robots ménagers, machines à laver le linge, la vaisselle, séchoirs, fours, réfrigérateurs, aspirateurs électriques, fers à vapeur, jusqu'aux poubelles, tout ici est de fabrication américaine.

Quant à la salle de séjour, comble de sophistication pour les négresses de Regla, elle est d'inspiration nordique. Tapis blancs, imitation peau d'ours, tables en verre et aluminium, fauteuils design importés de Finlande, ce salon fait jaser. D'où leur est venu ce caprice, cette attirance pour l'atmosphère blanche, froide et aseptisée du Grand Nord? On a invoqué toutes sortes de raisons, des plus sordides aux plus romantiques selon le degré de malveillance ou de fascination qu'on entretenait à leur égard. Le bruit a couru que les jumelles avaient obtenu un lot complet au rabais. On a raconté aussi qu'elles avaient fait du chantage à un diplomate suédois qui s'en était sorti en meublant leur salon. Ou encore que Malvina était tombée folle amoureuse d'un décorateur hollandais, élève de Gropius et fervent amateur de design finlandais.

Je traverse le salon, attiré par la lumière et la musique qui provient du fond. C'est le coin musique, le refuge. Ici les amoureux finissent la nuit sur les tapis de peau, les sofas bas et moelleux. Un radio-gramophone trône au milieu. Innovation technologique au service de la stéréophonie, Mara et Malvina avouent que cet objet a transformé leur vie. C'est devenu pour elles un instrument de travail dont elles pourraient difficilement se passer. « Nous écoutons tout, de Chopin et Liszt à Miguelito Valdès, de Lena Horn à Juliette Gréco, une fille qui fait un tabac à Paris en ce moment... Tu sais, ma biche, pour durer dans ce métier, il faut être au courant de tout. »

De toute évidence le groupe a dû faire une halte ici. Des coupes, des bouteilles de champagne vides, des compotiers de fruits et des restes de gâteaux.

Sylvia Ruiz Flores est allongée par terre, la tête appuyée contre le rebord du sofa. Objet abandonné, coupe chavirée. Sans tenir compte le moins du monde de ma présence, elle vide une bouteille de champagne au goulot et se met à chercher dans un lourd cendrier de cristal bourré de mégots, un morceau de cigarette refroidie.

J'attrape le briquet d'argent massif et fais sauter la flamme.

« O, my man, I love you so... » miaule la voix de Billie Holiday.

Une odeur douceâtre flotte et s'étire, enveloppante. Sylvia me met la cigarette sous le nez.

— Pas maintenant, tout à l'heure, Sylvita, dis-je, refusant son invitation.

Elle tient la cigarette dans sa main gauche et de la main droite elle a rassemblé ses longs cheveux de miel derrière la nuque. Ses yeux dévorent son visage.

Comme s'ils avaient leur vie propre, que les pupilles agrandies, dilatées ne demandaient qu'à s'arracher de leur orbite pour prendre leur envol. Puis elle repose sa tête, objet fragile et précieux, au bord du sofa avec d'infinies précautions, murmurant quelque chose que je n'arrive pas à saisir.

– Pardon?

– Billie. Cinq fois que je la remets. Qu'on jette tout le reste à la mer. Billie, c'est la seule...

Sa voix traîne, s'alanguit. Elle pompe avidement sur sa cigarette de marijuana et ferme les yeux.

– Sylvia, Nelson t'attend près du portail...

Les yeux clos, elle cherche mes lèvres et les parcourt d'un doigt, suivant leur dessin comme un sculpteur qui étudie son modèle. Je la laisse faire. Puis nous nous dévisageons un long moment. Les yeux dans les yeux, le souffle suspendu.

– Sais-tu ce que j'aime en toi? dit-elle. Ton regard d'enfant triste, tes airs de chien battu.

Lentement, elle glisse son bras autour de mon cou pour m'attirer à elle. Je lui prends les épaules, la maintenant à distance.

– Tu m'entends? Nelson, il faut que tu ailles le voir!

– Nelson...

Toute son attention se porte subitement sur le bout de sa cigarette qui menace de s'éteindre. Elle en tire une longue et profonde bouffée, avale la fumée qu'elle recrache par les lèvres, après l'avoir retenue dans ses poumons.

– Je donnerais ma vie, la dernière goutte de mon sang pour ne plus le revoir, jamais.

Je m'y attendais. A sa manière, pudique, orgueilleuse, Nelson n'était pas dupe. Il l'avait bien compris, avant que l'optimisme et l'aveuglement ne lui redonnent un sursaut d'énergie.

En observant Sylvia, tous mes espoirs pour Nelson s'évanouissent. Persuadé que c'est une cause perdue, je fais cependant une nouvelle tentative pour plaider en faveur de mon ami.

Je raconte à Sylvia dans quel état j'ai trouvé Nelson

en arrivant au journal, les bobards que je lui ai racontés, son soulagement, l'attente au Bar Eva, la bagarre, le coup de feu, le pistolet.

– Il était prêt à se tuer, Sylvia, tu m'entends? Il allait se tuer. Et si maintenant je ne reviens pas avec toi...

Son corps s'est peu à peu détendu, son visage est très lisse. Elle m'écoute avec attention. « C'est le moment de marquer des points », me dis-je.

– Où est le mal, Sylvia? Il ne demande qu'à te voir.

Sa réaction me déroute. Elle relève royalement la tête, son visage prend la dureté du marbre et ses yeux, rétrécis par la colère, la couleur de billes d'acier.

– Où est le mal? Le mal, c'est qu'il garde tout pour lui. La honte, la peur, le dégoût de soi-même. Il se ment, Chino, il s'autodétruit. Il ne veut pas se voir en face. Il se prend pour un saint, voilà le mal!

Elle s'est assise sur les genoux, ses cheveux lui cachent la moitié du visage. De nouveau, fébrilement, elle fouille le cendrier pour en extraire un bout de joint à rallumer.

– La première fois que je lui ai raconté comment je m'étais fait dépuceler par un autre, il n'a pas eu une réaction saine. Il aurait dû me battre, me cracher à la figure, me punir. Pour moi, ça aurait été plus simple. Comme aurait fait un père, ou un vrai amant. Nelson n'a rien fait, rien dit. Il s'est mis à trembler de tous ses membres, à pleurer... Et moi qui étais prête à ramper devant lui pour me faire pardonner, c'est moi qui ai dû le consoler. « Ça n'arrivera plus, Nelson, mon ange, mon amour, ne pleure pas... » Et le lendemain, je me faisais sauter par un autre, pour me punir. Contre moi, contre Nelson, contre le destin, contre cette putain de vie qui sème en nous le dégoût et la violence. A propos, est-ce que tu as lu *L'Éveil du printemps*?

– Comment?

Assise en tailleur, la jupe relevée jusqu'à l'aine, elle tire sur sa cigarette de marijuana, repoussant à chaque fois ses cheveux en arrière.

– Wedekind. Une pièce de théâtre. Tout y est, là-dedans. Je l'ai fait lire à Nelson. Il n'a rien compris.

« Très germanique... » voilà son commentaire... « Une bande de décadents allemands. » Vraiment, le con! Wedekind a tellement bien analysé la situation... Nelson, s'il avait été intelligent, aurait dû m'accompagner dans ma descente aux enfers, mais il n'est pas courageux non plus. Mille fois je lui ai proposé, car je m'étais fait un devoir de ne rien lui cacher : je suis faite ainsi, Nelson, j'ai besoin de nouveaux corps, de nouvelles expériences. Il n'y a rien de mal à ça. Puisque tu ne veux pas faire l'amour avec moi, veux-tu me regarder le faire avec d'autres? Regarder comme je m'épanouis quand je m'abandonne à un homme, quand il me comble, m'entendre gémir et crier de plaisir au moment de l'orgasme?

Il fait une chaleur moite, oppressante. J'ai retiré ma veste et roulé les manches de ma chemise. Sylvia s'accroche à mon bras.

Dans une sorte de fièvre convulsive, elle roule sur le tapis d'un côté et de l'autre, serrant son corps entre ses bras. Je n'arrive pas à savoir si elle rit ou si elle pleure. Dans cette position de repli sur elle-même, on dirait qu'elle cherche la protection du ventre maternel. Puis, aussi brusquement, elle se ressaisit et se relève. Sans rien oser lui dire, je suis ses moindres gestes, à l'affût de changements inespérés. Épuisée, elle se met à gémir comme un animal blessé.

Ensuite, comme au théâtre, elle prend l'attitude conventionnelle qu'elle a généralement devant les autres. Elle vient s'asseoir sur le sofa, lisse ses cheveux, rajuste sa jupe, croise les jambes. Atmosphère guindée et conversation en demi-teintes autour d'une tasse de thé.

D'un air distrait, avec une apparente sérénité, elle déclare :

– Ça aussi, j'ai fini par lui dire...

– Quoi donc?

– Que j'étais stérile! A force de coucher avec le premier venu, j'ai attrapé de sales infections qui ont été mal soignées. Il a fallu tout m'enlever. Si vous voulez savoir, mon cher, je ne serai jamais la mère de personne.

– Et Nelson, comment a-t-il réagi?

– C'était au Miramar, au yacht-club. Il sirotait son habituel gin-Martini, j'en étais à mon troisième gin-fizz. Le soleil déclinait. C'était cette heure exquise, comme hier soir, sur le Malecon, cette heure exquise où tout bascule, où tous les rêves sont permis. Nous avions déjeuné et passé l'après-midi ensemble. Je n'avais jamais été aussi charmante avec lui. Il rayonnait de bonheur. Il avait l'air confiant, heureux, si amoureux que je ne savais pas comment m'y prendre pour lui dire. Je me faisais des paris idiots, du genre « si je ne lui ai rien dit avant le coucher du soleil, je garde le secret pour toujours ». A l'époque, je revenais du Mexique où j'avais tourné dans un mélo médiocre. Je n'avais pas voulu qu'il me rende visite là-bas. « Laisse-moi quatre semaines de liberté, Nelson. » Et pour lui donner matière à se tourmenter pendant mon absence, j'avais inventé que pour obtenir le rôle principal, moi, une pauvre étrangère dans un pays ultra-nationaliste, j'avais passé un week-end au lit, à Acapulco, avec le réalisateur. Je lui ai aussi raconté que j'étais partie avec la Lucha qui jouait un petit rôle dans le film. Tu vois qui c'est, la Lucha, celle qui a chanté au Tropicana ce soir.

– La gouine...

– C'est ça... Je voulais qu'il vive en enfer pendant ces quatre semaines. Il s'attendait au pire et voilà qu'à mon retour il a retrouvé (il me l'a avoué plus tard, les yeux brillants de reconnaissance) la jeune fille qu'il avait aimée à douze ans, sa Sylvita à lui, pure, innocente. Il a tout de suite compris que j'avais inventé un scénario. En fait, j'avais travaillé comme une esclave dans ce film minable, tourné à toute allure. La semaine d'avant, seule, enfermée dans une chambre d'hôpital, je m'étais fait opérer. Sans voir personne hormis l'infir-mière et le médecin de garde. Récapitulant heure par heure ce qu'avait été ma vie depuis que j'avais eu la malchance de rencontrer Nelson. Sans lui, j'aurais été une fille comme les autres, une femme normale. Mariée ou pas, couchant avec plusieurs hommes, au gré de ses envies. Sans lui, je ne serais pas tombée dans cet état proche de la démence. Jusqu'où dois-je aller pour le faire réagir? Jusqu'à quel point me dégrader? Il faut qu'il paye pour le mal qu'il m'a fait, sous prétexte d'amour.

Les deux mains jointes, elle renverse la tête et l'appuie contre le mur, les yeux clos. Un demi-sourire effleure ses lèvres. Son visage, dans la pâleur du jour qui monte, prend une couleur de cire.

– C'est dans cette chambre d'hôpital que j'ai pris une décision. J'ai planifié point par point le déjeuner de Miramar. Je lui ai interdit de venir me chercher à l'aéroport. « Pour que ce soit une fête... on se retrouve dimanche à déjeuner... » Arriverais-je à lui dire? Le moment venu, j'hésitais... l'euphorie subite de Nelson, les souvenirs de notre première rencontre, le jeune homme qu'il avait été à dix-neuf ans, si beau, si tendre, la fillette amoureuse que j'avais été... Il fallait que je me décide, car bientôt ce serait trop tard. Avant que le soleil ne s'enfonce dans la mer, il fallait que je lui dise... Et tout d'un coup, d'une manière totalement imprévisible, les mots se sont mis en marche, tout seuls, déchaînés, et avec eux le flot d'amertume profonde que j'avais accumulé en moi. Le vocabulaire était froid, médical : « On m'a fait la totale, Nelson... », des mots crus, volontairement vulgaires.

Sylvia se lève, me tourne le dos et remet le disque de Billie Holiday.

– Aucune réaction. Il a baissé les yeux. Il est resté sans bouger. Au bout d'un moment, il s'est levé comme un somnambule et il est parti sans dire un mot. Je n'ai pas eu de nouvelles de lui pendant quelques jours. Personne ne l'avait vu ni ne savait où il était. Le journal ne cessait de m'appeler. Quand il est réapparu, il était maigre, pâle. Il ne m'a pas fait le moindre reproche, pas le moindre commentaire. Ma stérilité, enterrée comme le reste. Pour gommer les faits, le cauchemar. Et ce jeu pervers a repris. Hier soir, sur le mur du Malecon, vous avez dû penser, Manu et toi, et Marsac aussi sans doute, que j'étais une joyeuse écervelée, une charmante excentrique... la fille qui se sent belle et désirée... J'étais morte, Chino, morte... Je dansais dans le soleil couchant, je dansais sur ma tombe... mon corps est vide, Chino... mon âme s'est envolée je ne sais où... je dansais au néant...

La gorge nouée, je me suis levé. La confession de Sylvia, la chanson de Billie Holiday, c'en était trop, j'étais effondré.

– Qu'est-ce que je fais pour Nelson ? Je lui dis de foutre le camp ?

– Mais non, pourquoi ? Dis-lui de monter...

Elle est faible, transparente comme une chrysalide. Pour la première fois je ressens ce que Nelson a pu éprouver devant Sylvia. La nuit est entrée dans ses yeux, la fatigue lui donne une pâleur diaphane, un air d'adolescente perdue. Dans sa robe froissée, les cheveux en désordre tombant sur ses épaules, elle ressemble à l'orpheline qu'elle est. Seule, profondément malheureuse, une jeune fille à qui on ne peut que pardonner les maladresses et les offenses, les audaces et les perversions. « O, my man, I love you so... » Lascive, écorchée vive, la voix de Billie rend l'aube à sa profonde mélancolie, une aube grise et pluvieuse qui m'accompagne tout le long du chemin.

Nelson, comme un fantôme, est assis au volant de la voiture dans la position où je l'ai quitté.

– Vas-y. Elle veut te voir.

Sans attendre sa réaction, je fais demi-tour et remonte l'allée. Sous le porche, Lohengrin, dans le même rocking-chair, me regarde comme une chouette.

Je m'assois en face de lui et me balance doucement. Toujours dans la position du bouddha en méditation, il n'a pas bougé. En voyant Nelson Mendès entrer dans la maison, il a juste un léger tic qui ressemble à un sourire.

– Tout rentre dans l'ordre, on dirait.

J'ai faim, je suis las et de mauvaise humeur. La nuit m'a creusé. Subitement, l'ironie de Lohengrin, son air suffisant m'exaspèrent.

– Dans le désordre, tu veux dire. Rien n'est réglé. Tu

te sens fortiche parce que la nuit tire à sa fin, mais tu as tort. Les choses, comme tu dis, se sont brisées. Il faudra recoller les morceaux, c'est tout.

Je commence à me balancer obsessionnellement pour me défouler. Parce que son calme que je prends pour une manifestation de bonne conscience me rend agressif. Il a un sourire triomphant.

– Notre mission, compañero. N'oublie pas que tu es des nôtres.

– Je sais, je sais, pas de quoi s'en vanter. Cette nuit est pour moi comme un deuil.

– Un deuil?

– Beaucoup de choses, comme tu dis, sont mortes ce soir, Jacobo...

Son nom espagnol m'est sorti spontanément de la bouche. Depuis longtemps je ne l'ai pas appelé par son prénom. Il déteste ce Jacobo, fils martyr de Moïse, comme il se plaît à dire. Pour nous tous, son pseudonyme de Lohengrin est rentré dans les mœurs et a éclipsé son prénom véritable. S'entendre appeler Jacobo lui cloue le bec, neutralise son arrogance. Le couinement de souris de son rocking-chair emplit le silence avec éloquence. Puis il finit par lâcher :

– Places-tu notre amitié au rang des choses qui sont mortes ce soir, Chino?

Et il insiste bien sur le Chino.

– Pas notre amitié, non. Mais il s'est installé entre nous comme un malaise, une sorte de dégoût.

Il s'appuie aux accoudoirs et se penche vers moi :

– Tu vas penser que je suis cynique, mais le dégoût dont tu parles... ce n'est peut-être que le résultat de nos libations, le trop-plein d'alcool, le manque de sommeil, la fameuse nausée... Souviens-toi du précepte latin *Nunc opportet pernam manduces et cubitum*. Autrement dit « Mange du jambon et couche-toi ».

Il bâille en s'étirant, s'extrait de son siège et se tourne vers le jardin. Les mains en offrande pour recueillir l'eau de pluie, il s'humecte le visage, répétant le même geste plusieurs fois, comme des ablutions rituelles. Je reviens à la charge :

381

– Il y a eu une violente bagarre au Bar Eva entre Elias et un marin grec communiste.

– A bar de putes, histoires de putes.

– Non, une discussion à propos des Juifs et des communistes de Salonique exterminés par les nazis. Chacun comptait ses morts.

– Elias est-il si fort qu'il le prétend?

J'élude la provocation. Une rage sourde m'envahit, un raz de marée dont je redoute le déchaînement. Perdre le contrôle, l'accabler de reproches à ce moment précis me semble inutile.

– Il a un bon direct... mais... c'est l'objet de la bagarre qui est instructif. Car finalement il s'agissait de savoir si un Grec valait dix Juifs, un communiste cinq Juifs, deux Juifs communistes sept Grecs nationalistes.

– C'est Elias tout craché. Il n'hésite pas à mettre en balance le sort d'Israël et le destin de la planète.

– Et toi, qu'est-ce que tu en penses de tout ça?

– Moi?

Il se retourne vers moi, me fait face. Plaquant en arrière ses cheveux trempés de pluie, son visage est paisible, rayonnant, comme si rien ne pouvait l'ébranler.

– J'ai déjà fait mon choix. Tu n'as pas l'air de vouloir le comprendre. Je ne suis pas à la recherche de l'absolu avec un grand A, comme toi, comme Elias, comme Manu... Je ne suis pas un idéaliste, je m'en tiens à la stricte relativité des choses, ce qui fait de moi un être farouchement réaliste en ce qui concerne ses ambitions. Je me regarde dans le miroir et je me dis : tu es un quidam quelconque, Jacobo, comme tu as si bien su me le rappeler à l'instant. Ce Lohengrin vainqueur et romantique dont tu m'as fait porter les couleurs, Chino, ce n'est pas moi. Mais je m'en suis accommodé. Il me sert pour la frime. Ainsi, j'ai du succès auprès des femmes, des camarades de lutte fiables, des amis. Conscient de ma médiocrité foncière, je parade pour faire la part belle à mes rêves d'adolescence, mais l'homme que je suis devenu s'interdit froidement de rêver. Car le rêve, Chino, est notre pire ennemi.

S'approchant de moi, il me fixe dans les yeux, tel le serpent hypnotisant sa proie.

– Si j'avais un conseil à te donner, camarade, moi qui me suis toujours juré de ne donner de conseil à personne, je te dirais... fais comme moi, n'attends rien des rêves. Prends la vie comme elle se présente, essaie de te fondre dans la masse. Mister Nobody... Accepte une existence monotone et normalisée, ainsi tu ne seras pas déçu. C'est le seul moyen d'être heureux.

Baissant le ton, il débite d'une manière mécanique :

– Contrairement à Manu, je ne suis pas devenu communiste par conviction : je me suis engagé dans leurs rangs pour tuer en moi cette âme juive qui fait délirer Elias et les autres, les héritiers du peuple élu. Je suis fasciné, je l'avoue, par ces faits divers que la presse cubaine distille avec complaisance à longueur d'année et que chante la *Guantanamera*. J'aime leur façon de décrire, dans leurs moindres détails, les histoires les plus sordides : une femme a châtré son mari pendant son sommeil, un homme a découpé sa femme en morceaux. Et on t'explique que c'est l'amour et la passion qui les ont poussés à commettre ces crimes atroces. Je fais pareil. Par amour, j'ai tué le Juif en moi. Si on réfléchit à notre longue histoire, on s'aperçoit que le peuple juif a connu toutes sortes de prophètes. D'un côté les voix qui s'élèvent en chœur pour défendre l'étoile de David, célébrer la pérennité de la maison d'Israël, dans la pure tradition juive orthodoxe, avec les conséquences pas toujours heureuses que l'on sait. De l'autre, une sorte de mysticisme utopique, ceux qui disent « Perdons-nous, désintégrons-nous pour mieux conserver notre identité ».

Son regard trouble, inquiet, dément la fière assurance de ses paroles. Une certitude s'impose alors à moi : au-delà de son cynisme ou de propos qui se veulent durs, réalistes, Lohengrin est trahi par son regard. Il est sans doute plus fragile, plus désespéré que beaucoup d'entre nous. Par orgueil, il joue les loups solitaires.

– Oh, pardon !

Une des jumelles apparaît au seuil de la porte, roulant des yeux malicieux et complices.

Nos deux visages rapprochés se tournent en même temps dans la même direction. Comprenant la méprise de la chanteuse, Lohengrin s'écarte de moi. Il lève les bras en l'air, comme quelqu'un qui plaide pour sa vie.

– Contrairement aux apparences, ma beauté, tu ne nous as pas surpris en train d'enrouler nos langues dans un délicieux french kiss, mais de parler. Le matin est propice aux tête-à-tête philosophiques.

Malvina ouvre grand les bras, ce qui a pour effet de dévoiler en partie son corps nu sous le somptueux kimono de soie qui l'enveloppe.

– Et alors? Un french kiss entre deux beaux garçons comme vous, je n'ai rien contre! C'est un délicieux spectacle matinal. Bon, si vous avez philosophé, j'imagine que vous devez avoir faim. Travailler du chapeau pompe autant d'énergie que la gymnastique de l'amour. Le petit déjeuner est « rédi », mes chéris.

Les bras ouverts et arrondis, elle secoue ses épaules d'avant en arrière dans un tremblement qui fait sauter ses seins. Puis le rythme descend au ventre, au bassin, aux cuisses...

– Et le show recommence!

Lohengrin tente d'imiter Malvina. Rien à faire, il s'agite dans des mouvements de pantin raide et désarticulé.

– Chinito, quand les autres seront réveillés, je te ferai faire un tour du propriétaire, me dit-elle en me prenant bras dessus bras dessous et en m'entraînant vers la cuisine. Que penses-tu de notre magnifique cuisine? C'est une copie de celle de Betty Grable à Beverly Hills. Nous avons payé une petite fortune au décorateur pour qu'il nous fasse exactement la même. *Moon over Miami*. Tiens, regarde, si on se met là, qu'est-ce qu'on voit?

Je regarde, muet, la tête vide. Malvina s'impatiente.

– Vas-y, cojones, dis-moi ce que tu vois!

Lohengrin, qui s'est directement installé autour de la grande table en marbre où est servi un petit déjeuner pantagruélique, vient à mon secours en imitant un bateau qui tangue.

– Un paquebot! Ta cuisine a la forme d'un paquebot, c'est bien ça?

– Oui, c'est la reproduction du pont avant du bateau dans *Moon over Miami*. Regarde ces belles formes courbes, dit-elle, caressant la paroi en forme de coque. Tout est bleu et blanc, comme les yeux de Betty Grable!

Je rajoute :

– Et les jeans, le turban des hommes bleus, les bleus de travail.

– Je vais te dire une chose, Chino. On n'arrête pas de nous rebattre les oreilles avec les stars qui montent. Chaque dimanche Hollywood, véritable usine à produire des stars, en lance une nouvelle sur le marché. Il y a étoile et étoile, il ne faut pas tout mélanger. Dans le ciel, c'est pareil. Vénus, ça te dit quelque chose? Tout le monde aime Vénus, bien sûr, mais il y en a d'autres, des milliards d'autres, comme à Hollywood. Cette Rita Hayworth, par exemple, je l'aime bien parce qu'elle a du sang espagnol. Et l'autre avec sa tête de salope, la Gardner, Ava Gardner. On a beau dire, aucune d'elles n'arrive à la botte de Betty Grable.

Malvina s'agite. Elle sort des tasses en porcelaine blanc et bleu – comme les yeux de Grable –, nous sert café au lait, tartines, toasts et confiture de tomates.

– Une recette de ma mère!

Œufs durs, charcuterie, fruits... Elle insiste pour qu'on goûte un peu de tout.

– Andale, machitos, vous êtes un peu maigrichons, on va arranger ça! Mara et moi on va s'occuper de vous. Engraisser les copains, c'est ma spécialité. La chair est noble, les courbes appétissantes. On va vous gaver et quand vous serez à point, on vous rôtira comme deux petits cochons gras.

Elle s'appuie à l'évier et éclate d'un grand rire.

– Et Mara?

Lohengrin, qui bâfre consciencieusement, a pris Malvina au mot.

– Elle est avec Manu, elle va descendre. Quant à moi, permettez que je monte au professeur son petit déjeuner.

Selon toute vraisemblance, Malvina doit aussi trouver le professeur un peu maigre car elle lui prépare un plateau débordant de jus de fruits, café au lait, ananas, tranches de mangue, fromage et confitures, céréales.

– Le professeur et toi, comment ça a marché? lui demande Lohengrin, écarquillant les yeux avec un air de clown triste.

Malvina lève les yeux au ciel, balance les hanches d'un côté et de l'autre.

– Vous voulez que je vous dise?... Mais d'abord, jurez-moi de le garder pour vous. Je ne suis pas comme Mara qui aime bien les gros balèzes, même si, côté queue, ils sont plutôt décevants. Ces brutes musclées la laissent morose, insatisfaite. Je préfère les intellos, parce qu'ils ont le sexe – elle se frappe le front du plat de la main – là-dedans! Et pour tout vous dire, les enfants, le professeur ne m'a pas déçue. Je dirais même plus, il m'a surprise. Une vraie fête! Du doigté, de la patience, juste ce qu'il faut de perversité, et un langage, mes chéris, un langage!

– Quoi, il t'a récité des poèmes?

Appuyant son menton sur son poing fermé, Lohengrin ressemble à Rimbaud dans le portrait de Fantin-Latour. Même attitude songeuse et provocante.

– Que non, ma biche, pas de poèmes! Aucun de mes amants n'a jamais eu avec moi ce langage ordurier. La supériorité des intellectuels quand leur pine les démange, c'est qu'ils deviennent osés, crus. Ils savent ce que les images suggestives, les mots peuvent éveiller. Quand un voyou vous dit un mot salace, il n'en attend aucun effet. Marsac, lui, sait. Il baise, non seulement avec sa pine, ses couilles, ses ongles, ses dents, sa langue, son corps entier, il baise aussi avec les mots. Des mots glissés à l'oreille, des mots... O mon Dieu, j'en rougis... A mon âge et après tout ce que j'ai vu et vécu, j'en rougis encore!

Cette déclaration est suivie d'un grand rire. Puis

Malvina s'essuie les lèvres du revers de la main et redevient grave, sérieuse.

– Cet homme, vous m'entendez, je ne vais pas le laisser partir. Je me l'enchaîne, vous m'entendez, je me l'enchaîne...

Étirant son corps comme une chatte, elle pointe un doigt autoritaire par terre pour sceller sa décision sacrée, absolue. Geste rituel pour marquer sa domination comme seules les femmes cubaines savent en avoir.

– Juré! dit-elle.

Puis elle soulève le plateau du petit déjeuner et le porte devant elle comme une prêtresse. Je la regarde s'éloigner. Lohengrin me fait un clin d'œil et tire la langue d'une manière obscène.

– Eh bien, mon doudou, notre réputation est faite!

– Arrête tes conneries. Tout La Havane va nous prendre pour des pédés.

– Et après? Rome vaut bien une messe, Chinito. Pense au magnétophone sous le lit. Malvina a fait du bon boulot. Si nous étions sous un régime communiste, nous lui décernerions une médaille.

Calmement, je me verse une tasse de café chaud, amer, fort, en prenant tout mon temps. Les hublots de la cuisine découpent sur le mur des lunes grises opalescentes. Il fait jour.

La chemise ouverte sur sa poitrine velue, cigare à la main et sourire conquérant, Manu fait son entrée.

– L'avenir appartient à ceux qui se lèvent tôt, lâche-t-il.

Sa main droite est occupée à labourer la hanche de Mara, collée contre lui. Contrairement à sa sœur qui est apparue peignée et soignée, Mara s'est contentée de relever sa tignasse dans une sorte de chignon retenu par un foulard. Son visage porte les traces d'une nuit mouvementée, un visage où l'alcool et la drogue ont déjà fait quelques ravages et que la sophistication du maquillage et l'éclairage de la scène arrivent à déjouer. Si Manu peut s'enorgueillir d'avoir passé la nuit avec la reine du Tropicana, il se réveille ce matin à côté d'une mulâtresse fatiguée au visage bouffi, aux paupières lourdes. Ce qui ne semble pas affecter le moins du monde notre bandit mexicain. Ses doigts boudinés et poilus continuent de pétrir la hanche de la mulâtresse alanguie.

– Merde! Je suis furieuse! bougonne Mara en allant s'asseoir à côté de Lohengrin, renversant au passage une casserole de lait. J'étais en train de faire un rêve magnifique, je volais au-dessus de la baie! Je volais! C'était tellement agréable, et voilà que les cons d'à côté se mettent à faire grincer leur lit et l'autre à gémir comme une sirène enrouée.

– Qui ça? Malvina et Marsac? demande Lohengrin, feignant de s'y intéresser.

Il se prépare une nouvelle tartine avec une couche de beurre, de fromage mou et de confiture de tomates. Mara a une moue de dégoût, comme si la question de Lohengrin l'atteignait au plus profond d'elle-même.

– Mais non voyons... les autres, la Sylvita et son copain...

– Allons, Marita, cesse de grogner. Tu as toute la journée pour dormir et faire de beaux rêves. Je te vois bien en train de planer au-dessus de nous. Vole, ma grande, vole! Mais gare à tes ailes! Il faut qu'elles soient solides pour porter de pareils tétons!

– Moque-toi de moi, salopard. Tu en as bien profité cette nuit, hein mon cochon?

Mara envoie un coup d'épaule à Manu, fière d'avoir accompli ses fonctions de « buena hembra ». Manu s'arrange pour triturer alternativement et avec autant d'aisance son cigare, sa tasse de café et le sein gauche de Mara.

– Je ne demande qu'à remettre ça, ma beauté.

Leurs bouches se collent dans un long baiser qui n'en finit pas, sous l'œil attentif de Lohengrin qui attend le moment propice pour demander :

– Et maintenant? Mission terminée ou quoi?

Manu se détache de la femelle, prend le temps de rallumer son cigare, aspire gloutonnement et recrache la fumée lentement, par à-coups.

– Vous pouvez partir si vous voulez, Chino et toi.
J'attends que le professeur sorte du lit. On va se mettre
d'accord. Hier soir déjà, avant de rentrer chacun dans
nos chambres respectives au bras de nos belles, il a fait
allusion à un prochain week-end. Pas vrai, Marita ? Tu
pourras nous arranger ça ? Une de ces fins de semaine
comme tu sais les organiser, ma reine ?

– On verra. Pour le moment, je vais prendre un bain
chaud.

Elle met sur un plateau de quoi tenir un long siège et
sort en fredonnant avec ses accents rauques :

Non, non, je ne peux pas t'aimer
Tu le sais
Prends mon corps si tu veux
mais ne me parle pas d'amour
je ne sais pas aimer...

Se grattant le ventre qui déborde de son pantalon,
Manu est pensif.

– J'ai parlé à Marsac cette nuit. Et j'en suis arrivé à
la conclusion que nous avons commis une grave erreur
d'appréciation au sujet des intellectuels.

– C'est-à-dire ?

Lohengrin, finalement repu, m'imite en se servant
l'une après l'autre des petites tasses d'un café à réveiller les morts que Malvina a laissé dans la grande ther-
mos en plastique rose.

– Nous sommes trop purs, les gars, trop conscients
de notre destin historique. Et de ce fait nous nous
enfermons dans un ghetto, ce qui, évidemment, ne peut
que convenir à la bourgeoisie. Laissons les communistes dans la légalité, pourvu qu'ils se tiennent à car-
reau. Et, comme ça, nous faisons le jeu de notre
ennemi de classe. Marsac m'a ouvert les yeux. Il m'a
avoué un petit secret, oh, pas bien méchant, mais néanmoins instructif. En 1934, m'a-t-il dit, il se trouvait à
Paris quand le Parti communiste français ouvrait le
Congrès de la culture. A l'époque, notre jeune Marsac
s'y était rendu par simple curiosité, m'a-t-il dit. Le
bougre en garde un souvenir attendri. « C'était tellement émouvant de voir dialoguer à Paris des commu-

nistes avec des gens de tous bords, des libéraux comme Robert Musil, l'écrivain autrichien qui s'opposait à la fois à Hitler et à Staline. Musil s'est fait siffler. Vous imaginez, Manuel, m'a dit Marsac, vous imaginez un peu ce que donnerait à Cuba un congrès de ce genre! Pour commencer, tout le monde serait armé et, au moindre faux pas, le langage des balles! Quand serons-nous enfin civilisés, Manuel? »

A mesure que Manu parle, Lohengrin montre des signes d'exaspération croissants. Il fait une collection de boulettes de mie de pain qu'il envoie dans l'évier et dans la poubelle.

– OK. C'est à Paris. Mais en quoi est-ce intéressant pour la stratégie du Parti à Cuba?

– C'est hautement instructif, mon cher. Ça prouve un fait réel, historique qui donne à réfléchir. Ça prouve qu'il existe un complexe de culpabilité chez de nombreux jeunes bourgeois cultivés et intellectuels et que nous pourrions l'exploiter.

Comme si tout à coup l'excès de victuailles et d'objets qui s'interposaient entre nous nuisait à sa pensée, Manu se met à empiler tasses et assiettes pour faire le vide devant lui.

– Marsac m'a expliqué que des écrivains célèbres assistaient à ce congrès sans pour autant être communistes. Complexe de culpabilité d'un côté, peur de l'autre.

– Peur de quoi?

– La peur de ne pas être aimé. Chez un écrivain, l'amour se traduit en nombre de lecteurs, tout comme pour les acteurs, chanteurs et politiciens. Les uns ont besoin du public pour exercer leur métier, les autres de votes pour entrer au Parlement. Pas de clients, pas de lecteurs, pas d'électeurs équivaut à un manque d'amour. Un sentiment d'échec. L'impression qu'on vous pousse en dehors du circuit. Alors, pour conquérir cet amour du public, n'est-ce pas, il faut bien renifler l'air du temps, vous me suivez?

Il s'échauffe, retrouve son enthousiasme de militant, sa faconde, ce goût du prosélytisme qui le pousse à s'installer pendant des heures à la cafétéria de l'université pour amener un récalcitrant à signer un appel bidon pour la paix, histoire de publier dans le journal du Parti que cent mille Cubains s'opposent à la politique impérialiste des Américains en Asie du Sud-Est.

– L'air du temps... voilà ce qui fait marcher un livre, assure le succès d'un acteur. Pour une fille qui vend son cul, c'est pareil. Il ne s'agit pas d'être à la mode, non, ça n'est pas à la portée de n'importe quel con car, pour être dans l'air du temps, il faut être en avance d'une mode. Si, si, crois-moi, Lohengrin. Tiens, la Guapa, par exemple, la pute de la calle Zanja, pourquoi crois-tu qu'elle a autant de succès? Talons aiguilles, robe rouge moulante, jupe fendue jusqu'à l'aine, cheveux teints? C'est qu'elle a étudié le style de Rita Hayworth dans *Gilda*. Les mecs qui couchent avec elle s'y croient... L'air du temps, je te disais donc, fait sentir à Marsac qu'à Cuba les choses vont mal et que la situation ne pourra pas durer. Il y a du coup d'État dans l'air. Ce type est pourri, mais sensible, intuitif. En parlant avec lui, j'ai vraiment eu l'impression que cet ennemi acharné du Parti, ce journaliste qui s'apprête à rendre publiques quelques-unes de nos failles n'est, au fond, qu'un mal-aimé qui souffre d'avoir été injurié par nous depuis vingt ans... Vois-tu, Marsac et moi avons fait la fête ensemble, nous avons pissé côte à côte dans les chiottes d'El Chori, nous avons couché dans des chambres voisines avec un exemplaire de la même femme. Toute la soirée, je me suis tenu à mon rôle d'étudiant de gauche, vaguement compagnon de route du Parti et le voilà qui me sort, du tac au tac : « C'est drôle, Manuel, vous et moi nous pissons côte à côte, le communiste et le grand bourgeois. Vous n'êtes pas sans savoir que je prépare des articles contre Lazaro, Anibal... et toutes ces histoires troubles entre le Parti et la Confédération des travailleurs cubains? » La seule chose que j'ai trouvé à lui répondre, c'est : « Vous êtes bien renseigné sur moi, docteur... » Et lui de rétorquer : « Il faut bien, Manuel. Le pouvoir, il faut bien que ça serve à quelque chose. » Le gars prenait tout à la légère avec une élégance incroyable. Je dois dire qu'il m'a impressionné, vraiment. Et puis, une fois à table, il a recommencé à me parler de Paris, de ce congrès, des types qu'il respecte... Malraux... Gide... ceux que l'air du temps a poussés à se ranger au côté des communistes « le temps d'une discussion ». Puis il a ajouté : « Si nous pouvions en prendre de la graine, Manuel, faire pareil ici, le temps d'une discussion. »

Manu a du mal à contenir son excitation. Il ressent le besoin physique de s'exprimer par les gestes autant que par les mots. Sortant une dizaine de bouteilles de bière du réfrigérateur, il les aligne sur la table.

— Je vais prendre l'initiative de soulever la question devant les camarades. Je vais en parler à Juan, à Anibal et surtout à Blas. C'est lui le plus coriace. Il faut impérativement réveiller le complexe de culpabilité qui sommeille en tout intellectuel, en tout artiste qui se respecte. Suivons l'exemple européen. Les communistes français ont bien su manœuvrer, eux! En 34, mais aussi en 45. Aujourd'hui encore. Qui oserait cracher sur un intellectuel communiste et résistant? Personne. Même Marsac admire la revue d'Aragon. Suivons leur exemple. C'est à nous autres communistes, défenseurs farouches du droit des peuples, gardiens et leviers de l'avenir radieux, c'est à nous de dire aux écrivains : « Ne vous coupez pas du peuple. Le pouvoir américain, par gouvernement cubain interposé, menace de nous interdire d'existence, mais attention... l'ouvrier, le paysan n'ont pas dit leur dernier mot. Tentons un rapprochement. Parlons, mes frères, discutons ensemble », voilà le mot d'ordre!

Il s'enfile une nouvelle bouteille de bière d'un trait.

— Réveille-toi, Manu, tu délires, lui dis-je. C'est l'effet de l'alcool, du sexe, de la marijuana. Nous ne sommes pas en France. Nos politiciens sont tous armés jusqu'aux dents, tu sais bien, ils ont la gâchette facile.

Comme moi, Lohengrin repousse le grand verre de bière que Manu a mis devant chacun de nous.

— Et alors? Les politiciens, les hommes de main du tsar n'avaient rien à envier, pour la sauvagerie, à nos politiciens créoles. Avant d'en arriver à l'assaut du Palais d'Hiver à Saint-Pétersbourg, Lénine a écrit au moins une centaine de brochures et prononcé plus de mille discours! Tout se tient, compay! On travaille au corps les intellectuels, les artistes, les journalistes... A leur tour ils travaillent les étudiants, les ouvriers, le peuple, tout se tient!

Manu, qui jusqu'à présent s'est donné le mal de verser sa bière dans un verre, boit directement au goulot. « Hatuey, la bière de l'homme viril », dit la publicité. Il répète ce qu'il vient de dire, un tic qui lui est familier et dont il a pris l'habitude pour bien enfoncer ses idées dans la tête de son interlocuteur.

– Tout se tient! Voilà pourquoi il faut changer de tactique. La réalité, c'est qu'avec Marsac nous devons agir autrement. Je veux rester en tête à tête avec lui. La politique de la main tendue. Fraternellement, je lui dirai : « Arrêtez pour le moment la publication de vos articles, docteur... » Je vais essayer de faire avancer cette idée à l'intérieur du Parti, d'envisager un congrès, ou plutôt des consultations entre hommes de bonne volonté. « Vous et moi, docteur, sommes bien conscients que notre île est malade. L'armée recommence à bouger, comme au bon vieux temps de Batista. Seule une nouvelle intervention américaine pourrait nous sauver du désastre. C'est ça que vous voulez, docteur? Non. Moi non plus. Nous ne sommes pas du même bord, peut-être, mais patriotes et cubains tous les deux. Faites-nous confiance. »

Le regard de Manu se fixe sur le calendrier accroché au mur. C'est un portrait en couleurs de Maria Felix, dans *Doña Barbara*, le film qui l'a rendue célèbre dans toute l'Amérique latine. Il arrache la page pour le mettre à jour. Un grand 5 noir apparaît. Écrit au bas de la page, en letttres rouges : dimanche.

– Dimanche 5 août 1950, docteur Marsac. La décennie démarre en beauté. Travaillons ensemble pour qu'elle apporte bonheur, prospérité et paix à notre pays!

Manu manque de s'étrangler avec sa bière tellement il rit. Il crache dans l'évier.

– Je viens de réaliser que nous sommes dimanche, les gars... et que je me mets à parler comme un curé. Il ne manquait plus que ça. Amen!

Il se poste devant Lohengrin et moi qui l'écoutons, muets, et nous dévisage de ses petits yeux ronds.

– Après tout, pourquoi le nier ? Je suis entré au Parti comme on entre en religion. Pas de honte à ça. Je ne vois pas pourquoi certains de nos camarades se donnent autant de mal pour se cacher cette évidence. Il n'y a qu'à voir ici à Cuba, au Mexique, en Chine, partout dans le monde, le communisme a pris le relais du catholicisme. Moscou contre Rome, le pape contre Staline. Une religion en vaut une autre. La foi l'emporte toujours sur l'incroyant. Les barbares d'hier sont devenus chrétiens... Est-ce trop s'avancer que de voir les chrétiens devenir marxistes ? Nous avons des points communs : un jésuite ressemble à s'y méprendre à un membre de la Guépéou. La différence essentielle, c'est que nous parlons du paradis sur terre. C'est le secret de notre réussite, j'en suis convaincu.

Le visage empourpré, il s'arrête net. Il a l'œil brillant, la moustache pleine d'écume, tel un gladiateur après la victoire.

– Et si Marsac refusait ? se hasarde Lohengrin.

Il a remis le nœud papillon au col de sa guayabera restée d'une blancheur impeccable, ce qui n'est pas mon cas. Froissé, taché, mon costume en peau de requin a pris un sérieux coup de vieux.

Manu jette à la poubelle les cadavres de bouteilles dans un vacarme d'enfer.

– Si Marsac refuse le marché, il restera toujours les photos, les enregistrements, les témoins oculaires, les traces de son passage au Floridita, au Tropicana, au El Chori. Tout le monde l'a vu rouler des pelles à Sylvia et à Malvina. S'il le faut, nous enverrons à sa famille, aux journaux, à Prio Socarras en personne des copies et des bandes. Quoi qu'il arrive, Marsac est pieds et poings liés à nous.

Avec un gloussement d'animal, il nous fait un signe de la main, dirigeant ses pas vers la salle de bains où

Mara l'attend, en train de lire *Vanidades* dans une piscine emplie de mousse.

C'est au moment où il a franchi la porte qu'on a
entendu un premier coup de feu.

Il y a souvenirs et souvenirs. Il y a ce que la
mémoire, pour des raisons connues d'elle seule, retient
dans ses moindres détails, ce qu'elle occulte et laisse
dans le flou. Des images apparaissent et disparaissent.

Ce que j'ai vu s'est-il vraiment produit? Ou sont-ce
les épaves d'un mauvais rêve qui resurgit de temps à
autre?

Par je ne sais quelle énigme mon cerveau, ou plutôt
ce qu'on nomme la mémoire, a enregistré quelques
moments intacts, sauvés du brouillard. De ce qui s'est
passé ce matin-là chez Mara et Malvina, les jumelles de
Regla, quelques détails ont émergé, comme des sil-
houettes transparentes. Un geste, un regard, le timbre
d'une voix. Car tout est allé très vite.

Manu s'est immobilisé, interdit, sur le qui-vive. Le
fauve a senti le danger et n'attend qu'un signal secret
de son corps pour bondir, pistolet au poing.

Puis on a entendu une seconde détonation. Un
homme a crié au premier étage, une femme a hurlé.

– Carajo! rugit Manu.

Puis, plus rien. Je n'ai plus rien vu. J'ai suivi Lohengrin et Manu au premier étage. Il y a à peine une
seconde, nous étions encore à la cuisine. Dans un
brouillard confus, le long corridor qui mène aux
chambres à coucher. Mara est enveloppée dans un peignoir. L'eau dégouline sur le plancher. Mara est à
genoux devant sa sœur et essaie de la calmer.

Malvina, prostrée contre le mur, est accroupie et
déchire sa chemise avec ses mains.

– Ay! Coño... Coño... Coño..., ne cesse-t-elle de répéter, comme si Dieu, les siens et toutes les tragédies du
monde étaient contenus dans ce seul vocable.

J'aperçois Marsac. Il est blafard, ridicule, dans un
caleçon à mi-cuisse, la poitrine nue, maigre, avec les os
saillants et la peau d'une blancheur maladive. « C'est

donc vrai, me dis-je, il n'a pas le temps de s'étendre cinq minutes au bord de sa piscine. »

– Un téléphone, nom de Dieu! Où est le téléphone? crie-t-il.

Lohengrin aide Mara à porter Malvina qui vomit et se débat. Je vois Manu pénétrer dans la chambre d'où est sorti Marsac. Je me précipite derrière lui. Mais déjà il ressort, me repoussant. Lui le sanguin, lui l'homme au cou de taureau, le carnassier aux joues pleines... La couleur a maintenant abandonné son visage, sa puissance s'est évanouie. Il avance, mains tendues comme un aveugle, en grommelant :

– Fous... fous... ah... les fous...!

Je ne me souviens plus comment je suis entré dans cette chambre. Je me souviens d'un lit, d'un lit immense, avec des draps bleu ciel.

Sur le lit, les deux corps. Sylvia, le visage à demi enfoui dans l'oreiller, la poitrine chastement recouverte par le drap. La jambe droite pend au bord du lit, découvrant un sexe rasé, aussi émouvant dans sa nudité que celui d'une petite fille. Nelson Mendès est nu. Couché sur le ventre, son bras enserre la taille de Sylvia. Sur le drap bleu ciel qui recouvre la poitrine de la jeune femme, une fleur rouge ouvre ses pétales. L'autre bras de Nelson est caché sous son corps. Il a dû appuyer le canon de son arme contre son menton. La balle a traversé la tête, fait exploser la boîte crânienne. Un beau bouquet de matière rosâtre a giclé sur le mur. Je cours à la fenêtre, j'écarte le rideau, je me penche au-dessus du vide et je vomis.

Des bruits, des voix. Je suis allongé sur une chaise longue sur la terrasse au bord de l'eau, au milieu des hibiscus en fleur. Le yacht des jumelles mouille à quelques mètres. Comment suis-je arrivé là? Je ne me souviens plus. Un bateau à moteur de la marine nationale cubaine, une de ces vedettes garde-côtes qui surveillent la contrebande dans la baie, s'approche en pétaradant. On a ouvert au-dessus de moi un grand parasol car le ciel s'est dégagé et le soleil fait des apparitions subites et vives entre les nuages.

Suis-je en train de rêver? Des marins en uniforme sortent de la maison, transportant deux corps enroulés dans des bâches. Comme de vulgaires paquets, ils les jettent sur le pont.

Quelqu'un serre la main des marins. De dos, debout sur le ponton de bois, il assiste au départ de la vedette. Un homme massif, fumant le cigare. C'est Manu. Il a retrouvé son flegme, son sens du commandement. Le bateau s'éloigne, prend de la vitesse et disparaît dans la courbe de la côte. Pensif, Manu se retourne et m'aperçoit.

– Ah, te voilà, toi!

Il vient vers moi d'un pas décidé, le ventre en avant, très viril, ne doutant pas un seul instant de son destin. Il se laisse tomber sur une chaise longue à côté de moi. Et il recommence son monologue. Il parle, sans discontinuer, ne laissant pas à son interlocuteur la chance de placer le moindre mot. Il parle comme on vous enfonce un clou dans la tête.

Des mois, des années plus tard, dans une soirée, dans le silence d'une chambre, ses phrases me reviendront. Elles ont perdu leur sens, mais elles sont si bien rentrées qu'elles remontent de temps à autre, comme un cadavre dans l'eau.

– Tout va bien, dit-il... ce Marsac, quel type!... deux coups de fil, et c'est le grand ramdam... c'est un type bien, vraiment, ce Marsac... l'arsenal du pouvoir se met en branle pour le servir... surtout pas d'ennuis, ni pour lui, ni pour les jumelles, ni pour personne... secret d'État, mon grand, secret d'État... les corps seront découverts à Cojimar, au bout de la plage... une passion malheureuse qui se termine tragiquement, la mort romantique de deux amoureux... tout le monde connaissait leur histoire, personne ne sera surpris... la police découvrira d'abord la voiture de Nelson, puis les deux corps... un ami médecin se chargera de l'autopsie... suicide, sur une de nos plus belles plages... et la boucle est bouclée... tout va bien, Chino, ce Marsac, quel type!

Je me lève, je traverse le jardin qui sort de sa torpeur

humide et que les rayons du soleil tirent vers le haut. Ils me suivent. Lohengrin monte dans la voiture avec Manu. Je refuse de monter avec eux. Manu peste contre la voiture qui ne démarre pas. A travers le pare-brise couvert de buée, je croise le regard de Lohengrin. Il a l'air vieux, aigri, fermé. La tête qu'il aura à cinquante ans, j'en ai la vision exacte.

En traversant les champs d'orangers et de citronniers qui embaument l'air, le long du chemin de terre rouge, c'est Lohengrin qui occupe mes pensées. Je repense à ce qu'il m'a dit un jour au sujet de Rembrandt :

– Sais-tu pourquoi Rembrandt est pour moi le plus grand peintre de tous les temps? On parle beaucoup du traitement de la lumière dans sa peinture, mais c'est un détail technique. C'est parce que je trouve que personne mieux que lui n'a su révéler ce qui se cache derrière le visage des êtres humains. Douleur, amour, souffrance, haine, folie. Il a su dévoiler ce qu'on appelle « l'âme juive ». Cette relation mystérieuse qui nous enchaîne, que nous le voulions ou non, à un passé lointain, à des craintes communes, à des blessures qui continuent à saigner. Jusqu'à quand? Lui, Rembrandt, un chrétien, un goy, a su mieux que quiconque faire parler les visages du peuple juif. Regarde son tableau *La Fiancée juive*. Célèbrent-ils la joie de leurs noces futures? Vont-ils se marier? Cette main de l'homme que la femme recouvre de la sienne n'annonce-t-elle pas la fin d'un rêve, le lendemain d'un deuil, la crainte d'un pogrom? Rembrandt, on le sait, hantait les ghettos d'Amsterdam, à la recherche de vieilles étoffes, de bijoux rares, d'objets rituels de la religion juive. Il y trouvait aussi ses modèles. Ce portrait de bourgeois hollandais, riche et repu, a le nez et les oreilles en feuilles de chou des Juifs slaves. Et son étude à l'encre de Chine et lavis brun pour *La Grande Mariée juive*? C'est Ève elle-même, condamnée par sa faute. Elle donne un visage au péché. Et le péché, c'est d'être née juive. Cet intérêt de Rembrandt pour notre peuple n'est pas le fruit du hasard, ni une lubie de peintre en mal de folklore. Rembrandt était un ami du grand rabbin

Samuel Menasseh ben Israël. Ensemble, ils lisaient les textes sacrés, la Bible, le Nouveau Testament, la Kabbale. Ils y cherchaient ce qui pourrait rassembler Juifs et chrétiens. C'est pourquoi Rembrandt a su saisir ce mal de vivre que le Juif porte en lui, aussi heureux, aussi puissant soit-il. Sur ces tableaux, je vois les visages de mes ancêtres. L'homme au regard blessé, l'homme sans espoir, le Juif errant.

Je traverse le cloaque de l'ancien quartier des esclaves. Les ordures nagent dans des flaques boueuses. Il faudra quelques heures encore avant que le soleil ne les assèche. Des enfants noirs et maigrichons jouent au milieu des détritus tandis que les porcs, repus et placides, indifférents, se baladent au milieu des baraquements. Regla, abandonnée à elle-même, expose ses plaies sous une lumière crue.

Une Cadillac rutilante s'arrête à ma hauteur. Marsac ouvre la portière et m'invite à monter.

Marsac et moi buvons un café dans un petit bistrot de la calle San Lazaro, face au Malecon. Pour dissimuler la gêne, la honte, nous parlons de choses anodines, débitons un chapelet de lieux communs :

– Il commence à faire lourd... temps pourri du mois d'août... Il paraît qu'on va aménager le Malecon, il est question de construire des hôtels de luxe, des cabarets, des salles de jeu... Que vont penser Maceo et Mati de ces transformations ? Je me le demande... On n'est pas à Las Vegas ni à Atlanta... Pauvre Havane ! Dieu merci, je ne serai sans doute plus là pour assister à ce désastre... Tant mieux... A propos, il faut que j'appelle ma femme... Avez-vous pu parler à vos parents ?

– Oui, monsieur, cette nuit, j'ai eu ma mère au téléphone. Tout va bien. (Tiens, comme Manu, je me surprends à dire « tout va bien »...)

Je raccompagne Marsac à sa voiture et j'insiste pour qu'il me laisse là. J'ai envie de faire le reste du chemin à pied. Il retient ma main dans la sienne, me regarde dans les yeux. Son front est perlé de sueur. Je remarque un pli profond au coin de ses lèvres, son teint cadavérique.

– Ne pensez pas trop à ce qui est arrivé chez nos amies, me dit-il. C'était écrit, un jour ou l'autre cela devait arriver. Pourtant je m'en veux... je n'ai pas su entendre la détresse de cette jeune femme. Je ne pensais qu'à moi, qu'à mes malheurs. Quant à Nelson Mendès, je ne l'avais jamais rencontré. Au cours de la nuit, Sylvia m'avait un peu parlé de lui. Elle le voyait comme un héros romantique, un personnage de Wedekind. Romantisme noir et sans issue, « un amour maudit », disait-elle. Je prie Dieu pour que l'au-delà existe. J'espère les retrouver bientôt et pouvoir leur exprimer mes regrets et ma honte.

Il presse ma main dans la sienne.

– Adieu, l'ami, me dit-il.

Je remonte le Malecon en sens inverse, vers El Morro, là où la veille au soir Sylvia avait dansé pour nous. J'achète deux roses rouges à un marchand ambulant et je les jette à la mer. Les fleurs flottent sur la crête des vagues, s'éloignent, reviennent, disparaissent dans le ressac, refont surface. Je ne me souviens plus à quel moment je les ai perdues de vue. Ont-elles coulé? Se sont-elles échouées sur les rochers, déchiquetées? Mon regard flotte à l'horizon.

Tout petit, je me souviens, je demandais à ma mère :

– Cette ligne là-bas contre le ciel, est-ce que c'est ça qu'on appelle l'infini, maman?

Et, chaque jour, je revenais sur le Malecon contempler cette ligne magique qui représentait pour moi la liberté. Là-bas, au-delà de cette ligne se trouvaient d'autres terres, un autre monde, différent du nôtre.

Ce soir, j'essaie de faire revivre en moi ce sentiment, mais je n'y parviens pas. Il est mort, définitivement, avec mon adolescence. C'est irréversible, je le sais. Quelque chose s'est brisé pour toujours et cette évidence m'angoisse.

La veille au soir, Sylvia dansait sur le mur, fragile et gracieuse. Cet être si vivant n'était plus ce matin qu'un tas d'os et de viande, qu'un fardeau inerte, chargé par quatre marins anonymes.

Puis j'entends de nouveau Hanna m'annoncer son

départ. Dans quelques semaines, elle aussi sera morte pour moi. Son image disparaîtra à l'horizon, elle n'appartiendra plus à l'endroit où je vis.

J'entends la voix de ma mère au téléphone, calme, apaisée. Sa voix de femme comblée :

– Ne t'inquiète pas, mon chéri, ton père m'a dit que tu étais en bonne compagnie. Rentre quand tu veux. Tout va bien.

Puis je revois le visage blafard, prématurément vieilli de Jacobo. Le front plissé, les yeux inexpressifs, une moue amère sur les lèvres. Ce n'est pas le Lohengrin que j'ai aimé, l'adolescent pour qui tous les choix restaient encore ouverts. Ce Jacobo-là avance tête basse, vaincu d'avance, vers un morne destin.

Je me vois faisant le tour de l'île à pied en longeant la côte, de La Havane à Punta Maïsi, de Maïsi à Cabo San Antonio en Pinar del Rio, de Pinar del Rio à La Havane, pour revenir à cet endroit précis du Malecon.

Soudain cette bande de terre encerclée par la mer qu'on appelle Cuba, cette île en forme de caïman, ce lézard vert endormi sur l'eau bleue au milieu d'un archipel entre deux continents, soudain Cuba n'est plus mon amour d'enfance, l'infini, la liberté. Cuba est une île. C'est ma prison.

Une phrase de Sylvia résonne en moi avec plus de force que la veille. Au moment où le dernier rayon du soleil coulait dans la mer, Sylvia nous avait demandé à tous de faire un vœu.

Pendant que Manu et Marsac en compagnie de Lohengrin discutaient pour savoir qui monterait avec qui et dans quelle voiture, Sylvia s'était approchée de moi. Timidement, comme si mon indifférence hostile l'avait privée de ses moyens de séduction, elle m'avait demandé :

– Quel vœu as-tu fait, Chino ?

J'avais alors pensé à Hanna, à tout ce que j'aurais voulu lui dire au téléphone, aux barrières que nous devrions abattre pour nous aimer...

– Revoir mon amour, et toi ?

Elle avait incliné la tête et regardé vers les vagues en bas avec une obstination têtue :

– Partir. Quitter cette île où je me sens enfermée.
Avait-elle, à sa manière, trouvé le chemin de la
liberté ? Toujours est-il qu'elle avait exprimé ce que je
ressentais.

Solennellement, je me tourne vers la mer qui ressemble à un jour de deuil.
Fixant le soleil droit et haut dans le ciel, l'astre-roi, je
lui fais le serment :
– Je partirai. Je quitterai cette prison pour toujours.

Table des matières

Cet ouvrage a été réalisé par la
SOCIÉTÉ   NOUVELLE   FIRMIN-DIDOT
Mesnil-sur-l'Estrée
pour le compte des Éditions Flammarion
en novembre 1992

Imprimé en France
Dépôt légal : octobre 1992
N° d'édition : 14139 - N° d'impression : 22553